Maria Gloria Tommasini, Mimma Flavia Diaco

SPAZIO ITALIA

LIVELLO B1

3 MANUALE + ESERCIZIARIO

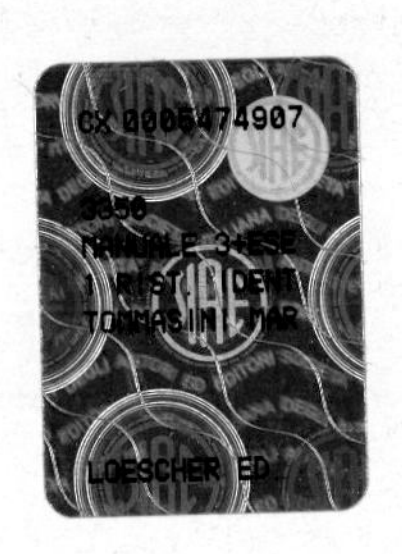

LOESCHER EDITORE

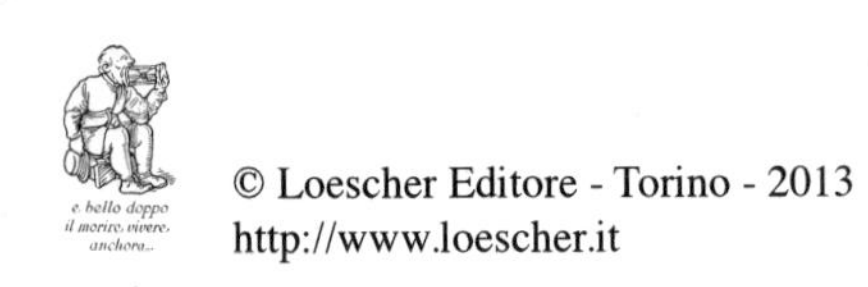

Ristampe

5	4	3	2	1
2018	2017	2016	2015	2014

ISBN 9788820136321 - 9788820133504

Nonostante la passione e la competenza delle persone coinvolte nella realizzazione di quest'opera, è possibile che in essa siano riscontrabili errori o imprecisioni. Ce ne scusiamo fin d'ora con i lettori e ringraziamo coloro che, contribuendo al miglioramento dell'opera stessa, vorranno segnalarceli al seguente indirizzo:

Loescher Editore
Via Vittorio Amedeo II, 18
10121 Torino
Fax 011 5654200
clienti@loescher.it

Loescher Editore opera con sistema qualità
certificato CERMET n. 1679-A
secondo la norma UNI EN ISO 9001-2008

Contributi
Eserciziario: Daniela Pepe e Giovanni Garelli
Revisione didattica: Annalisa Pierucci, Viviana Simonetti

Coordinamento editoriale: Laura Cavaleri

Coordinamento redazionale: Francesca Asnaghi

Redazione: Federica Gusmeroli (studio zebra)

Progetto grafico e impaginazione: Sara Blasigh - Recco (GE)

Copertina: Visualgrafika - Torino

Ricerca iconografica: studio zebra, Emanuela Mazzucchetti

Disegni: Rino Zanchetta

Stampa: Sograte Litografia s.r.l. - Zona Industriale Regnano - 06012 Città di Castello (PG)

Indice

UNITÀ 3

Io cercherei in Internet!

pag 43

La comunicazione	La grammatica	Il lessico	La pronuncia e la grafia	La cultura	In azione
• Parlare di ricerca di lavoro • Leggere e rispondere agli annunci di lavoro • Compilare un curriculum vitae e partecipare a un colloquio di lavoro	• Il condizionale semplice: verbi regolari e irregolari • Il condizionale composto	• Le parole utili per la ricerca di lavoro • Le informazioni personali • L'esperienza lavorativa • I datori di lavoro • Il tipo di attività • L'orario di lavoro • Il tipo di contratto e lo stipendio • L'istruzione e la formazione • I titoli di studio • Le altre conoscenze • Gli altri requisiti • I materiali inviati con l'email	• Uso dei segni di interpunzione	• Per saperne di più: il mondo del lavoro in Italia • Un luogo: il Lingotto di Torino • Un personaggio: Immacolata Simioli • Un'opera: *Mammut* di Antonio Pennacchi • Un video: *Il mondo del lavoro* • L'Italia in Internet: siti per la ricerca di lavoro	• Leggere: il lavoro ideale • Ascoltare: interviste a giovani italiani che lavorano all'estero • Scrivere: compilare il curriculum vitae e rispondere a un'offerta di lavoro • Parlare: simulare un colloquio di lavoro • Progettiamolo insieme: le professioni più ricercate

Eserciziario
pag 20

UNITÀ 6

Si può fare di più!

UNITÀ 7

Chi sarà stato?

www.loescher.it/studiareitaliano/
Per trovare gli audio, i video e tanto materiale in più!

1 Che tipo sei?

In questa unità imparate a:
- A descrivere le persone e il loro carattere
- B presentare le persone in situazioni formali e informali
- C raccontare un'esperienza particolare
- D parlare della vostra esperienza di studio della lingua italiana

1 Osservate le immagini e abbinatele alle descrizioni.

1 [H] È giovane, molto elegante, segue la moda e vuole diventare stilista. È socievole e ottimista, ama giocare con stoffe e colori, disegnare con gli acquerelli e fare acquisti in negozi esclusivi.

2 [ ] È un tipo palestrato e porta sempre gli occhiali da sole. Sembra un po' montato, ma quando impari a conoscerlo è un ragazzo alla mano. Ha 35 anni, fa il personal trainer e sogna di guidare un aeroplano.

3 [ ] È la mamma di Francesco. Fa la maestra e si interessa di storia e filosofia. Ama le piante e nel tempo libero si dedica al giardinaggio.

4 [ ] Sono amici da tanto tempo. Si sono conosciuti alle scuole elementari e hanno continuato a frequentarsi anche da grandi. Hanno una gran passione per i computer e naturalmente amano navigare in Internet.

5 [ ] Ha 25 anni e qui è vestita da sposa. Ha scelto questo abito insieme a sua madre e un'amica. Nella vita di tutti i giorni è una ragazza dolce e romantica.

6 [ ] È arrivato in Italia dieci anni fa e ha due ristoranti in centro. Ha studiato italiano all'università e poi si è laureato in Scienze dell'alimentazione. Adora sperimentare piatti nuovi e colleziona bicchieri di ogni forma e colore. È un tipo gentile e curioso.

2 In coppia.
Continuate la descrizione delle persone rappresentate nelle immagini. Sulla base della vostra prima impressione, che cosa potete aggiungere a proposito di ognuno?

A SONO UN TIPO SOCIEVOLE

1 Osservate i disegni: dove sono le persone raffigurate? Che cosa fanno? Secondo voi che tipi sono?

2 Svolgete il test.

Che tipo sei?

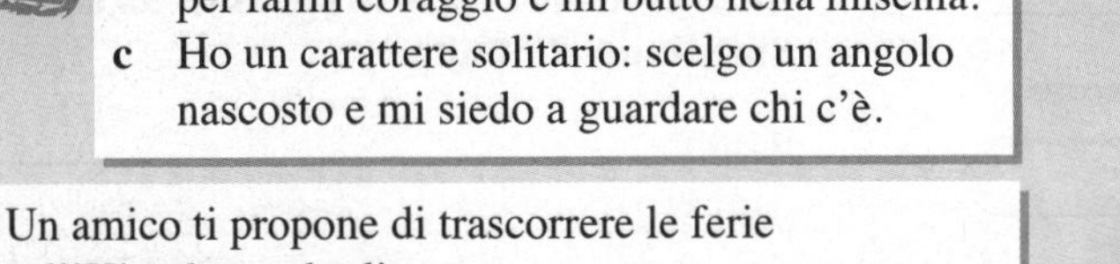

1 Durante una festa piena di gente
- **a** Sono un tipo socievole e cerco subito di conoscere il re o la regina della serata.
- **b** All'inizio sono un po' timido, ma poi bevo per farmi coraggio e mi butto nella mischia.
- **c** Ho un carattere solitario: scelgo un angolo nascosto e mi siedo a guardare chi c'è.

2 Un amico ti propone di trascorrere le ferie sull'Himalaya a luglio
- **a** Sono un tipo abitudinario e a luglio voglio andare al mare.
- **b** Sono un tipo avventuroso e dico subito di sì.
- **c** Sono un po' indeciso e chiedo tempo per riflettere.

3 Una mia fotografia
- **a** La faccio vedere volentieri perché ho una faccia simpatica: sono un po' egocentrico!
- **b** La nascondo in un cassetto perché non mi piaccio.
- **c** Sono pratico: la tengo per la carta d'identità.

4 In classe
- **a** Sono attento e seguo la lezione con interesse.
- **b** Sono svogliato, muoio dalla noia e mi viene il mal di testa.
- **c** È un posto come un altro per passare un po' di tempo.

5 In cucina
- **a** Sono un tradizionalista e cucino i piatti che conosco.
- **b** Sono attivo e sperimento ricette nuove.
- **c** Ho una crisi di nervi: quando sono in casa preferisco il computer.

6 In amore vince
- **a** Il maschio più forte, come a braccio di ferro.
- **b** La dea della fortuna.
- **c** Il tipo più coraggioso.

3 Calcolate il vostro punteggio e leggete il profilo: corrisponde alla vostra personalità?

	a	b	c
1	3	2	1
2	1	3	2
3	3	1	2
4	3	1	2
5	2	3	1
6	3	2	1

Da 6 a 9 punti	Da 10 a 13 punti	Da 14 a 18 punti
Riservato	**Riflessivo**	**Estroverso**
Sei un tipo riservato e discreto. Non dai fastidio a nessuno e ami pensare ai fatti tuoi. Però non hai mai voglia di fare qualcosa di nuovo e questo è il tuo limite. Prova a superarlo!	Sei un tipo riflessivo ed equilibrato. Sei quasi perfetto. Ma attenzione, le persone che ti stanno intorno possono considerarti noioso... Prova a rischiare qualche volta!	Sei un tipo molto estroverso, ami l'avventura e gli imprevisti. Non hai paura di niente e sei sempre alla ricerca di novità. A volte, però, è necessario sedersi un attimo e riflettere.

4 Scrivete gli aggettivi usati per descrivere il carattere di una persona nel test e nei profili delle attività 2 e 3.

socievole, ...

....

5 **Tra gli aggettivi che avete scritto nell'attività precedente, ce ne sono alcuni adatti a descrivervi? Se sì, quali? Se non ci sono, con quali altri aggettivi potete descrivere il vostro carattere?**

....

....

6 **Cercate nel test dell'attività 2 le parole utili a completare le seguenti tabelle.**

I NOMI INVARIABILI che hanno la stessa forma al singolare e al plurale	
singolare	**plurale**
la crisi	le crisi
....	i computer

I NOMI INDIPENDENTI che hanno due forme completamente diverse per il maschile e il femminile	
maschile	**femminile**
il re	la regina
....	la femmina

I NOMI DIFETTIVI che non hanno la forma plurale o singolare	
singolare	**plurale**
il coraggio	–
–	....

I NOMI SOVRABBONDANTI che hanno il plurale maschile e femminile di significato diverso		
singolare	**plurale maschile in *-i***	**plurale femminile in *-a***
il braccio (del corpo umano, di un fiume, di una poltrona ecc.)	i bracci (di un fiume, di una poltrona ecc.)	le braccia (del corpo umano)

7 **Conoscete altri nomi con le stesse caratteristiche di quelli presenti nelle tabelle dell'attività precedente? In 2 minuti cercate di scriverne il più possibile su un foglietto. Allo scadere del tempo consegnatelo all'insegnante e confrontatevi sulle risposte.**

E ora svolgete le attività 5-10 alle pp. 2 e 3 dell'eserciziario.

8 **Nel test dell'attività 2 sono presenti alcuni verbi irregolari. Completate quelli elencati con le forme mancanti del presente indicativo e, se necessario, scrivete l'infinito.**

1 *essere*: sono, sei, ..., ..., ..., ...
2 .... : bevo, ..., ..., ..., ..., ...
3 *avere*: ...., ..., ..., ..., ..., ...
4 *scegliere*: ...., scegli, sceglie, scegliamo, scegliete, scelgono.
5 *sedersi*: ...., ti siedi, si siede, ci sediamo, vi sedete, si siedono.
6 *proporre*: propongo, proponi, ..., proponiamo, proponete, propongono.

E ora svolgete le attività 11 e 12 a p. 4 dell'eserciziario.

9 **Ricordate altri verbi irregolari? Se sì, quali? Scrivetene l'infinito.**

uscire, ...

....

....

10 **In coppia.**
L'insegnante vi consegna un foglietto con il nome di due compagni. Scrivete una breve descrizione del loro aspetto e del loro carattere. Se non li conoscete bene, provate a immaginare che tipo di persona sono. Quando avete finito, l'insegnante raccoglie i foglietti e li legge ad alta voce. Cercate di indovinare chi è la persona descritta dagli altri compagni.

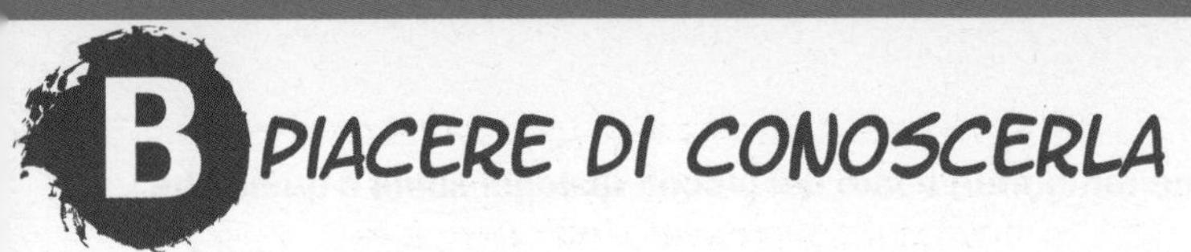

1 **Quali frasi conoscete per presentare una persona? Che cosa dite quando vi presentano una persona?**

2 **Ascoltate i dialoghi e abbinateli alle immagini.**

A ☐

B ☐

C ☐

D ☐

3 **Ascoltate ancora i dialoghi e rispondete alle domande. In quale/i dialogo/dialoghi...**

1 le persone si danno del *Lei*? ....1, 4....

2 le persone usano i titoli professionali? ....

3 si presenta una persona a un'altra? ....

4 una persona racconta di aver conosciuto altre persone? ....

5 sono presenti delle persone non italiane? ....

4 **Ascoltate ancora e completate le frasi che le persone usano per:**

1 esprimere il piacere di rivedere una persona	• ....Che piacere.... rivederLa!
2 chiedere il permesso di presentare una persona	• .... presentarLe ....? • Ti posso ....?
3 esprimere il piacere di conoscere una persona	• Piacere, ... • ...., professore. • .... conoscerti!
4 dire di aver conosciuto delle persone	• Maria mi ha presentato .... • .... conosciuto ....
5 esprimere piacere per aver conosciuto una persona	• .... di averti .... • .... mio.
6 invitare una persona a entrare e accomodarsi	• Prego, ...! • Accomodati! / Si ....!
7 chiedere a una persona se possono aiutarla	• .... esserLe ....?

5 **Rileggete le frasi dell'attività precedente e inserite nella tabella i pronomi mancanti. Poi rispondete alle domande e completate le affermazioni con gli esempi dell'attività precedente.**

I PRONOMI DIRETTI	I PRONOMI INDIRETTI	I PRONOMI RIFLESSIVI
mi	....	mi
....	....	ti
lo/la/............	gli/le/............	si/............
....	....	ci
vi	....	....
li/............	....	si

1 Quando il verbo è all'infinito, i pronomi possono seguire il verbo e formare con esso una sola parola. In questo caso l'infinito perde la vocale finale, come in *rivederLa*, *presentarLe*, ...

2 Quando il verbo all'infinito è preceduto da un modale (*potere*, *volere*, *dovere*), il pronome può precedere il modale o seguire l'infinito come in ....

3 In quale posizione si trovano i pronomi con i verbi all'imperativo affermativo? ....

4 Ci sono degli esempi nelle frasi dei dialoghi? ....

E ora svolgete le attività 3 e 4 alle pp. 5 e 6 dell'eserciziario.

6 **In gruppo.**
Osservate le immagini: assumete i ruoli delle persone raffigurate e fate dei piccoli dialoghi simili a quelli che avete ascoltato nelle attività precedenti.

C NEL 2012 HO CORSO LA MIA PRIMA MARATONA

1 **Osservate le foto di Renato Rossetti e provate a rispondere alle domande.**

1 Quanti anni ha? ....
2 Che lavoro fa? ....
3 È sposato? ....
4 Ha figli? ....
5 Qual è il suo hobby? ....

2 **Ascoltate la prima parte dell'intervista e verificate le vostre ipotesi.**

3 **Adesso ascoltate tutta l'intervista, poi rispondete alle domande.**

1 Qual è la passione di Renato Rossetti? La corsa.
2 Perché ha cominciato a correre? ....
3 Com'è cambiato fisicamente da quando corre? ....
4 Come si è preparato alla maratona? ....
5 Perché secondo lui è facile praticare la corsa? ....
6 Come si è sentito al termine della maratona di New York? ....
7 Con chi è andato negli Stati Uniti? ....
8 Che cosa hanno fatto insieme dopo la maratona? ....
9 Che cosa hanno deciso di fare il prossimo anno? ....

4 **Utilizzate le risposte alle domande dell'attività precedente e riassumete il racconto di Renato Rossetti.**

Renato Rossetti ha 55 anni, è sposato, ha ....due figli...... e lavora come .... Dieci anni fa .... Ha continuato a correre e ha deciso di .... Nel 2012 .... Al termine della maratona di New York ha pensato .... È andato negli Stati Uniti con .... e insieme ....

5 **In coppia.**
Rileggete con attenzione il vostro riassunto, poi a turno immaginate di essere Renato Rossetti e raccontate al compagno la vostra esperienza.

Mi chiamo Renato Rossetti, ho 55 anni...

6 **Nell'intervista a Renato Rossetti vengono utilizzati molti verbi al passato prossimo con participio irregolare. Ascoltate ancora e scrivete i verbi usati al passato prossimo che corrispondono ai seguenti infiniti.**

1	venire	è venuto	**8**	decidere	....	**15**	sconfiggere	....
2	correre	ha corso	**9**	promettere	....	**16**	resistere	....
3	accorgersi	....	**10**	iscriversi	....	**17**	sopravvivere	....
4	smettere	....	**11**	esplodere	....	**18**	deludere	....
5	riscoprire	....	**12**	trascorrere	....	**19**	succedere	....
6	perdere	....	**13**	essere	....	**20**	rimanere	....
7	convincere	....	**14**	richiedere	....	**21**	conoscersi	....

7 **Ascoltate ancora e completate le frasi dell'intervistatrice, di Renato e della moglie Grazia. Poi riflettete sull'uso degli ausiliari *essere* e *avere* con il passato prossimo, abbinando le frasi alle affermazioni sottostanti.**

1 Due settimane fa Renato ....ha corso.... la maratona di New York.
2 Com' .... il Suo percorso da maratoneta?
3 .... a camminare la domenica mattina con mia moglie.
4 .... molto.
5 .... 25 chili.
6 .... a dei corsi.
7 .... a vincere la sfida con me stesso.
8 .... alla mia famiglia e a tante altre cose.
9 .... anche a me.
10 .... alle cascate del Niagara.
11 .... un po' tra Canada e Stati Uniti.

a Formano il passato prossimo con l'ausiliare *essere*:	b Formano il passato prossimo con l'ausiliare *avere*:	c Alcuni verbi, per esempio *iniziare*, *finire*, *cambiare*, *scendere* ecc., possono formare il passato prossimo con *essere* o *avere* come nelle frasi n. .... e ....
• i verbi intransitivi (cioè i verbi senza complemento oggetto), come nelle frasi n. ..7.... e ..9....; • i verbi che indicano un movimento verso un luogo preciso, come nella frase n. ....; • i verbi riflessivi, come nella frase n. ....; • i verbi che indicano un cambiamento, come nella frase n.	• i verbi transitivi (cioè i verbi che possono essere seguiti da un complemento oggetto), come nella frase n. ....; • i verbi che indicano un movimento senza una meta precisa, come nelle frasi n. .... e ....; • alcuni verbi intransitivi, per esempio *abitare*, *giocare*, *pensare*, *parlare* ecc., come nella frase n.	

8 **In coppia.**
Parlate con un compagno del vostro passatempo preferito.
Qual è? Quando vi siete avvicinati a questa attività?
Quali esperienze avete fatto?

E ora svolgete le attività 2 e 3 a p. 7 dell'eserciziario.

PERCHÉ HAI DECISO DI STUDIARE L'ITALIANO?

1 Rispondete al questionario.

1 Che lingue parli?
- **a** Inglese.
- **b** Francese.
- **c** Spagnolo.
- **d** Cinese.
- **e** Russo.
- **f** Altro: ....

2 Perché hai deciso di studiare l'italiano?
- **a** Per lavorare in Italia.
- **b** Per visitare i parenti italiani.
- **c** Per parlare con la gente.
- **d** Per leggere i giornali e i libri italiani.
- **e** Per viaggiare in Italia.
- **f** Altro: ....

3 Quando hai cominciato?
- **a** Da poco.
- **b** La scorsa estate.
- **c** Sei mesi fa.
- **d** Un anno fa.
- **e** Tanti anni fa.
- **f** Altro: ....

4 Secondo te l'italiano è una lingua difficile?
- **a** Sì, è difficilissima.
- **b** Sì, abbastanza.
- **c** Un po'.
- **d** Non tanto.
- **e** No.

5 Tra queste affermazioni, con quale sei più d'accordo? Puoi mettere fino a 3 crocette.
- **a** La pronuncia di certe parole è impossibile.
- **b** Ho problemi con l'accordo tra il nome e l'aggettivo.
- **c** Ho problemi con l'accordo tra il soggetto e il participio passato.
- **d** Ci sono troppi verbi irregolari.
- **e** Le preposizioni e i pronomi mi fanno impazzire.
- **f** La coniugazione dei verbi è complicata.
- **g** Mi sembra difficile l'uso degli ausiliari *essere* e *avere*.
- **h** Gli italiani parlano troppo velocemente.
- **i** Altro: ....

6 Come studi l'italiano?
- **a** Frequento un corso all'università.
- **b** Prendo lezioni private.
- **c** Faccio due ore di lezione alla settimana su Skype con un insegnante italiano.
- **d** Studio da solo con i DVD.
- **e** Ho amici italiani che mi insegnano a parlare.
- **f** Altro: ....

7 Secondo te che cosa è meglio fare per imparare una lingua?
- **a** Vivere e viaggiare nel Paese in cui si parla la lingua.
- **b** Studiare regolarmente tutti i giorni almeno un'ora.
- **c** Imparare molte parole.
- **d** Leggere libri e giornali in lingua.
- **e** Ascoltare canzoni in lingua.
- **f** Fare tanti esercizi di grammatica.
- **g** Guardare programmi televisivi.
- **h** Guardare film in lingua.
- **i** Parlare con la gente.
- **l** Altro: ....

8 Quali consigli puoi dare a chi vuole imparare una lingua straniera?
- **a** Essere costanti.
- **b** Non scoraggiarsi troppo presto.
- **c** Non aver paura di commettere degli errori.
- **d** Usare Internet.
- **e** Organizzare incontri con parlanti nativi.
- **f** Altro: ....

2 In gruppo.
Discutete delle risposte che avete dato alle domande del questionario e motivate le vostre scelte. Poi riferite alla classe i risultati della vostra discussione.

3 Rileggete la seguente affermazione tratta dal test dell'attività precedente. Anche a voi preposizioni e pronomi fanno impazzire? E le altre parti del discorso? Di seguito trovate un esempio per ogni parte del discorso della lingua italiana: inserite le parole nella tabella.

Le preposizioni e i pronomi mi fanno impazzire.

~~ehi~~ il bene mi di bello e fare

VARIABILI (che cambiano le loro terminazioni)	INVARIABILI (che non cambiano le loro terminazioni)
articoli	avverbi ....
pronomi	congiunzioni ....
verbi	preposizioni semplici ....
nomi	interiezioni ..ehi....
aggettivi	

4 Ora aggiungete altri esempi a vostro piacere nella tabella.

5 In coppia.
Formate due frasi usando tutte le 9 parti del discorso come nell'esempio.

Ehi,	ieri	io	e	Sandro	ti	abbiamo visto
interiezione	avverbio	pronome	congiunzione	nome	pronome	verbo
in	centro	con	una	ragazza	davvero	bella.
preposizione	nome	preposizione	articolo	nome	avverbio	aggettivo

Progettiamolo INSIEME

1 Girate per la classe e cercate dei compagni che hanno risposto al questionario nella pagina precedente in modo simile a voi. Insieme a loro formate dei gruppi e completate le frasi.

1 Abbiamo deciso di studiare l'italiano per ....
2 Dell'Italia ci interessa soprattutto ....
3 Le cose più difficili della lingua italiana sono ....
4 Le cose che non abbiamo capito e vorremmo rivedere sono ....
5 Secondo noi per studiare l'italiano è importante soprattutto ....
6 Ci piacerebbe imparare ....
7 Abbiamo deciso di ....
8 Il nostro insegnante deve ....
9 Chi vuole studiare l'italiano deve ....

2 In gruppo.
Scrivete un progetto per imparare la lingua italiana: riportatelo su un foglio e, se possibile, attaccatelo alle pareti della vostra classe insieme ai progetti degli altri compagni. Ogni tanto riguardate i vostri progetti e cercate di realizzarli.

PRONUNCIA E GRAFIA

1 Osservate le parole nella tabella tratte dall'unità. Poi leggete le affermazioni accanto e rispondete alla domanda.

TRONCAMENTO	ELISIONE
una gran passione	un'amica
il mal di testa	all'università
un amico	l'ho nascosta
qual è	com'è cambiato
non aver paura	c'è

- Il troncamento consiste nella caduta della vocale finale non accentata o della sillaba finale di una parola.
- L'elisione consiste nella caduta della vocale finale non accentata di una parola di fronte alla vocale iniziale di un'altra parola.

Qual è la differenza tra troncamento ed elisione rispetto all'uso dell'apostrofo?

2 Ascoltate e completate.

Ciao Mariella,
come va? Ti scrivo per chiederti un paio di informazioni su New York. Ti ricordi quel mio amico che hai conosciuto .... tempo fa, in estate, quando sei passata a trovarci? Ebbene, ... novità? Proprio lui mi ha convinto a partecipare .... newyorkese, la vostra maratona. Abbiamo già prenotato.. per la prossima settimana. .... il tempo a New York al momento? Fa freddo? Ma soprattutto, ... dove siamo state dieci anni fa Marta e io? Lo so che potrei cercare in Internet ma con .... come te non ho bisogno .... a navigare alla ricerca di informazioni!!! Ultimamente il computer mi fa venire il .... Va bene se ti chiamo tra un paio di giorni? Per ora .... una cosa: .... alla tua bimba.
Un caro abbraccio e a presto.
Cristina

LA GRAMMATICA IN TABELLE

I NOMI INVARIABILI che hanno la stessa forma al singolare e al plurale	
singolare	**plurale**
la crisi	le crisi
il computer	i computer

I NOMI DIFETTIVI che non hanno la forma plurale o singolare	
singolare	**plurale**
il coraggio	–
–	le ferie

I NOMI INDIPENDENTI che hanno due forme completamente diverse per il maschile e il femminile	
maschile	**femminile**
il re	la regina
il maschio	la femmina

I NOMI SOVRABBONDANTI che hanno il plurale maschile e femminile di significato diverso		
singolare	**plurale maschile in *-i***	**plurale femminile in *-a***
il braccio (del corpo umano, di un fiume, di una poltrona ecc.)	i bracci (di un fiume, di una poltrona ecc.)	le braccia (del corpo umano)

I PRONOMI DIRETTI	I PRONOMI INDIRETTI	I PRONOMI RIFLESSIVI
mi	mi	mi
ti	ti	ti
lo/la/La	gli/le/Le	si/Si
ci	ci	ci
vi	vi	vi
li/le	gli	si

ALCUNI VERBI CON PRESENTE INDICATIVO IRREGOLARE	
essere	sono, sei, è, siamo, siete, sono
bere	bevo, bevi, beve, beviamo, bevete, bevono
avere	ho, hai, ha, abbiamo, avete, hanno
scegliere	scelgo, scegli, sceglie, scegliamo, scegliete, scelgono
sedersi	mi siedo, ti siedi, si siede, ci sediamo, vi sedete, si siedono
proporre	propongo, proponi, propone, proponiamo, proponete, propongono
volere	voglio, vuoi, vuole, vogliamo, volete, vogliono
dire	dico, dici, dice, diciamo, dite, dicono
fare	faccio, fai, fa, facciamo, fate, fanno
piacere	piaccio, piaci, piace, piacciamo, piacete, piacciono
tenere	tengo, tieni, tiene, teniamo, tenete, tengono
morire	muoio, muori, muore, moriamo, morite, muoiono
venire	vengo, vieni, viene, veniamo, venite, vengono

ALCUNI VERBI CON PARTICIPIO PASSATO IRREGOLARE	
venire	venuto
correre	corso
accorgersi	accorto
smettere	smesso
riscoprire	riscoperto
perdere	perso*
convincere	convinto
decidere	deciso
promettere	promesso
iscriversi	iscritto
esplodere	esploso
trascorrere	trascorso
essere	stato
richiedere	richiesto
sconfiggere	sconfitto
resistere	resistito
sopravvivere	sopravvissuto
deludere	deluso
succedere	successo
rimanere	rimasto
conoscersi	conosciuto

*forma regolare *perduto*

I VERBI CHE FORMANO IL PASSATO PROSSIMO CON L'AUSILIARE *ESSERE*			
i verbi intransitivi (cioè i verbi senza complemento oggetto)	**i verbi che indicano un movimento verso un luogo preciso**	**i verbi riflessivi**	**i verbi che indicano un cambiamento**
Sono riuscito a vincere la sfida con me stesso.	Siamo andati alle cascate del Niagara.	Mi sono iscritto a dei corsi.	Sono dimagrito molto.

I VERBI CHE FORMANO IL PASSATO PROSSIMO CON L'AUSILIARE *AVERE*		
i verbi transitivi (cioè i verbi che possono essere seguiti da un complemento oggetto)	**i verbi che indicano un movimento senza una meta precisa**	**alcuni verbi intransitivi, per esempio *abitare, giocare, pensare, parlare* ecc.**
Ho perso 25 chili.	Abbiamo viaggiato un po' tra Canada e Stati Uniti.	Ho pensato alla mia famiglia e a tante altre cose.

I VERBI CHE POSSONO FORMARE IL PASSATO PROSSIMO CON *ESSERE* O *AVERE*	
Com'è iniziato il Suo percorso da maratoneta?	Ho iniziato a camminare la domenica mattina con mia moglie.

LE FUNZIONI COMUNICATIVE

- **Descrivere una persona**
  È giovane, molto elegante, segue la moda e vuole diventare stilista. È socievole e ottimista, ama giocare con stoffe e colori, disegnare con gli acquerelli e fare acquisti in negozi esclusivi.
- **Descrivere se stessi**
  Sono un tipo abitudinario.
- **Esprimere il piacere di rivedere una persona**
  Che piacere rivederLa!
- **Chiedere il permesso di presentare una persona**
  Posso presentarLe l'ingegner Marini?
  Ti posso presentare Inka?
- **Esprimere il piacere di conoscere una persona**
  Piacere, signor Marini.
  Piacere di conoscerLa, professore.
  Ciao Inka, piacere di conoscerti!
- **Dire di aver conosciuto delle persone**
  Maria mi ha presentato il suo ragazzo.
  Ho conosciuto un amico di Roberta.
- **Esprimere piacere per aver conosciuto una persona**
  Piacere di averti conosciuto.
  Piacere mio.
- **Invitare una persona a entrare e accomodarsi**
  Prego, entri pure!
  Accomodati!
  Si accomodi!
- **Chiedere a una persona se possiamo aiutarla**
  In cosa posso esserLe utile?
- **Raccontare esperienze del passato**
  Nel 2012 ho corso la mia prima maratona.
- **Intervistare una persona a proposito dello studio della lingua italiana**
  Che lingue parli?
  Perché hai deciso di studiare l'italiano?
  Quando hai cominciato?
  Secondo te l'italiano è una lingua difficile?
  Come studi l'italiano?
  Secondo te cosa è meglio fare per imparare una lingua?
  Quali consigli puoi dare a chi vuole imparare una lingua straniera?

IL LESSICO

- **Parole ed espressioni per descrivere una persona**
  giovane, un tipo palestrato, un po' montato, un ragazzo alla mano, elegante, socievole, ottimista, dolce, romantica, gentile, curioso, timido, solitario, abitudinario, avventuroso, indeciso, egocentrico, pratico, attento, svogliato, attivo, tradizionalista, coraggioso, riflessivo, equilibrato, perfetto, noioso, riservato, discreto, estroverso
- **Le professioni**
  il personal trainer, la maestra, il cuoco, l'insegnante
- **Gli hobby**
  giocare con stoffe e colori, disegnare con gli acquerelli, fare acquisti in negozi esclusivi, interessarsi di storia e filosofia, amare le piante, dedicarsi al giardinaggio, avere passione per i computer, navigare in Internet, correre
- **Le parole dello studio e della grammatica**
  il corso, le lezioni, gli errori, studiare, imparare, la pronuncia, l'accordo, il nome, l'aggettivo, il soggetto, il participio passato, i verbi irregolari, le preposizioni, i pronomi, la coniugazione, l'ausiliare, il passato prossimo, gli articoli, gli avverbi, le congiunzioni, le interiezioni

LEGGERE

1 In coppia.
Osservate la mappa mentale: secondo voi di che cosa si tratta?

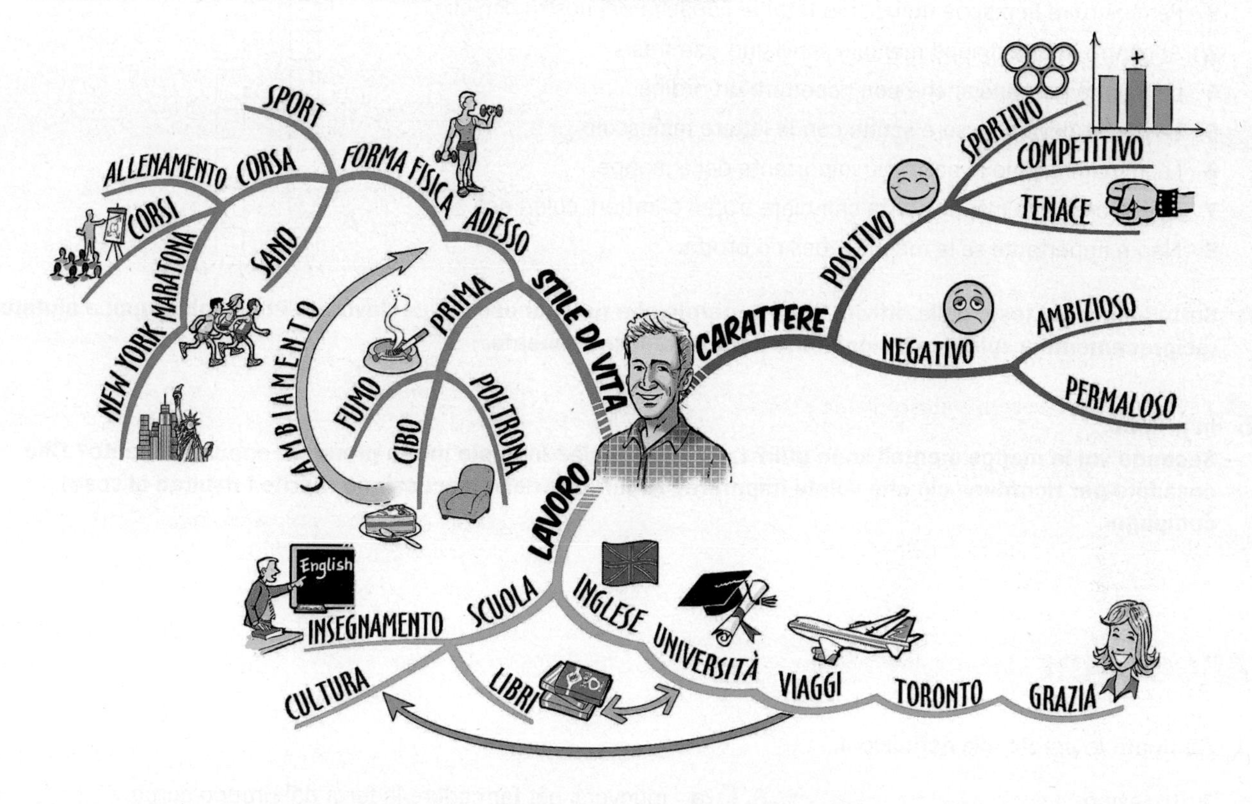

2 Leggete il testo: le vostre ipotesi dell'attività precedente sono confermate?

LE MAPPE MENTALI: UN MODO NUOVO DI PRENDERE APPUNTI

Una mappa mentale attiva tutte le tue abilità mentali: le abilità associative e immaginative della tua memoria; le parole, i numeri, le liste, le sequenze, la logica e l'analisi legati alla parte sinistra del cervello; il colore, le immagini, le dimensioni, il ritmo, i sogni a occhi aperti, la consapevolezza dello spazio legati alla parte destra del cervello; il potere che hanno gli occhi di vedere e assimilare; il potere delle mani di riprodurre ciò che gli occhi hanno visto; il potere di tutto il cervello di organizzare, immagazzinare e recuperare ciò che ha imparato.

Negli appunti presi con le mappe mentali, invece di trascrivere ciò che si vuole ricordare utilizzando una normale frase o una lista, si pone un'immagine al centro della pagina (per favorire la concentrazione e la memoria), e si fanno sviluppare ramificazioni organizzate intorno all'immagine stessa, usando parole e immagini chiave.
Le regole per la creazione delle mappe mentali sono le seguenti:

1. Si mette un'immagine colorata del soggetto della mappa al centro della pagina.
2. Le idee principali si sviluppano dal centro in forma di rami.
3. Le idee principali sono scritte in caratteri più grandi rispetto alle idee di secondaria importanza.
4. Si scrive una parola sola per ogni ramo.
5. Si usa sempre il maiuscolo.
6. Le parole si scrivono sopra ai rami.
7. I rami devono essere sempre collegati a quelli precedenti e devono essere della stessa lunghezza delle parole.
8. È meglio usare più immagini possibili.
9. Si cambiano le dimensioni quando è possibile.
10. Si usano numeri o codici, elenchi, collegamenti, frecce, simboli, lettere, immagini, colori, dimensioni, sottolineatura dei contorni.

Le mappe mentali posso essere usate da tutti, anche da chi non sa disegnare bene: la cosa importante è che il disegno abbia un significato per chi lo fa. Il resto non importa. Inoltre una mappa mentale deve essere bella da vedere. A nessuno fa piacere dedicare attenzione, tempo e impegno a qualcosa di brutto!

3 Rileggete il testo e indicate se le seguenti affermazioni sono vere o false.

		V	F
1	Le mappe mentali sono un modo per prendere appunti.	✔	☐
2	Per costruire le mappe utilizziamo tutte le capacità del nostro cervello.	☐	☐
3	Al centro di una mappa mentale scriviamo una frase.	☐	☐
4	Le mappe possono anche non rispettare un ordine.	☐	☐
5	Le parole devono essere scritte con le lettere maiuscole.	☐	☐
6	Le immagini sono la parte più importante delle mappe.	☐	☐
7	È utile creare le mappe senza cambiare troppi caratteri, colori ecc.	☐	☐
8	Non è importante se la mappa è bella o brutta.	☐	☐

4 Sottolineate nel testo delle attività 2 e 3 le parole che non conoscete, poi lavorate in piccoli gruppi e aiutatevi reciprocamente a spiegare il significato delle parole sottolineate.

5 In gruppo.
Secondo voi le mappe mentali sono utili? Le utilizzate già? In quale modo prendete appunti di solito? Che cosa fate per ricordarvi ciò che volete imparare? Al termine della discussione riferite i risultati ai vostri compagni.

ASCOLTARE

1 Abbinate le parole alle definizioni.

1 [b] asino
2 [ ] scrollarsi la terra di dosso
3 [ ] ragliare
4 [ ] contadina
5 [ ] pozzo

a muoversi per far cadere la terra dal proprio corpo
b animale simile al cavallo
c tunnel scavato nella terra per trovare l'acqua
d verso dell'asino
e donna che lavora la terra

CD 06 MP3

2 Ascoltate la persona che descrive una mappa mentale. Durante l'ascolto disegnate la mappa nello spazio sottostante.

VECCHIO

3 **Ascoltate ancora per controllare la vostra mappa. Poi confrontatela con quelle dei vostri compagni e infine con l'insegnante.**

4 **Discutete insieme: vi siete divertiti a disegnare la mappa? Secondo voi questo può essere un modo utile per prendere appunti e per studiare la lingua italiana?**

SCRIVERE

1 **In coppia.**
A turno, con l'aiuto della mappa che avete disegnato durante l'attività di ascolto provate a riassumere la storia dell'asino.

La storia racconta di un asino vecchio che appartiene a una contadina...

PARLARE

1 **Disegnate una mappa mentale con al centro la vostra persona. Poi usate la mappa per parlare di voi: che tipo siete? Quali sono i lati positivi del vostro carattere? E i lati negativi? Quali sono i vostri hobby? Quando, come e perché avete deciso di studiare l'italiano? Quali sono le esperienze più particolari e interessanti che avete fatto nella vita (per esempio correre una maratona, pilotare un aeroplano ecc.)?**

Per saperne di più

1 **Quando si parla di italiano tipico, ci si riferisce ad alcuni luoghi comuni molto simpatici e divertenti, come il fatto che gli italiani mangiano sempre pasta. Voi conoscete dei luoghi comuni sugli italiani?**

2 **Ecco alcuni dei luoghi comuni più diffusi sugli italiani. Leggeteli e dite quali, secondo voi, sono realtà o vicini alla realtà.**

Gli italiani e il loro fascino
Belli, alti, con capelli scuri e occhi chiari.
Simpatici e giocherelloni, aperti e vivaci. Non siamo mai tristi.
Gli italiani e la moda
Al chiuso, la notte, con la pioggia, abbiamo sempre gli occhiali da sole.
Indossiamo sempre un abbigliamento fantasioso ma elegante e alla moda.
Gli italiani e la famiglia
Abbiamo famiglie enormi che vanno d'amore e d'accordo.
Siamo più o meno tutti mafiosi.
Gli italiani e la cucina
Mangiamo spaghetti a pranzo e pizza per cena.
C'è una cultura del caffè sorprendente.
Gli italiani e il senso civico
Non rispettiamo la legge.
Abbiamo troppa burocrazia.
Guidiamo male. Non facciamo attraversare i pedoni.

Gli italiani in vacanza all'estero
Non conosciamo l'inglese, ma riusciamo sempre a farci capire.
Siamo così rumorosi che urliamo anche nei musei.
Gli italiani in Italia
Parliamo con i gesti.
La lingua italiana è facile, basta finire tutte le parole con qualche vocale.
Gli italiani e il lavoro
Siamo sempre pronti a evitare qualunque tipo di lavoro.
Facciamo abbondante uso di telefoni cellulari (almeno due a persona).
Non usiamo i mezzi di trasporto pubblico.

(adattato da: http://informatico-migratore.blogspot.it)

3 **E nel vostro Paese? Quali sono i luoghi comuni più diffusi sugli abitanti?**

Un luogo

In Italia sono tanti i luoghi per studiare italiano. Per esempio l'Università per stranieri di Perugia e l'Università per stranieri di Siena. Si tratta di due università che ogni anno ospitano nei loro corsi di italiano per stranieri migliaia di studenti provenienti da tutti i continenti e che preparano anche i futuri insegnanti di lingua italiana.
Sono numerosi anche i Cla, cioè i Centri linguistici di Ateneo delle università italiane, che offrono corsi di lingue straniere agli studenti italiani e di lingua italiana agli studenti stranieri.
Infine ricca è l'offerta di corsi d'italiano presso le varie scuole private che si trovano praticamente in ogni città.

4 **E voi avete fatto qualche esperienza di studio in Italia? Se sì, dove? Se no, conoscete delle persone che hanno studiato nei luoghi descritti? E nel vostro Paese? Quali sono i centri più importanti per lo studio della vostra lingua?**

Un personaggio

5 **Osservate gli indizi relativi al poeta che è considerato il padre della lingua italiana. Secondo voi di chi si tratta?**

Amor ch'a nullo amato amar perdona

6 **Leggete la biografia del personaggio e, se non ci siete riusciti prima, provate ancora a indovinare il suo nome.**

Nasce a Firenze nel 1265. Attorno al 1285 sposa Gemma Donati, che gli darà tre figli. Diviene amico di letterati famosi e scrive componimenti di vario genere, raccolti nella *Vita nova*, dedicata a Beatrice, figlia di Folco Portinari e sposata a Simone de' Bardi. Dopo la morte di Beatrice nel 1290, si dedica a studi teologici e filosofici.
Nel 1300 è uno dei priori di Firenze, cioè rappresentante politico. L'anno seguente è ambasciatore a Roma, ma durante la sua assenza Firenze è presa da Carlo di Valois. Si rifugia a Verona; qui scrive il *De vulgari eloquentia*. È esiliato da Firenze e gira per l'Italia; intanto inizia a scrivere la *Divina Commedia*.
L'*Inferno* è pubblicato nel 1314, il *Purgatorio* nel 1315; a Ravenna scrive il *Paradiso*. In questa città trova pace e tranquillità, e insegna poesia e retorica. Di ritorno da un viaggio a Venezia si ammala e muore: è il 14 settembre 1321.

7 **In gruppo.**
Conoscevate già Dante Alighieri? Sapete qualcos'altro di lui? Conoscete altri poeti o scrittori italiani? Quali? E nel vostro Paese? Chi è il poeta più importante? Quando ha vissuto? Che cosa ha scritto? Avete letto le sue opere? Parlatene con i vostri compagni.

Un'opera

8 **Leggete la prima parte di un famoso sonetto in cui Dante Alighieri, con una lingua molto diversa da quella attuale, descrive la sua donna. Poi leggete la parafrasi in italiano moderno. Secondo voi che tipo è la donna descritta?**

Tanto gentile e tanto onesta pare
la donna mia quand'ella altrui saluta,
ch'ogne lingua deven tremando muta,
e li occhi no l'ardiscon di guardare.

La mia donna ha un aspetto
così gentile e onesto che,
quando saluta, nessuno ha il
coraggio di guardarla e parlare.

9 **Pensate a una poesia molto famosa del vostro Paese e parlatene ai compagni.**

Un video

10 **Collegatevi al sito www.loescher.it/studiareitaliano/. Guardate il video *Perché studi italiano?* e svolgete le attività proposte.**

2

In questa unità imparate a:

- A parlare di una città
- B parlare dei cambiamenti di una città – raccontare la vostra esperienza di vita cittadina
- C parlare della vita in città
- D esprimere opinioni a proposito della vita in città e in campagna

Era un posto fantastico!

1 **Osservate le immagini del passato e del presente di alcune città italiane e descrivetele.**

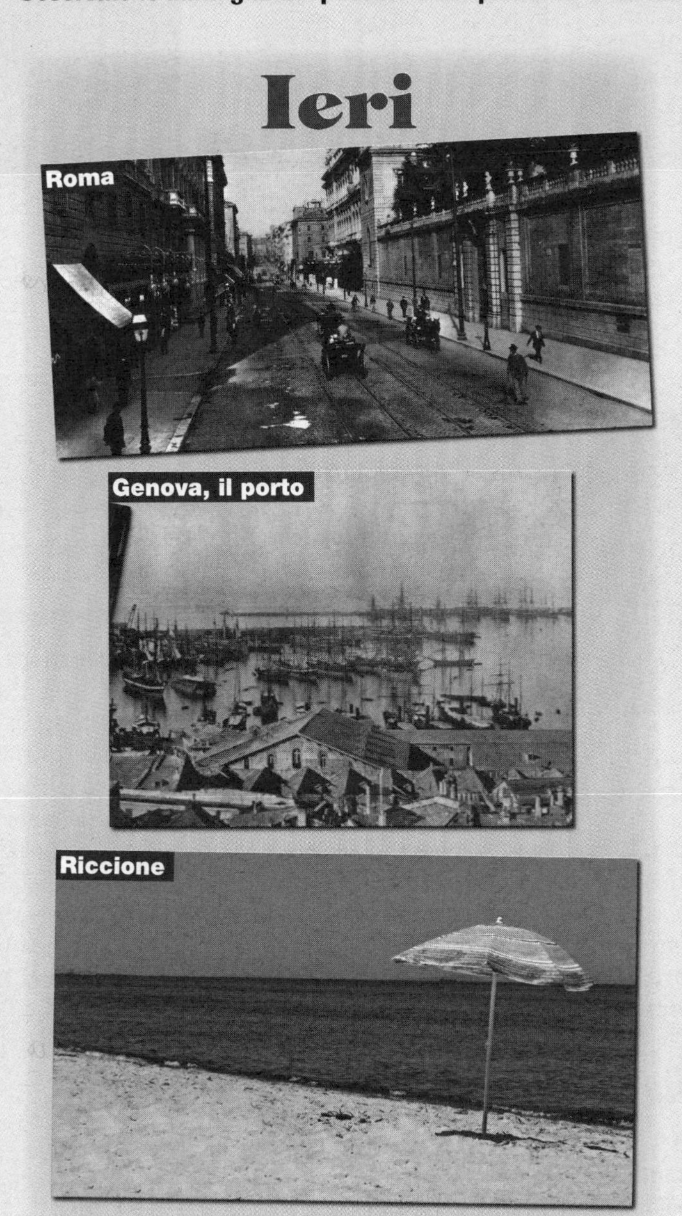

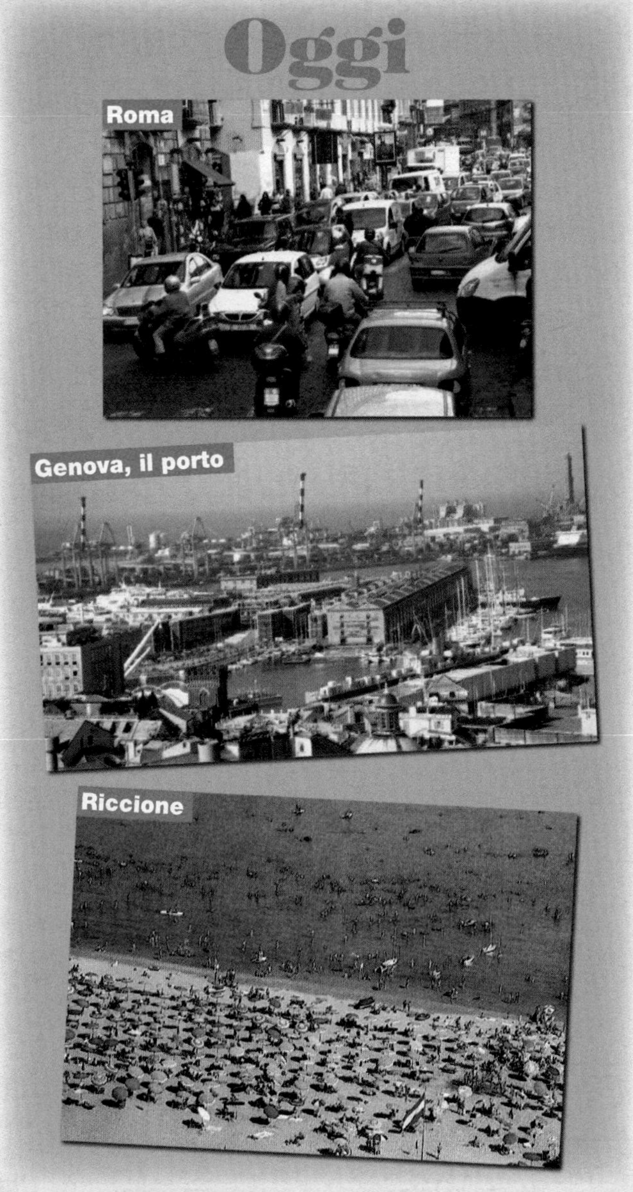

2 **Discutete insieme: che cosa è cambiato in generale nelle città negli ultimi cinquant'anni?**

Prima c'era...

Adesso c'è...

A È UN'ANTICHISSIMA CITTÀ UNIVERSITARIA

1 Abbinate i nomi dei luoghi di Bologna alle immagini.

1 [C] la facoltà universitaria del Dams (Discipline delle Arti, della Musica e dello Spettacolo)
2 [D] la piazza Maggiore
3 [B] la Torre degli Asinelli e la Torre della Garisenda
4 [ ] la fiera
5 [ ] la stazione
6 [ ] i portici

2 Leggete il testo e completate la scheda su Bologna.

città	Bologna
regione	Emilia-Romagna
abitanti	384,653
popolazioni presenti nel passato	
clima	
attrazioni turistiche	
altre caratteristiche importanti	

BOLOGNA

Bologna è il capoluogo della regione Emilia-Romagna e ha 384 653 abitanti.

È un'antichissima città universitaria, con numerosi studenti che animano la sua vita culturale e sociale. La città è sempre stata un importante centro urbano, prima sotto gli etruschi e i celti, poi sotto i romani, poi ancora nel Medioevo. È un fondamentale nodo di comunicazioni stradali e ferroviarie dell'Italia settentrionale, in un'area in cui risiedono importanti industrie meccaniche, elettroniche e alimentari. È sede di prestigiose istituzioni culturali, economiche e politiche e di uno dei più avanzati quartieri fieristici d'Europa.

Bologna ha un clima continentale: gli inverni possono essere anche molto freddi mentre le estati sono caldissime. Le mezze stagioni sono piovose e hanno breve durata.

Bologna è la città dei portici: oltre 38 km nel solo centro storico. La loro origine è dovuta alla necessità, nel Medioevo, di sfruttare al meglio gli spazi, aumentare la capienza delle case e percorrere buona parte delle strade al riparo da pioggia e neve.

Sulla piazza Maggiore si trova la gotica e imponente Basilica di San Petronio, costruita per volere del Comune fra il 1390 e il 1663. In questa piazza si trovano anche la fontana del Nettuno, opera del Giambologna, il Palazzo Comunale e il Palazzo del Podestà. Due torri sono i monumenti simbolo della città: la Torre degli Asinelli (97,20 metri, la torre pendente più alta d'Italia) e la Torre della Garisenda (in origine alta 60 metri, ora 48), costruite entrambe nel XII secolo.

3 Completate la scheda qui accanto con le informazioni relative alla vostra città.

4 In coppia.
Usate le informazioni contenute nella scheda che avete compilato nell'attività precedente per descrivere la vostra città a un compagno.

città .... regione ....
abitanti ....
popolazioni presenti nel passato ....
clima ....
attrazioni turistiche ....
....
altre caratteristiche importanti ....
....

B È CAMBIATA MOLTO E PURTROPPO NON IN MEGLIO

1 Abbinate le frasi ai disegni corrispondenti.

1 [G] A Bologna 40 anni fa non c'erano tante macchine.
2 [E] Io andavo a scuola in bicicletta.
3 [B] Mentre studiavo, lavoravo.
4 [H] Mentre lavoravo in un teatro, ho ricevuto un'offerta interessante.
5 [C] Mi sono trasferito a Bologna perché volevo frequentare il Dams.
6 [A] Ho conosciuto mia moglie all'università di Bologna.
7 [D] Nel 2002 abitavo ancora a Bologna.
8 [F] Ho frequentato l'università dal 1972 al 1977.

2 Leggete l'intervista al conduttore televisivo Patrizio Roversi e indicate se le affermazioni nella pagina seguente sono vere o false.

Patrizio Roversi racconta Bologna

Patrizio, tu sei un bolognese di adozione. Com'è stato il tuo incontro con la città? Perché hai deciso di stabilirti qui?

Io sono nato a Mantova. Ho abitato in questa bellissima cittadina di provincia per 18 anni. Una cittadina molto bella, ma anche molto chiusa. All'epoca ero abbastanza bravo a scuola. Mentre frequentavo il secondo anno del liceo classico, studiavo le materie del terzo anno per dare l'esame da privatista e trasferirmi a Bologna il prima possibile. Ho superato l'esame di maturità nel '72. Poi, finalmente, sono venuto a vivere a Bologna perché questa città mi interessava, era "il luogo degli universitari". Ricordo perfettamente il mio arrivo. Era un giorno d'agosto e in giro non c'era un'anima!

È stato difficile per te inserirti in città?

Assolutamente no! Nel '72-'73 era davvero facile inserirsi, da tutti i punti di vista. La mia facoltà, il Dams, era un paradiso! I professori nel campo dell'arte e dello spettacolo insegnavano a 5-6 studenti alla volta, quindi era bello, coinvolgente, entusiasmante. E poi era possibile mettere in pratica immediatamente le cose che studiavi. Io, infatti, sono diventato subito animatore teatrale all'interno di una compagnia bolognese, grazie alla quale ho cominciato a lavorare nelle colonie estive del Comune di Bologna. Insomma, prima di cominciare a fare gli esami lavoravo già! Syusy insegnava cinema nella stessa colonia e così, mentre lavoravamo, ci siamo innamorati.

E dopo un po' vi siete sposati...
Sì. Eh già... e siamo rimasti a Bologna. Dopo aver fatto gli animatori, Syusy e io abbiamo cominciato a fare teatro per ragazzi presso il circolo Cesare Pavese. Al circolo, al primo piano c'era una bellissima sala per il liscio, al secondo piano gli immigrati facevano le feste, al terzo piano i poeti d'avanguardia leggevano cose incomprensibili... e tutte queste persone convivevano nella stessa struttura, dividevano gli stessi spazi, prendevano il caffè nello stesso bar.

Quali sono i cambiamenti maggiori che hai visto in questa città?
Secondo me è cambiata molto e purtroppo non in meglio. Sono cambiati i rapporti tra le persone, la gente non rispetta più gli spazi comuni. Bologna era all'avanguardia su tante cose, scuole, trasporti, adesso non è più così. Ora è una città come tante altre, con i mercati rionali chiusi, i grandi centri commerciali di periferia e le multisala cinematografiche.
(adattato da www.silviamontevecchi.it)

		V	F
1	Patrizio Roversi si sente bolognese ma è nato in un'altra città.	☑	☐
2	Fin dal liceo sognava di andare a vivere a Bologna.	☐	☐
3	Si è trasferito a Bologna alla fine degli anni Settanta.	☐	☐
4	Il Dams allora aveva moltissimi studenti e pochi insegnanti.	☐	☐
5	Bologna era una città che offriva tante possibilità.	☐	☐
6	C'era una netta separazione tra gruppi di persone diverse.	☐	☐
7	Secondo Patrizio la città è migliorata negli ultimi tempi.	☐	☐
8	Bologna è diventata simile alle altre città.	☐	☐

3 Inserite le frasi sottolineate nel testo dell'attività 2 nelle caselle giuste degli "Esempi". Poi indicate i tempi verbali presenti nelle varie frasi.

	USI DEL PASSATO PROSSIMO E DELL'IMPERFETTO			
TEMPI VERBALI	**descrivere:** imperfetto	**raccontare azioni abituali:** imperfetto	**raccontare avvenimenti unici:** passato prossimo	**presentare un'azione nel suo svolgimento senza specificare l'inizio o la fine:** imperfetto
ESEMPI	A Bologna 40 anni fa non c'erano tante macchine. La mia facoltà, il Dams, era un paradiso!	Io andavo a scuola in bicicletta. Mangiavo la pizza ogni giorno	Ho conosciuto mia moglie all'università di Bologna. Ho studiato francese all'università	Nel 2002 abitavo ancora a Bologna. Durante l'estate lavoravo a Firenze
TEMPI VERBALI	**presentare un'azione nella sua interezza, con durata e/o fine:** passato prossimo	**presentare azioni che si svolgono contemporaneamente:** imperfetto	**presentare un'azione che si verifica mentre un'altra azione è in corso:** imperfetto + passato prossimo	**presentare azioni collegate a desideri, stati fisici e psicologici:** passato prossimo + imperfetto
ESEMPI	Ho frequentato l'università dal 1972 al 1977. Ho fatto il calcio dal gennaio al luglio	Mentre studiavo, lavoravo. Mentre guardavo la TV, studiavo	Mentre lavoravo in un teatro, ho ricevuto un'offerta interessante. Mentre studiavo a scuola, ho ricevuto un regalo	Mi sono trasferito a Bologna perché volevo frequentare il Dams.

4 **Con l'aiuto delle informazioni nella tabella e dell'esempio sottostante, scrivete sul quaderno un testo per raccontare le esperienze di Michele e Alessia.**

	CAROLINA	MICHELE	ALESSIA
Luogo e data di nascita	Benevento, 23.2.77	Vicenza, 19.10.80	Prato, 14.12.75
Trasferimento	a Napoli nel 1996	a Padova nel 1999	a Firenze nel 1994
Studi	Facoltà di Lingue orientali, 1996-2001	Facoltà di Medicina, 1999-2005	Facoltà di Architettura, 1994-1999
Lavoro negli anni dell'università	hostess per fiere	barista	commessa
Hobby da universitario/a	leggere e fare molto sport	viaggiare e sciare	disegnare e visitare le città europee
Tirocinio	in un'azienda araba, 2001-2002	in ospedale, 2005-2007	in uno studio di architettura, 1999-2001
Incontri	una grande amica nel 2002	la moglie nel 2006	il compagno nel 2002
Periodo di residenza nella città in cui si è trasferito/a	dal 1996 al 2010	dal 1999 al 2010	dal 1994 al 2008
Opinione sulla città in cui si è trasferito/a	una città molto bella che purtroppo è diventata troppo caotica	una città molto interessante per gli studenti in passato e ancora oggi	in passato una città molto interessante per gli intellettuali, oggi invece soprattutto per i turisti
Motivo di un nuovo trasferimento	desiderio di conoscere il Nord dell'Italia	desiderio di lavorare negli Stati Uniti	desiderio di vivere in una città di mare

Carolina è nata a Benevento nel 1977. Si è trasferita a Napoli nel 1996 e ha frequentato la Facoltà di Lingue orientali dal 1996 al 2001. Mentre faceva l'università, lavorava come hostess nelle fiere. Nel tempo libero leggeva e faceva molto sport. Dopo l'università ha fatto un tirocinio di un anno in un'azienda araba. Mentre faceva il tirocinio ha conosciuto la sua migliore amica. Secondo lei Napoli è una città molto bella ma oggigiorno è diventata troppo caotica. Ci ha vissuto per 14 anni e poi si è trasferita perché voleva conoscere il Nord dell'Italia.

5 **Scrivete delle brevi note sulla vostra vita: dove siete nati? Quali esperienze avete fatto nella città in cui siete nati? Avete cambiato città? Se sì, perché? Com'è cambiata la città in cui siete nati o in cui avete abitato più a lungo?**

6 **In coppia.**
Usate gli appunti che avete preso per parlare a un compagno di voi e delle città in cui avete vissuto.

C L'ALTO ADIGE È UNA REGIONE INTERESSANTE

CD 07 MP3 **1 Ascoltate i dialoghi e abbinateli alle immagini delle città di cui si parla.**

CD 07 MP3 **2 Ascoltate ancora e abbinate i dialoghi al loro argomento.**

a ☐ Le strade e il traffico di una città.
b ☐ La bellezza di una città e della regione in cui si trova.
c ☐ Un'esperienza in una città.

CD 07 MP3 **3 Ascoltate ancora e completate le frasi che le persone usano per:**

1 chiedere a una persona dove si trova una città e rispondere	• In quale regione si trova Bolzano, in Friuli o in Trentino? • ....
2 riferire l'opinione di un'altra persona a proposito di un luogo	• Secondo mio padre .... molto interessante.
3 raccontare la prima volta che siamo stati in un luogo	• Io mi ricordo .... c'era il sole.
4 esprimere apprezzamento per dei luoghi	• ...., ma anche la Spagna ha il suo fascino.
5 chiedere a una persona di accompagnarci in un luogo con un determinato mezzo di trasporto e rispondere	• .... alla stazione con la macchina? • Certo!
6 informarsi sulla strada scelta da una persona per arrivare in un luogo e rispondere	• Scusa, ma .... per andare in centro? • Beh, io .... la stazione!
7 dare consigli su una strada da seguire	• Perché ...., c'è una strada, ..., che ti fa arrivare in centro in cinque minuti.

4 Completate le frasi con gli articoli determinativi e le preposizioni (se necessarie) e rispondete alle domande nella pagina seguente.

USO DELL'ARTICOLO DETERMINATIVO CON I LUOGHI GEOGRAFICI
In quale regione si trova ...–... Bolzano?
.... Alto Adige è una regione molto interessante.
.... Italia mi piace, ma anche .... Spagna ha il suo fascino.
.... Europa è piena di luoghi interessanti.

USO DELL'ARTICOLO DETERMINATIVO DOPO *SENZA* E *CON*
Andavo al lavoro senza .... auto.
Mi accompagni alla stazione con .... macchina?

USO DI ALCUNE PREPOSIZIONI
L'importante è uscire fuori .... questo ingorgo.
Beh, io passo .... la stazione!
Prima .... arrivare alla stazione, c'è una strada, ... un chilometro.

1 Quando si mette l'articolo determinativo davanti ai nomi geografici?

....

2 Come si utilizza generalmente l'articolo determinativo dopo *senza* e *con*?

....

3 Quali preposizioni si utilizzano dopo *fuori*, *prima*, *passare* e per indicare la distanza che dobbiamo percorrere per arrivare in un luogo?

....

E ora svolgete le attività 3 e 4 a p. 15 dell'eserciziario.

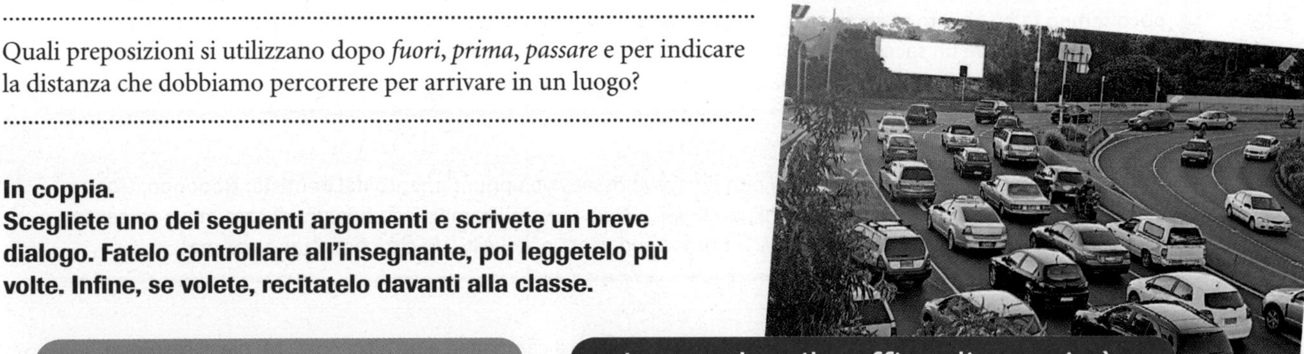

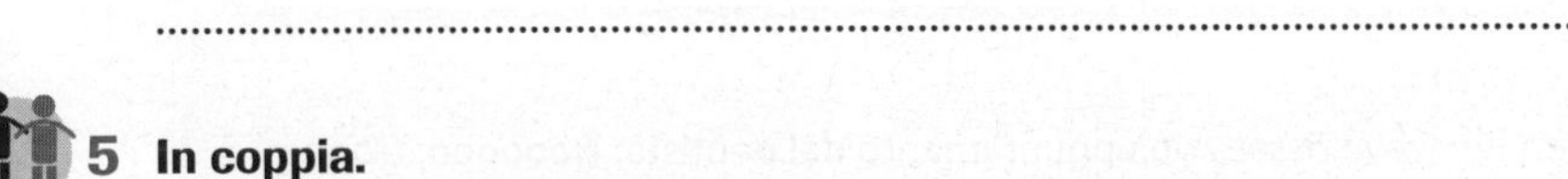

5 In coppia.
Scegliete uno dei seguenti argomenti e scrivete un breve dialogo. Fatelo controllare all'insegnante, poi leggetelo più volte. Infine, se volete, recitatelo davanti alla classe.

Un'esperienza in una città

Le strade e il traffico di una città

La bellezza di una città e della regione in cui si trova

D AVEVO GIÀ ABITATO A CAGLIARI

1 Descrivete le foto e dite tutto quello che vi suggeriscono.

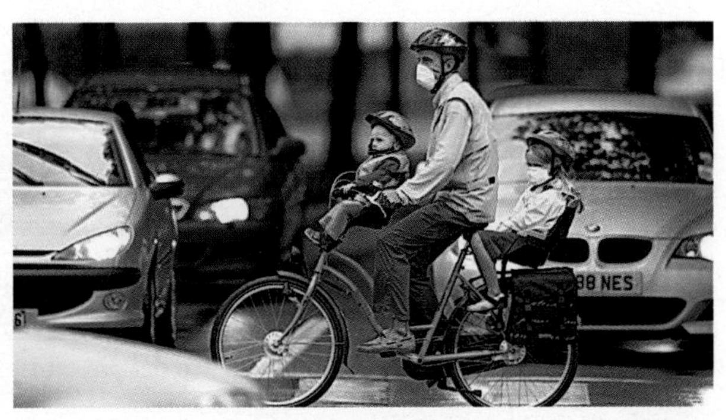

2 Leggete gli interventi del forum, poi sottolineate in blu i vantaggi e in rosso gli svantaggi del vivere in campagna e del vivere in città, come indicato negli esempi.

Pannello utente | Visualizza propri interventi | Regolamento | Aiuto | Iscritti | Iscriviti | Accedi

Vivere in campagna o vivere in città? Quali sono i vantaggi e gli svantaggi?

miriam

Ho abitato nel cuore di Milano per molti anni e poi ho deciso di tornare in campagna, vicino a Piacenza. Già da bambina avevo vissuto con i miei nonni in questo splendido casolare. La qualità della mia vita è aumentata... Sto benissimo, frutta e verdura a chilometri zero, non c'è traffico, non c'è rumore e quindi molto meno stress rispetto alla vita nella metropoli! Oggigiorno la campagna offre tanto quanto la città... Non è più come in passato.

pikkolo

Io, al contrario, ho abitato a lungo in campagna dopo gli studi e poi mi sono trasferito a Cagliari perché le mie esigenze, con il tempo, sono un po' cambiate. In campagna niente musei, niente librerie, poche opportunità di lavoro, poche amicizie. Abitavo a nove chilometri da un piccolo paese, con poche decine di abitanti e quando sono nati i nostri bambini mia moglie e io abbiamo scelto di vivere in città. In realtà avevo già abitato a Cagliari quando frequentavo l'università e poi ero tornato al paese. Mi ero trovato bene perché è una città di dimensioni medie e non troppo caotica. Ci sono gli asili nido e le scuole ed è più facile organizzare la vita della famiglia. Devo dire che siamo contenti della nostra scelta.

jose
I miei compagni di università mi avevano detto che in città si sta benissimo, ma io non ci credevo e fino a poco tempo fa ho abitato in campagna. Ora che abito a Mantova posso andare al cinema e ai musei quando e quanto voglio, fare un sacco di shopping, girare l'angolo e trovare quello che voglio, frequentare il bar del quartiere dove la gente si conosce come in paese...

sara2012
L'altro ieri sono dovuta andare a Perugia perché avevo fissato un appuntamento dal dentista. Noooooo, troppe discese, troppe salite, troppe scale, pochi parcheggi... Oggi guardo i campi dalla finestra di casa mia e mi sento già meglio. Libertà, colori, spazio aperto... a nord, a sud, a est o a ovest... le città non fanno per me!

denis83
In città c'è inquinamento e quindi la vita media è più bassa. La campagna è un'altra cosa. Mi piace respirare il profumo della campagna e della stalla. Da piccolo abitavo a Palermo ed ero spesso malato... Un giorno mia madre mi ha portato in una stalla perché avevo avuto tutte le malattie del mondo e voleva farmi respirare gli odori della natura... W la campagna!

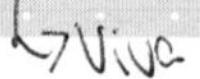

3 In gruppo.
Quali opinioni espresse nel forum condividete? Secondo voi quali altri vantaggi e svantaggi ci sono nella vita in campagna e nella vita in città? Discutetene e annotate le vostre considerazioni, poi riferite al resto della classe.

4 Osservate la tabella e inserite le frasi utilizzate dalle persone del forum per parlare di esperienze fatte prima di un altro momento del passato.

prima del passato ← **in passato** — **oggi**

IL TRAPASSATO PROSSIMO			
	prima di un momento del passato	in passato	oggi
miriam	Già da bambina avevo vissuto con i miei nonni in questo splendido casolare.	Ho abitato nel cuore di Milano.	Sto benissimo.
pikkolo	Avevo già abitato a Cagliari quando frequentavo l'università e poi ero tornato al paese. Mi ero trovato bene.	Abitavo a nove chilometri da un piccolo paese.	Siamo contenti della nostra scelta.
jose	....	Fino a poco tempo fa ho abitato in campagna.	Abito a Mantova.
sara2012	....	Sono andata a Perugia.	Guardo i campi dalla finestra e mi sento già meglio.
denis83	....	Un giorno mia madre mi ha portato in una stalla.	Mi piace respirare il profumo della campagna e della stalla.

5 Leggete l'affermazione seguente e completate la regola.

Per raccontare esperienze o avvenimenti del passato precedenti rispetto a un passato più recente si usa il trapassato prossimo.
Il trapassato prossimo si forma con gli ausiliari .... o ....
all'imperfetto + il .... del verbo.

E ora svolgete le attività 1 e 2 a p. 16 dell'eserciziario.

6 Completate le frasi con i verbi al passato prossimo e al trapassato prossimo.

I consigli per vivere bene in città.
Dopo tanti anni passati in campagna, io e mio marito abbiamo deciso di trasferirci in città. Prima di farlo, però, abbiamo chiesto consiglio ai nostri amici.

Anna: Prendete la casa in centro. Avrete tutto a vostra disposizione.
Noi: (*prendere*) Abbiamo preso in affitto un appartamento in centro, come mi (*consigliare*) avevi consigliato tu.

Filippo: Vendete l'auto, usate i mezzi pubblici.
Noi: (*vendere*) .... la nostra macchina, come ci (*dire*) .... tu.

Monica e Fabio: Prendete in affitto un appartamento piccolo; in città ci sono molte cose da fare e passerete molto tempo fuori.
Noi: (*scegliere*) .... un bilocale, come ci (*suggerire*) .... voi.

Luigi: Fate l'abbonamento per i mezzi pubblici.
Noi: (*comprare*) .... gli abbonamenti per la metro, l'autobus e il tram, come ci (*dire*) .... tu.

Grazie a tutti dei consigli, prima di trasferirci in città non (*noi/pensare*) .... a tutte queste cose!

7 E voi avete mai fatto qualcosa di importante perché ve lo ha consigliato qualcuno?

Ho deciso di studiare italiano a Perugia perché c'era un mio amico.

Progettiamolo INSIEME

1 In gruppo.
Scegliete una città che vi piace. Cercate informazioni sui suoi abitanti, sulla storia, il clima, le attrazioni turistiche ecc. Cercate anche del materiale fotografico e preparate una presentazione da mostrare in classe ai compagni.

PRONUNCIA E GRAFIA

1 Ascoltate alcune parti dei dialoghi dell'attività C1 e indicate con quale ordine vengono pronunciate le seguenti interiezioni ed esclamazioni.

a	1	Boh!	d	☐	Ah!	g	☐	Eh?
b	☐	Cavolo!	e	☐	Ma scherzi?	h	☐	Oh oh...
c	☐	Beh...	f	☐	Accidenti!	i	☐	Ah!

L'interiezione è la parte del discorso che esprime un particolare atteggiamento emotivo del parlante, come per esempio sorpresa, desiderio, rabbia ecc.

2 Ascoltate ancora i dialoghi e abbinate le interiezioni e le esclamazioni a sinistra con le parole che potrebbero sostituirle a destra.

1	g Boh!	a	Ma guarda che ti sbagli!
2	☐ Ah!	b	Ho capito!
3	☐ Cavolo!	c	Guarda!
4	☐ Beh...	d	Però!
5	☐ Ma scherzi?	e	Allora...
6	☐ Eh?	f	Questa non ci voleva!
7	☐ Ah!	~~g~~	Non lo so!
8	☐ Oh oh...	h	Come hai detto?
9	☐ Accidenti!	i	Che sfortuna!

3 Completate le battute con un'interiezione o un'esclamazione.

LA GRAMMATICA IN TABELLE

USI DEL PASSATO PROSSIMO E DELL'IMPERFETTO			
descrivere: ***imperfetto***	**raccontare azioni abituali:** ***imperfetto***	**raccontare avvenimenti unici:** ***passato prossimo***	**presentare un'azione nel suo svolgimento senza specificare l'inizio o la fine:** ***imperfetto***
A Bologna 40 anni fa non c'erano tante macchine.	Io andavo a scuola in bicicletta.	Ho conosciuto mia moglie all'università di Bologna.	Nel 2002 abitavo ancora a Bologna.
La mia facoltà, il Dams, era un paradiso!	Prendevano il caffè nello stesso bar.	Ho superato l'esame di maturità nel '72.	Prima di cominciare a fare gli esami lavoravo già!
presentare un'azione nella sua interezza, con durata e/o fine: ***passato prossimo***	**presentare azioni che si svolgono contemporaneamente:** ***imperfetto***	**presentare un'azione che si verifica mentre un'altra azione è in corso:** ***imperfetto*** **+** ***passato prossimo***	**presentare azioni collegate a desideri, stati fisici e psicologici:** ***passato prossimo*** **+** ***imperfetto***
Ho frequentato l'università dal 1972 al 1977.	Mentre studiavo, lavoravo.	Mentre lavoravo in un teatro, ho ricevuto un'offerta interessante.	Mi sono trasferito a Bologna perché volevo frequentare il Dams.
Ho abitato in questa bellissima cittadina di provincia per 18 anni.	Mentre frequentavo il secondo anno del liceo classico, studiavo le materie del terzo anno.	Mentre lavoravamo, ci siamo innamorati.	Sono venuto a vivere a Bologna perché questa città mi interessava.

USO DELL'ARTICOLO DETERMINATIVO CON I LUOGHI GEOGRAFICI
In quale regione si trova Bolzano?
L'Alto Adige è una regione molto interessante.
L'Italia mi piace, ma anche **la** Spagna ha il suo fascino.
L'Europa è piena di luoghi interessanti.

USO DELL'ARTICOLO DETERMINATIVO DOPO *SENZA* E *CON*
Andavo al lavoro senza auto*.
Mi accompagni alla stazione con **la** macchina?

*valida anche la forma *senza l'auto*

USO DI ALCUNE PREPOSIZIONI
L'importante è uscire fuori **da** questo ingorgo.
Beh, io passo **per** la stazione!
Prima **di** arrivare alla stazione, c'è una strada, **tra** un chilometro.

IL TRAPASSATO PROSSIMO			
	prima di un momento del passato	**in passato**	**oggi**
miriam	Già da bambina avevo vissuto con i miei nonni in questo splendido casolare.	Ho abitato nel cuore di Milano.	Sto benissimo.
pikkolo	Avevo già abitato a Cagliari quando frequentavo l'università e poi ero tornato al paese. Mi ero trovato bene.	Abitavo a nove chilometri da un piccolo paese.	Siamo contenti della nostra scelta.
jose	I miei compagni di università mi avevano detto che in città si sta benissimo.	Fino a poco tempo fa ho abitato in campagna.	Abito a Mantova.
sara2012	Avevo fissato un appuntamento dal dentista.	Sono andata a Perugia.	Guardo i campi dalla finestra e mi sento già meglio.
denis83	Avevo avuto tutte le malattie del mondo.	Un giorno mia madre mi ha portato in una stalla.	Mi piace respirare il profumo della campagna e della stalla.

LE FUNZIONI COMUNICATIVE

■ **Parlare dei cambiamenti di un luogo**
Prima c'era...
Adesso c'è...

■ **Descrivere una città in generale**
Bologna è il capoluogo della regione Emilia-Romagna.
È un'antichissima città universitaria.

■ **Dire quanti abitanti ha una città**
Bologna ha 384 653 abitanti.

■ **Parlare del clima di una città**
Bologna ha un clima continentale.

■ **Descrivere i monumenti di una piazza**
Sulla piazza Maggiore si trova la gotica e imponente Basilica di San Petronio.

■ **Chiedere a una persona perché ha deciso di vivere in una città e rispondere**
- *Perché hai deciso di stabilirti qui?*
- *Sono venuto a vivere a Bologna perché questa città mi interessava.*

■ **Raccontare alcuni fatti della propria vita**
Mentre frequentavo il secondo anno del liceo classico, studiavo le materie del terzo anno.
Ho superato l'esame di maturità nel '72.
Prima di cominciare a fare gli esami lavoravo già.
Mentre lavoravamo, ci siamo innamorati.

■ **Chiedere a una persona quali sono i cambiamenti di una città e rispondere**
- *Quali sono i cambiamenti maggiori che hai visto in questa città?*
- *Secondo me è cambiata molto e purtroppo non in meglio.*

■ **Esprimere apprezzamento per dei luoghi**
L'Italia mi piace, ma anche la Spagna ha il suo fascino.

■ **Dire che una città è bella**
Bolzano è molto bella.

■ **Riferire l'opinione di un'altra persona**
Secondo mio padre l'Alto Adige è una regione molto interessante.

- **Parlare dei vantaggi e degli svantaggi del vivere in città e in campagna**
  Ora che abito a Mantova posso andare al cinema.
  In città c'è inquinamento.
- **Raccontare la prima volta che siamo stati in un luogo**
  Io mi ricordo la prima volta che ci sono stato: c'era il sole.
- **Chiedere a una persona dove si trova una città e rispondere**
  - *In quale regione si trova Bolzano, in Friuli o in Trentino?*
  - *In Trentino-Alto Adige.*
- **Chiedere a una persona di accompagnarci in un luogo con un determinato mezzo di trasporto e rispondere**
  - *Mi accompagni alla stazione con la macchina?*
  - *Certo!*
- **Informarsi sulla strada scelta da una persona e rispondere**
  - *Scusa, ma che strada fai per andare in centro?*
  - *Beh, io passo per la stazione!*
- **Dare consigli su una strada da seguire**
  Prima di arrivare alla stazione c'è una strada, tra un chilometro, che ti fa arrivare in centro in cinque minuti.
- **Raccontare dei luoghi dove abbiamo abitato in passato**
  Ho abitato nel cuore di Milano per molti anni.
  Già da bambina avevo vissuto con i miei nonni in questo splendido casolare.
  Ho abitato a lungo in campagna dopo gli studi e poi mi sono trasferito a Cagliari.
  Abitavo a nove chilometri da un piccolo paese.
  Fino a poco tempo fa ho abitato in campagna.

IL LESSICO

- **I punti cardinali**
  il nord, il sud, l'est, l'ovest
- **I luoghi geografici**
  il continente, la regione, la provincia, il capoluogo, la città, la cittadina, il quartiere, l'Italia, la Spagna, l'Europa, il Friuli, il Trentino-Alto Adige, Bologna, Bolzano, Pescara, Perugia, Cagliari, Piacenza, Mantova, Palermo
- **I luoghi e le attrazioni della città**
  il quartiere fieristico, il centro urbano, il centro storico, la periferia, i portici, le strade, le case, la piazza, la basilica, la fontana, il Palazzo Comunale, il Palazzo del Podestà, le torri, i monumenti
- **Intrattenimenti e servizi cittadini**
  la sala per il liscio, il bar, i mercati rionali, le multisala cinematografiche, i centri commerciali, i musei, le librerie, le biblioteche, gli asili nido, le scuole, il cinema, i parcheggi
- **Muoversi in città**
  le macchine, l'auto, la bicicletta, i mezzi pubblici, l'autobus, il treno, la stazione, la strada, il chilometro, l'ingorgo, le code, la fila, il traffico
- **La campagna**
  la frutta, la verdura, la libertà, i colori, lo spazio aperto, la stalla, il profumo, gli odori della natura, i campi, il piccolo paese
- **Il tempo dal passato al presente**
  40 anni fa, nel '72, nel 2002, dal 1972 al 1977, per 18 anni, mentre frequentavo il secondo anno del liceo, gli anni Settanta, in passato, da piccolo, per molti anni, con il tempo, un giorno fino a poco tempo fa, negli ultimi tempi, l'altro ieri, ieri pomeriggio, prima, oggi, ora, adesso

LEGGERE

1 **Osservate le foto e leggete il titolo del testo nella pagina seguente: secondo voi di che cosa parla?**

2 **Leggete il testo velocemente e inserite i titoli dei paragrafi.**

~~Le migliori~~ Felicità è diversa da qualità Vincono le piccole Un solo settore alla volta

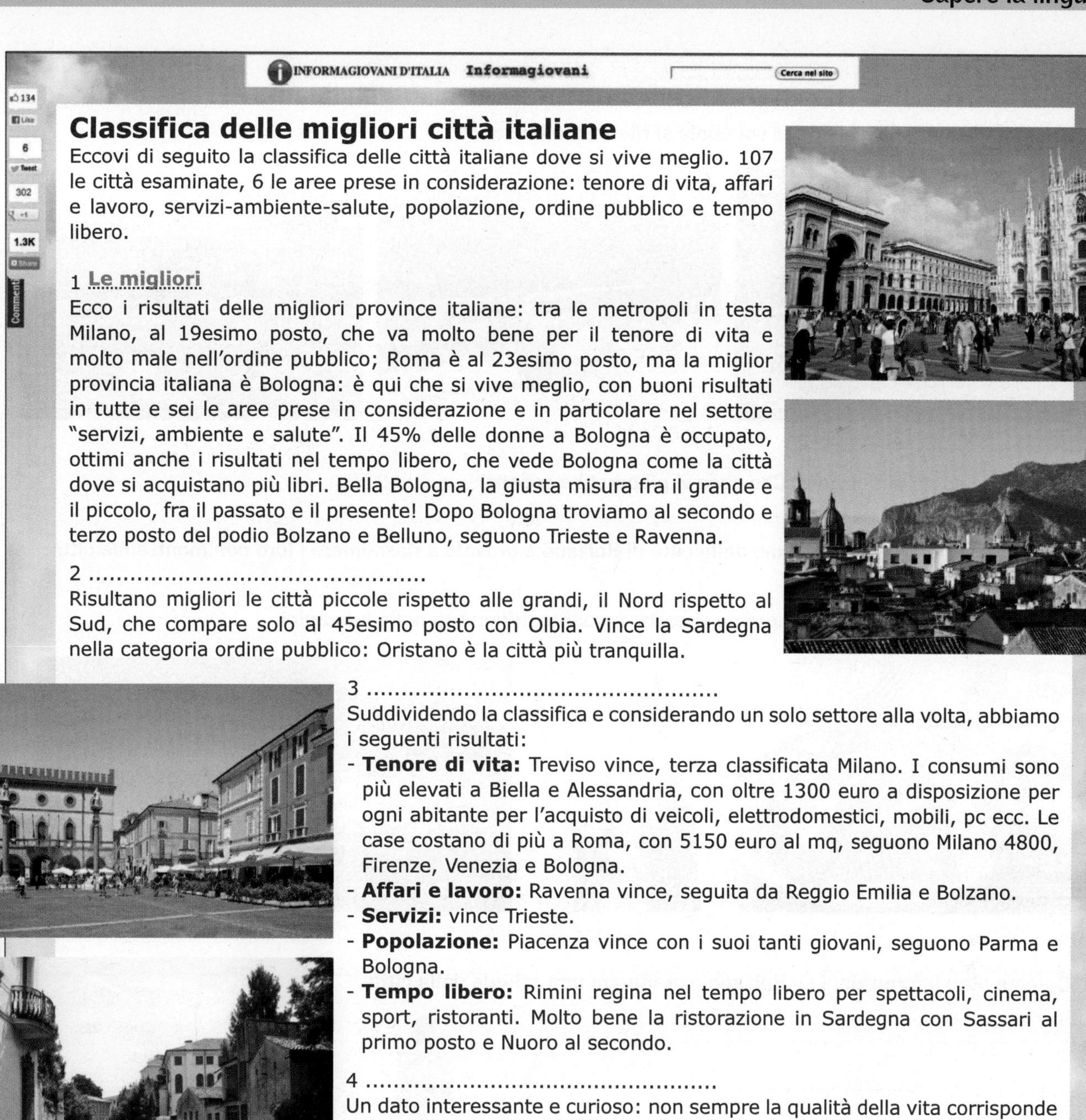

INFORMAGIOVANI D'ITALIA Informagiovani

Classifica delle migliori città italiane

Eccovi di seguito la classifica delle città italiane dove si vive meglio. 107 le città esaminate, 6 le aree prese in considerazione: tenore di vita, affari e lavoro, servizi-ambiente-salute, popolazione, ordine pubblico e tempo libero.

1 Le migliori

Ecco i risultati delle migliori province italiane: tra le metropoli in testa Milano, al 19esimo posto, che va molto bene per il tenore di vita e molto male nell'ordine pubblico; Roma è al 23esimo posto, ma la miglior provincia italiana è Bologna: è qui che si vive meglio, con buoni risultati in tutte e sei le aree prese in considerazione e in particolare nel settore "servizi, ambiente e salute". Il 45% delle donne a Bologna è occupato, ottimi anche i risultati nel tempo libero, che vede Bologna come la città dove si acquistano più libri. Bella Bologna, la giusta misura fra il grande e il piccolo, fra il passato e il presente! Dopo Bologna troviamo al secondo e terzo posto del podio Bolzano e Belluno, seguono Trieste e Ravenna.

2 ....

Risultano migliori le città piccole rispetto alle grandi, il Nord rispetto al Sud, che compare solo al 45esimo posto con Olbia. Vince la Sardegna nella categoria ordine pubblico: Oristano è la città più tranquilla.

3 ....

Suddividendo la classifica e considerando un solo settore alla volta, abbiamo i seguenti risultati:

- **Tenore di vita:** Treviso vince, terza classificata Milano. I consumi sono più elevati a Biella e Alessandria, con oltre 1300 euro a disposizione per ogni abitante per l'acquisto di veicoli, elettrodomestici, mobili, pc ecc. Le case costano di più a Roma, con 5150 euro al mq, seguono Milano 4800, Firenze, Venezia e Bologna.
- **Affari e lavoro:** Ravenna vince, seguita da Reggio Emilia e Bolzano.
- **Servizi:** vince Trieste.
- **Popolazione:** Piacenza vince con i suoi tanti giovani, seguono Parma e Bologna.
- **Tempo libero:** Rimini regina nel tempo libero per spettacoli, cinema, sport, ristoranti. Molto bene la ristorazione in Sardegna con Sassari al primo posto e Nuoro al secondo.

4 ....

Un dato interessante e curioso: non sempre la qualità della vita corrisponde alla felicità. Nella classifica della "felicità personale" degli abitanti nei 107 capoluoghi, i bolognesi sono solo 57esimi, mentre al primo posto c'è Palermo, con il 20% di intervistati felici, nonostante il 102esimo posto nella classifica generale.

(da www.informagiovani-italia.com)

Traduci questa pagina in Italian Traduci

3 Rispondete scrivendo il nome della città.

In quale città andate se...

1 siete una donna in cerca di lavoro? Bologna

2 avete tanti soldi da spendere per comprare un appartamento? ....

3 vi volete sentire sicuri? ....

4 volete essere felici? ....

5 vi piace avere tanti soldi da spendere? ....

6 vi piace una città con tanti intrattenimenti? ....

7 vi piace vivere con tanti giovani intorno a voi? ....

ASCOLTARE

1 **Guardate le immagini: secondo voi quale si riferisce a Bolzano?**

2 **Che cosa sapete di Bolzano? Che cosa vi piacerebbe sapere?**

3 **Ascoltate le persone che parlano della città di Bolzano e provate a riassumere i loro commenti sulla città.**

4 **Ascoltate ancora e dite in che ordine si parla di quanto raffigurato nelle immagini.**

5 **Cercate altre informazioni su Bolzano e preparate una scheda della città.**

città	Bolzano
regione	....
abitanti	....
popolazioni presenti nel passato	....
clima	....
attrazioni turistiche	....
altre caratteristiche importanti	....

SCRIVERE

1 Scrivete alcuni appunti sulla vostra città in relazione agli elementi indicati.

1 le bellezze artistiche ....
2 le bellezze naturali ....
3 il livello di felicità degli abitanti ....
4 gli affari e il lavoro ....
5 il tenore di vita ....
6 il costo delle case ....
7 servizi, ambiente e salute ....
8 l'ordine pubblico ....
9 l'occupazione femminile ....
10 il tempo libero ....

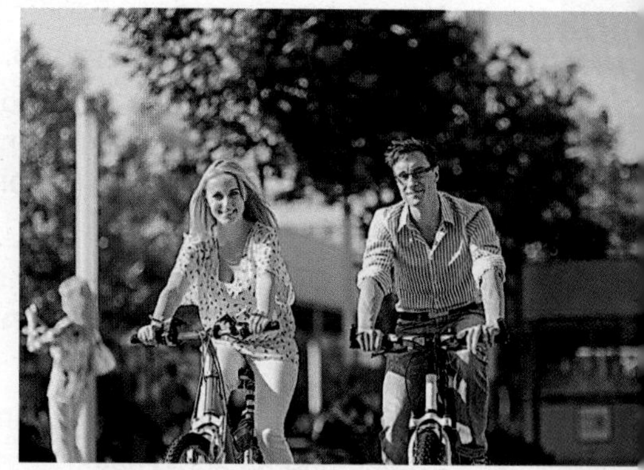

2 Scrivete un breve testo di presentazione della vostra città contenente gli elementi dell'attività precedente.

PARLARE

1 In gruppo.
Osservate la lista di caratteristiche di una città e decidete quali sono i fattori più importanti per la qualità della vita. Fate la classifica, motivate le vostre scelte ed esponete i risultati del vostro lavoro ai compagni.

caratteristiche	posto in classifica	ragioni
le bellezze artistiche		
le bellezze naturali		
gli affari e il lavoro		
il tenore di vita		
il costo delle case		
servizi, ambiente e salute		
l'ordine pubblico		
l'occupazione femminile		
il tempo libero		

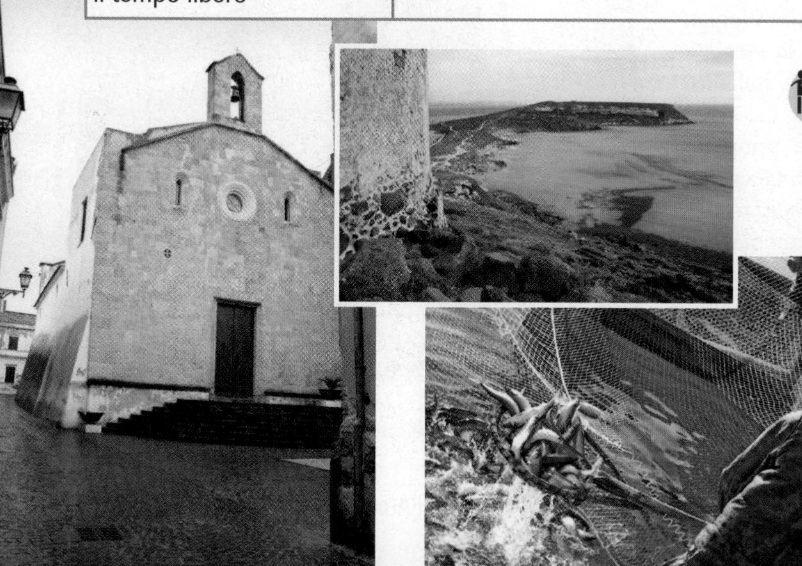

2 In gruppo.
Osservate le foto della città di Oristano e rispondete alle domande.

1 Secondo voi che tipo di città è?
2 Quali potrebbero essere i lati positivi di questa città? E quelli negativi?
3 Vi piacerebbe vivere in questa città? Perché?
4 In che tipo di città vi piacerebbe vivere?

Per saperne di più

1 Leggete il testo e svolgete l'attività.

Secondo la Costituzione italiana, la Repubblica italiana è costituita da uno Stato con capitale Roma. Il territorio della nazione è diviso in Regioni; queste a loro volta sono suddivise in Province, ulteriormente suddivise in Comuni. Il Friuli-Venezia Giulia, il Trentino-Alto Adige, la Valle d'Aosta, la Sardegna e la Sicilia sono le cosiddette Regioni a statuto speciale, cioè Regioni con particolari forme di autonomia.

Le Regioni
Le Regioni italiane sono 20: per arrivare a questo numero bisogna tornare indietro al 1963, quando il Molise ha ottenuto l'autonomia dall'Abruzzo; infatti prima di questa data le Regioni erano 19.

Le Province
Attualmente le Province italiane sono territorialmente 110. Negli anni il numero delle Province si è continuamente aggiornato.

I Comuni
Il Comune è l'ente locale più vicino al cittadino. Può essere suddiviso in frazioni. Ogni Comune appartiene a una Provincia e la Provincia crea un collegamento tra Comune e Regione. L'Italia ha 8101 Comuni.

In coppia.
Avete 2 minuti di tempo per scrivere più nomi possibili di regioni, province e comuni italiani che conoscete. Ognuno li scrive su un foglio, poi, allo scadere del tempo, confrontate i vostri elenchi.

2 E nel vostro Paese? Come è suddiviso il suo territorio?

Un luogo

3 Leggete il testo, disegnate la pianta della piazza di Bologna e confrontatela con quella di un compagno.

Piazza Maggiore è la piazza principale di Bologna, misura 115 metri in lunghezza e 60 metri in larghezza, ed è circondata dai più importanti edifici della città medievale. Il più antico è il Palazzo del Podestà, che chiude la piazza a nord; risale al 1200 e ha accanto la Torre dell'Arengo. In passato il suono della sua campana chiamava il popolo per gli avvenimenti importanti. Vicino c'è il Palazzo Re Enzo.
La piazza è chiusa a ovest dal Palazzo Comunale (o d'Accursio), un monumentale complesso architettonico di origine trecentesca, attualmente sede del Comune di Bologna. A sud, di fronte al Palazzo del Podestà, si trova la facciata della Basilica di San Petronio, un esempio di gotico italiano, iniziata sul finire del Trecento e mai terminata.
Chiude infine a est il Palazzo dei Banchi, una semplice facciata costruita tra il 1565 e il 1568 su disegno di Giacomo Barozzi detto il Vignola. Accanto al portico del Palazzo dei Banchi c'è il portico dell'Archiginnasio, la sede medievale dell'Università di Bologna, ora una delle più fornite biblioteche italiane ed europee.

Portico dell'Archiginnasio

4 Disegnate la pianta della piazza principale della vostra città o di una piazza che vi piace particolarmente. Poi illustratela a un compagno.

Un personaggio

5 Leggete la biografia di uno dei più famosi architetti italiani del Novecento e compilate il riassunto.

Aldo Rossi

Aldo Rossi nasce a Milano nel 1931 e studia Architettura presso il Politecnico di Milano, dove si laurea nel 1959.
Collabora con famose riviste di architettura e, dopo il matrimonio con l'attrice Sonia Gessner, lavora anche nel mondo del cinema.
Nel 1965 è nominato professore al Politecnico di Milano e l'anno seguente pubblica *L'architettura della città*, un'opera che diventa subito un classico della letteratura architettonica. Negli anni Settanta la sua attività di architetto lo rende famoso a livello internazionale e infatti, in trent'anni di carriera, lavora a importanti progetti praticamente in tutto il mondo.
Nel 1999 viene dato il suo nome alla Facoltà di Architettura dell'Alma Mater Studiorum di Bologna, con sede a Cesena.
Rossi è uno dei più grandi rinnovatori dell'architettura contemporanea, che secondo lui deve essere rispettosa della geometria e della memoria. Per lui la città è la somma di tutte le epoche e di tutti gli stili architettonici presenti, quindi non è necessario rompere con il passato ma è importante costruire forme allo stesso tempo innovative e tradizionali.
Muore a Milano il 4 settembre 1997, a causa di un incidente automobilistico.

Aldo Rossi è nato a .... nel .... Ha studiato .... al .... e si è laureato nel .... Ha sposato .... È diventato professore al Politecnico di Milano nel .... e nel 1966 ha pubblicato .... Ha lavorato a molti .... importanti. La Facoltà di .... dell'Alma Mater Studiorum di Bologna porta il suo .... Per lui l'architettura deve rispettare .... La città deve mostrare continuità con il .... e presentare forme ....
Aldo Rossi è morto a .... nel ....

6 Raccogliete informazioni sulla vita e sulle opere di un architetto famoso del vostro Paese e presentatele ai compagni.

Un'opera

7 Abbinate i nomi delle torri alle immagini. Sapete in quale città si trovano?

1 ☐ la Torre di Pisa
2 ☐ la Torre degli Asinelli
3 ☐ la Torre del Mangia

8 Leggete il testo e rispondete alle domande.

La Torre degli Asinelli

Delle oltre cento torri che c'erano a Bologna alla fine del XII secolo, oggi ne restano solo una ventina. La Torre degli Asinelli è costruita tra il 1109 e il 1119 per volontà della famiglia omonima, ma diventa ben presto una proprietà del Comune. Si trova all'ingresso della città dalla parte della via Emilia e, in passato, aveva un'importante funzione di segnalazione e difesa. Dalla data di completamento della scalinata interna (1684), la torre offre, con i suoi 97,20 metri di altezza, un magnifico panorama al visitatore pronto a salire i suoi 498 gradini.

1. Dove si trova la Torre degli Asinelli?
2. Perché si chiama così?
3. Quando è stata costruita?
4. A cosa serviva?
5. Quando è terminata la costruzione della scala interna?
6. Quanto è alta la torre?
7. Quanti scalini bisogna salire per vedere il panorama della città?

9 Pensate a una torre famosa del vostro Paese o del mondo e cercate informazioni in Internet per rispondere alle seguenti domande.

1. Come si chiama la torre?
2. Perché si chiama così?
3. Dove si trova?
4. Quando è stata costruita?
5. A cosa serve/serviva?
6. Quanto è alta?
7. È possibile salire in cima per vedere il panorama?

10 Sulla base delle informazioni raccolte nell'attività precedente, descrivete la torre ai vostri compagni.

Un video

11 Collegatevi al sito www.loescher.it/studiareitaliano/. Guardate il video *Città italiane* e svolgete le attività proposte.

3 Io cercherei in Internet!

In questa unità imparate a:

A parlare di ricerca di lavoro
B leggere e rispondere agli annunci di lavoro
C compilare un curriculum vitae e partecipare a un colloquio di lavoro

1 Osservate le immagini e descrivetele: che cosa rappresentano?

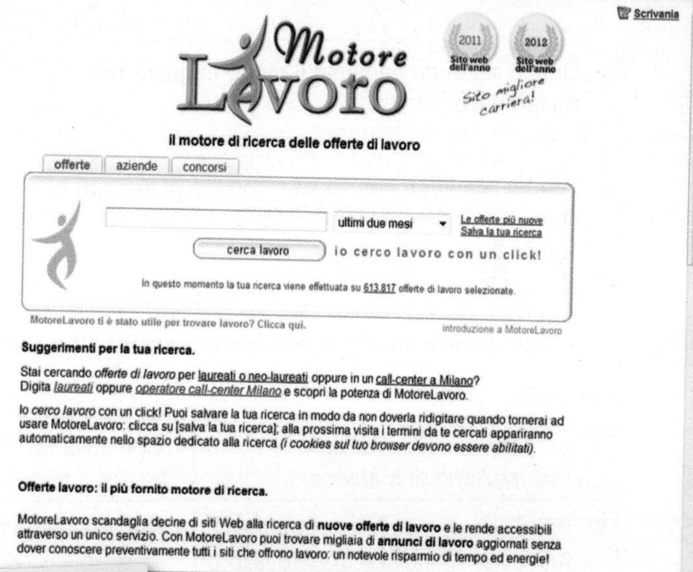

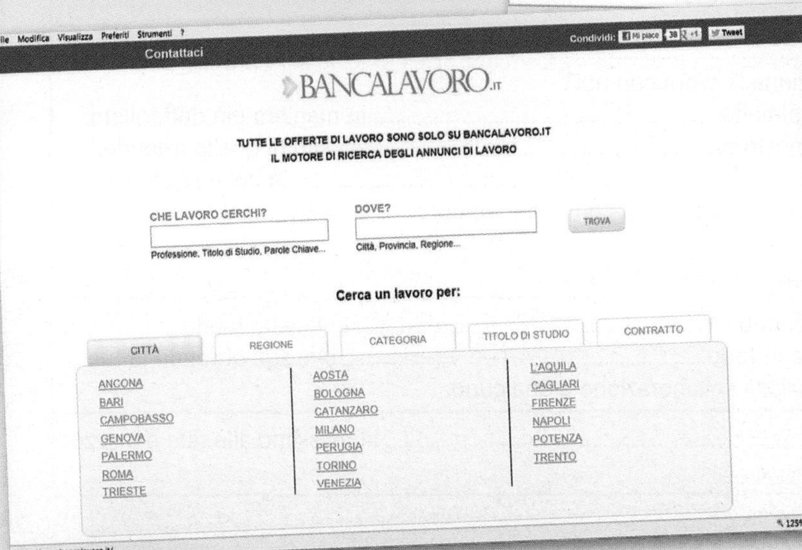

2 Quali sono, secondo voi, i metodi più efficaci per la ricerca di lavoro? Perché li considerate efficaci? Vi è capitato di cercare un lavoro? Come e dove lo avete cercato?

A AL POSTO TUO CERCHEREI INFORMAZIONI

1 Osservate la foto e formulate delle ipotesi: che cosa stanno facendo i due ragazzi? Di che cosa parlano?

2 Ascoltate il dialogo: le ipotesi che avete formulato sono confermate?

3 Ascoltate ancora il dialogo e rispondete alle domande.

1 Dove ha vissuto a lungo Marilena?
All'estero. ....

2 Che cosa sta facendo al momento?
....

3 Qual è secondo Samuele il modo migliore per trovare lavoro?
....

4 Perché Marilena non sa se è capace di seguire il consiglio di Samuele?
....

5 Perché Samuele non può aiutare Marilena il giorno stesso?
....
....

6 Quali accordi prendono Marilena e Samuele?
....
....
....

4 Ascoltate ancora e completate le espressioni. Che cosa dicono?

Samuele

1 per informarsi sull'attuale occupazione di Marilena	• Che cosa fai di bello da quando sei tornata in Italia?
2 per dire che secondo lui Marilena non avrà difficoltà a trovare lavoro	• Ma una come te ....!
3 per dare consigli a Marilena sul modo migliore per trovare lavoro e dire che cosa farebbe lui nella sua situazione	• .... di spedire semplicemente una mail alla sezione "Lavora con noi". • Io, almeno, ... in maniera più dettagliata. • Al posto tuo .... sul sito di quelle aziende. .... in cui magari puoi incontrare quei tuoi compagni; oppure .... e ...., magari .... con il responsabile del personale.
4 per incoraggiare Marilena	• Secondo me .... in questo modo. • Al contrario, ... che stai offrendo la tua preziosa collaborazione a qualcuno.
5 per dire a che ora dovrebbe arrivare in un certo luogo	• ...., al massimo alle due e mezzo.

Marilena

1 per esprimere un dubbio	• Mah, ...
2 per esprimere un desiderio riguardante il lavoro	• .... le grandi compagnie telefoniche, le aziende di commercio internazionale, le ditte di trasporti.
3 per chiedere aiuto	• A proposito di curriculum, ... un po'? Tu che sei un esperto di marketing... Insomma, ... ad aggiornarlo?

5 **Completate la tabella con i verbi mancanti, che avete ascoltato nelle attività precedenti, e rispondete alla domanda.**

IL CONDIZIONALE SEMPLICE						
	verbi regolari			alcuni verbi irregolari		
	chiamare	*chiedere*	*preferire*	*andare*	*sapere*	*dovere*
io	chiamerei	chiederei	preferirei	andrei	saprei	dovrei
tu	chiameresti	chiederesti	preferiresti	andresti	sapresti	dovresti
lui/lei/Lei	chiamerebbe	chiederebbe	preferirebbe	andrebbe	saprebbe	dovrebbe
noi	chiameremmo	chiederemmo	preferiremmo	andremmo	sapremmo	dovremmo
voi	chiamereste	chiedereste	preferireste	andreste	sapreste	dovreste
loro	chiamerebbero	chiederebbero	preferirebbero	andrebbero	saprebbero	dovrebbero

Secondo voi perché nei verbi della prima coniugazione la vocale *e* è sottolineata?

....

6 **Osservate la prima persona di altri verbi irregolari al condizionale semplice e completate la loro coniugazione.**

1 *volere*: vorrei, ...

2 *dare*: darei, ...

3 *potere*: potrei, ...

4 *cercare*: cercherei, ...

7 **In coppia.**
Usate il condizionale e formulate una frase per ciascuna situazione.

1 Per esprimere un desiderio: Vorrei lavorare in una grande azienda.

2 Per dare un consiglio: ....

3 Per fare una richiesta gentile: ....

4 Per dire a una persona che cosa faremmo nella sua situazione: ....

5 Per esprimere insicurezza: ....

E ora svolgete l'attività 4 a p. 21 dell'eserciziario.

8 **In gruppo.**
A turno assumete il ruolo di una delle persone raffigurate nelle immagini. Raccontate in quale situazione vi trovate e ascoltate i consigli dei vostri compagni.

Vorrei...
Non saprei...
Potresti...?
Dovrei...
Al posto tuo...
Secondo me dovresti...

Avete appena finito l'università e non sapete se fare un master oppure se cercare un lavoro.

Avete deciso di andare a vivere all'estero ma non riuscite a decidere tra Inghilterra e Stati Uniti e non sapete come trovare lavoro in quei Paesi.

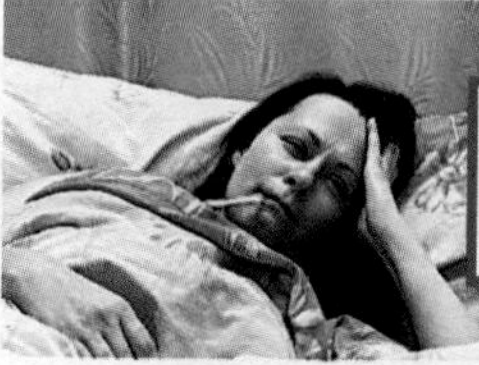

Domani avete un colloquio di lavoro importante ma siete a letto con la febbre alta.

Il direttore è molto contento del vostro lavoro e vuole assegnarvi un ruolo importante. Il vostro migliore amico però si impegna da tempo per occupare proprio quella posizione.

NEGOZIO DI ABBIGLIAMENTO CERCA COMMESSA

1 Leggete gli annunci e inserite la figura professionale richiesta.

commessa ~~impiegata~~ ingegnere operaio

A

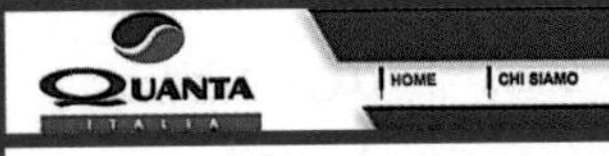

Si ricerca per importante azienda del settore metalmeccanico

IMPIEGATA UFFICIO ACQUISTI con esperienza pluriennale.

Mansioni:

- attività di approvvigionamento materiale per la produzione;
- inserimento e gestione degli ordini;
- gestione rapporti con i fornitori;
- supervisione della merce in entrata e uscita in magazzino;
- inventario;

Si richiede diploma in ragioneria o laurea in Economia e commercio.
Indispensabile l'ottima conoscenza della lingua inglese scritta e parlata e del pacchetto Office. Completano il profilo doti di flessibilità e dinamicità.
Contratto a termine di un mese con eventuale successiva assunzione a tempo indeterminato.
Zona di lavoro: Castelli Romani.
INVIARE CV SOLO SE IN POSSESSO DEI REQUISITI SOPRA ELENCATI
(con autorizzazione al trattamento dei dati personali)
AL NUMERO DI FAX 06.56.32.99.67 OPPURE VIA EMAIL roma@quanta.it

B

Lavorando SpA

Agenzia per il lavoro ricerca:

.... SETTORE GOMMA PLASTICA
per azienda del settore.

Requisiti: esperienza precedente e capacità di lettura del disegno CAD. Disponibilità a lavorare su 3 turni dal lunedì alla domenica (mattina-sera-notte).
Durata contratto: 2 mesi più proroghe.
Zona: Valdelsa.

I candidati ambosessi sono invitati a leggere sul sito www.lavorando.it l'informativa privacy (D. Lgs. 196/2003)

Per candidarsi inviare CV a:
Filiale 1
Via Borgo Palazzo, 16 - Poggibonsi
mail: filiale1@lavorando.com
Cod. rif. 1356/b

C

Cerchiamo .... (laurea triennale), massimo 25 anni, per inserimento nella nostra filiale tecnica di Milano. Ottima possibilità di formazione in un team di ingegneri e architetti senior, stipendio base superiore agli standard italiani. Orario di lavoro flessibile, conciliabile con studi per laurea magistrale, ma non con altre attività. Titolo preferenziale: conoscenza della lingua tedesca.

Mandare CV con oggetto "Candidatura Milano" a candidature@agency.com

D

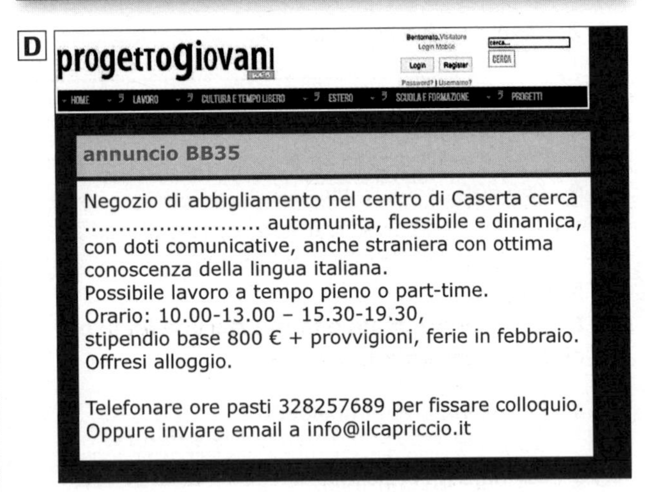

annuncio BB35

Negozio di abbigliamento nel centro di Caserta cerca .... automunita, flessibile e dinamica, con doti comunicative, anche straniera con ottima conoscenza della lingua italiana.
Possibile lavoro a tempo pieno o part-time.
Orario: 10.00-13.00 – 15.30-19.30,
stipendio base 800 € + provvigioni, ferie in febbraio.
Offresi alloggio.

Telefonare ore pasti 328257689 per fissare colloquio.
Oppure inviare email a info@ilcapriccio.it

2 Cercate negli annunci dell'attività precedente le informazioni utili a completare la tabella e insieme ai vostri compagni provate a spiegare il significato delle parole che non conoscete.

tipo di attività	luogo di lavoro	orario di lavoro	titolo di studio	conoscenze richieste	altri requisiti	tipo di contratto e stipendio
impiegata	....	....	....	....	....	....
....	....	....	....	....	....	....
....	....	....	....	....	....	....
....	....	....	....	....	....	....

E ora svolgete le attività 1 e 2 alle pp. 22 e 23 dell'eserciziario.

3 Abbinate le seguenti email alle offerte di lavoro dell'attività 1.

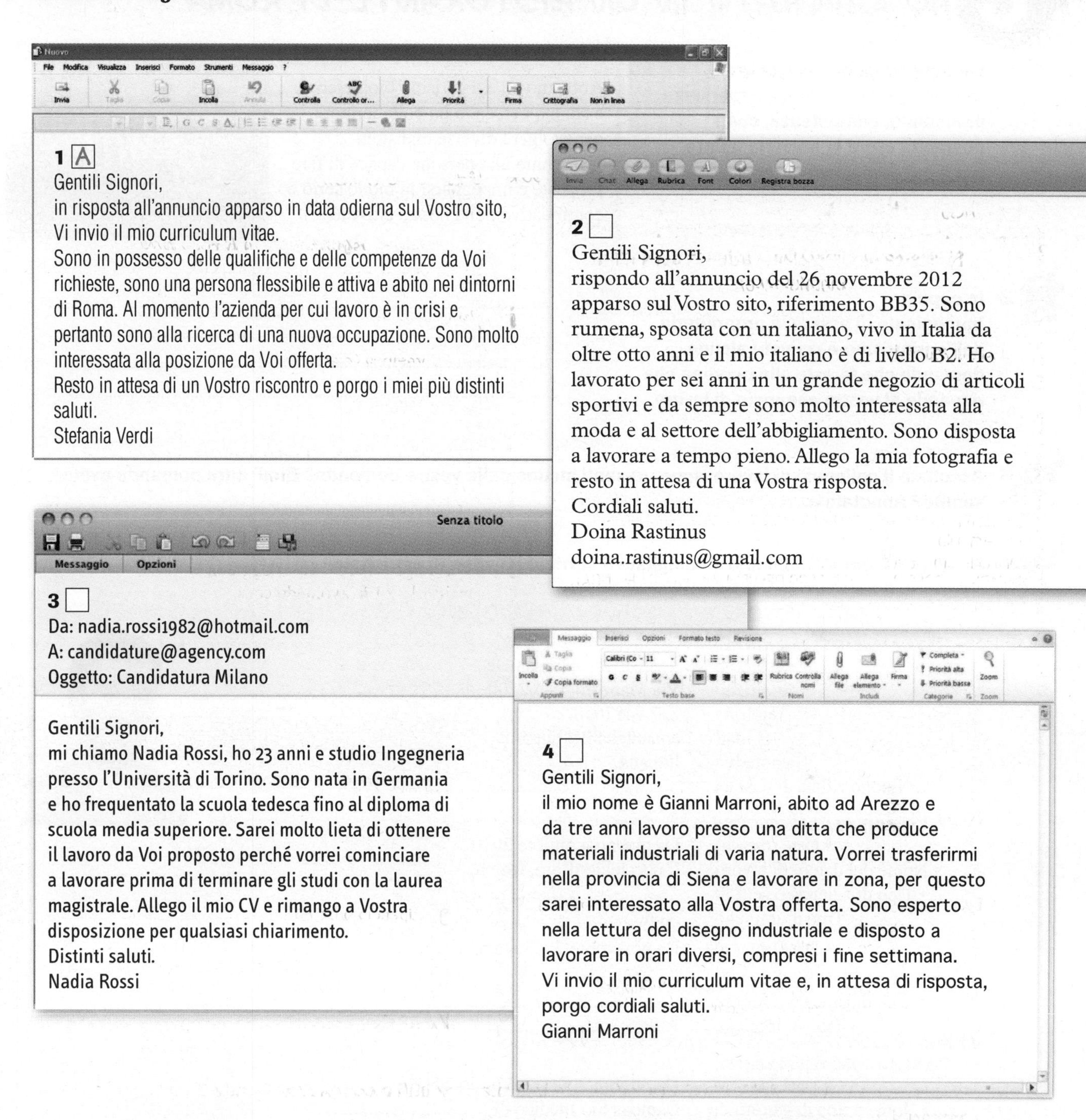

1 [A]
Gentili Signori,
in risposta all'annuncio apparso in data odierna sul Vostro sito, Vi invio il mio curriculum vitae.
Sono in possesso delle qualifiche e delle competenze da Voi richieste, sono una persona flessibile e attiva e abito nei dintorni di Roma. Al momento l'azienda per cui lavoro è in crisi e pertanto sono alla ricerca di una nuova occupazione. Sono molto interessata alla posizione da Voi offerta.
Resto in attesa di un Vostro riscontro e porgo i miei più distinti saluti.
Stefania Verdi

2 [ ]
Gentili Signori,
rispondo all'annuncio del 26 novembre 2012 apparso sul Vostro sito, riferimento BB35. Sono rumena, sposata con un italiano, vivo in Italia da oltre otto anni e il mio italiano è di livello B2. Ho lavorato per sei anni in un grande negozio di articoli sportivi e da sempre sono molto interessata alla moda e al settore dell'abbigliamento. Sono disposta a lavorare a tempo pieno. Allego la mia fotografia e resto in attesa di una Vostra risposta.
Cordiali saluti.
Doina Rastinus
doina.rastinus@gmail.com

3 [ ]
Da: nadia.rossi1982@hotmail.com
A: candidature@agency.com
Oggetto: Candidatura Milano

Gentili Signori,
mi chiamo Nadia Rossi, ho 23 anni e studio Ingegneria presso l'Università di Torino. Sono nata in Germania e ho frequentato la scuola tedesca fino al diploma di scuola media superiore. Sarei molto lieta di ottenere il lavoro da Voi proposto perché vorrei cominciare a lavorare prima di terminare gli studi con la laurea magistrale. Allego il mio CV e rimango a Vostra disposizione per qualsiasi chiarimento.
Distinti saluti.
Nadia Rossi

4 [ ]
Gentili Signori,
il mio nome è Gianni Marroni, abito ad Arezzo e da tre anni lavoro presso una ditta che produce materiali industriali di varia natura. Vorrei trasferirmi nella provincia di Siena e lavorare in zona, per questo sarei interessato alla Vostra offerta. Sono esperto nella lettura del disegno industriale e disposto a lavorare in orari diversi, compresi i fine settimana.
Vi invio il mio curriculum vitae e, in attesa di risposta, porgo cordiali saluti.
Gianni Marroni

4 Sottolineate le seguenti informazioni nelle email dell'attività precedente, utilizzando i colori indicati.

1 I dati anagrafici.
2 Le competenze e le caratteristiche personali.
3 Le esperienze di lavoro.
4 Il motivo per cui le persone sono interessate alle offerte di lavoro.
5 I materiali inviati con l'email.
6 Le formule di saluto iniziali e finali.

5 Scrivete la vostra email di risposta a uno degli annunci dell'attività 1, inserendo le informazioni elencate nell'attività 4.

HO LAVORATO IN UN RISTORANTE DI ROMA

1 Leggete l'annuncio e dite quali requisiti (titolo di studio, esperienze precedenti, competenze, ecc.) dovrebbe avere la persona adatta per il posto di lavoro offerto.

Abbiamo un agriturismo biologico e stiamo cercando un collaboratore per svolgere diverse mansioni. Vorremmo una persona capace di fare proposte e impegnarsi in modo serio e continuativo nella nostra attività.

2 In coppia. Immaginate di essere la proprietaria dell'agriturismo e scrivete alcune domande che fareste alla persona che risponde al vostro annuncio di lavoro.

....
....
....
....

3 Ascoltate il colloquio di lavoro: sono presenti alcune delle vostre domande? Quali altre domande avete sentito? Annotatele.

4 Ascoltate ancora il colloquio e compilate il curriculum vitae di Emanuele.

INFORMAZIONI PERSONALI	
Nome	Mengoni Emanuele
Indirizzo	Via Manzoni 45, 62100 ....
Telefono	237 3487658
E-mail	emanuele89@libero.it
Nazionalità	Italiana
Luogo e data di nascita	...., 27.12.1989
ESPERIENZA LAVORATIVA	
• Date (da – a)	Da giugno a ottobre 2010
• Nome del datore di lavoro	Il cucchiaio d'oro, Roma
• Tipo di azienda o settore	....
• Tipo di impiego	Aiuto ....
• Date (da – a)	Da novembre 2012 a marzo 2013
• Nome del datore di lavoro	La Vetta Blu
• Tipo di azienda o settore	....
• Tipo di impiego	Aiuto cuoco e ....
ISTRUZIONE E FORMAZIONE	
• Date (da – a)	Da ottobre 2006 a febbraio 2013
• Nome e tipo di istituto di istruzione o formazione	Campus bio-medico di ....
• Principali materie / abilità professionali oggetto dello studio	...., biologia
• Qualifica conseguita	.... magistrale in Scienze dell' ....
CAPACITÀ E COMPETENZE PERSONALI	
MADRELINGUA	Italiano
ALTRE LINGUE	Ottimo ...., ottimo ...., discreto tedesco
CAPACITÀ E COMPETENZE RELAZIONALI, ORGANIZZATIVE, TECNICHE, SPORTIVE E ARTISTICHE	Grandi capacità .... Ottime conoscenze .... (tutti i programmi e in particolare ....) Brevetto da ....
PATENTE O PATENTI	Patente di guida B
ALLEGATI	Fotocopia del certificato di laurea e dei diplomi da cuoco e sommelier

5 In coppia.
Scegliete uno degli annunci dell'attività B1, assumete i ruoli di A e B e svolgete l'attività come indicato.

A è la persona o l'azienda che offre il lavoro e scrive una serie di domande da rivolgere al candidato.

B è il candidato e compila il curriculum vitae con i suoi dati.

Sulla base dei vostri appunti svolgete il colloquio di lavoro. Al termine scambiate i ruoli, scegliete un altro annuncio e ripetete l'attività una seconda volta.

6 Ascoltate ancora due battute del colloquio di Emanuele e completate i fumetti con i verbi al condizionale composto.

In realtà .... lavorare in un villaggio ma non in montagna.

Io invece .... volentieri in montagna, ma poi ho preferito la campagna.

7 Completate la regola di formazione del condizionale composto e rispondete alla domanda.

IL CONDIZIONALE COMPOSTO
Il condizionale composto si forma con il ..condizionale.. semplice degli ausiliari .... o .... e il .... del verbo.

Secondo voi il desiderio o l'azione espressi con il condizionale passato si sono realizzati? ....

E ora svolgete le attività 2 e 3 a p. 24 dell'eserciziario.

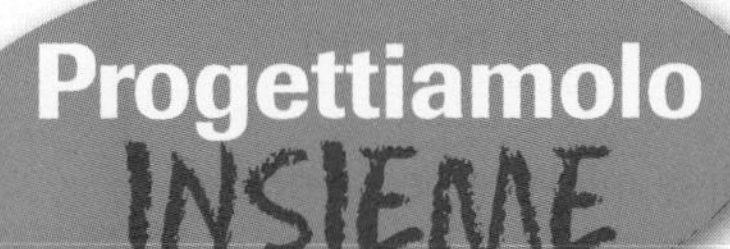

8 In coppia.
Osservate gli esempi qui accanto e scrivete cinque desideri che avete avuto in passato per quanto riguarda il lavoro o lo studio. Poi a turno fate delle domande al vostro compagno cercando di indovinare i suoi desideri irrealizzati.

Mi sarebbe piaciuto lavorare all'estero.

Avresti voluto lavorare all'estero?

Avrei voluto studiare Storia dell'arte.

Ti sarebbe piaciuto fare il dottore?

Progettiamolo INSIEME

1 Svolgete una delle seguenti attività.

A Se siete in Italia, cercate le offerte di lavoro del momento (in Internet, sui giornali, presso le agenzie). Cercate di elaborare una statistica sui tipi di lavoro maggiormente richiesti dal mercato e presentate alla classe i risultati della vostra ricerca.

B Se non siete in Italia, fate una ricerca sulle offerte di lavoro del vostro Paese collegate alle aziende e al mercato italiano. Di che tipo di offerte si tratta? Quali sono le figure professionali maggiormente richieste? Cercate di elaborare una statistica e presentate alla classe i risultati della vostra ricerca.

PRONUNCIA E GRAFIA

1 Abbinate i segni di interpunzione a sinistra con il loro nome a destra.

1	b .	a	la virgola
2	☐ “ ”	~~b~~	il punto
3	☐ ;	c	il punto interrogativo
4	☐ ...	d	il punto esclamativo
5	☐ :	e	le virgolette
6	☐ ?	f	il punto e virgola
7	☐ ,	g	i puntini sospensivi
8	☐ !	h	i due punti

2 Completate le frasi con il nome dei vari segni di interpunzione e il segno grafico, come nell'esempio.

1 La virgola (,) indica una pausa breve fra due parole o fra due frasi.
2 .... indica una pausa più lunga della virgola e serve a separare due parti di uno stesso periodo.
3 .... introducono una spiegazione o un elenco.
4 .... segna una pausa più lunga e si usa alla fine di una frase.
5 .... segna una domanda diretta.
6 .... si mette alla fine di una frase per esprimere meraviglia, dolore o uno stato d'animo eccitato.
7 .... indicano un'interruzione del discorso, una pausa o la continuazione di un elenco.
8 .... servono a riportare il discorso di una persona o a mettere in evidenza un elemento della frase.

CD 13 MP3

3 Ascoltate una parte del dialogo dell'attività A2 e inserite i segni di interpunzione negli spazi indicati.

Samuele: Allora Marilena [,] che cosa fai di bello da quando sei tornata in Italia ☐
Marilena: Cerco lavoro ☐
Samuele: Davvero ☐ Ma una come te non dovrebbe avere problemi ☐
Marilena: E invece caro Samuele ☐ non è così ☐ Sono stata all'estero tanto tempo e ho perso i contatti con il mondo del lavoro italiano ☐
Samuele: Questo ☐ guarda ☐ non è un problema ☐ visto che oggi la risorsa migliore per la ricerca di lavoro è Internet ☐
Marilena: Mah ☐ non saprei ☐ Come vedi sto cercando ☐ ma finora non ho avuto grandi risultati ☐
Samuele: Perché devi stare attenta a come cerchi ☐ Ad esempio ☐ se sei molto interessata a un'azienda ☐ dovresti evitare di spedire semplicemente una mail alla sezione “Lavora con noi ☐ ☐ Io ☐ almeno ☐ preferirei cercare in maniera più dettagliata, magari trovare altre persone che già lavorano in quell'azienda, vedere se ho contatti in comune ☐
Marilena: Sì ☐ hai ragione ☐ Infatti per il momento ho scoperto che alcuni miei compagni di corso all'università sono entrati in un paio di aziende che mi interesserebbero ☐ A me piacerebbe lavorare per le grandi compagnie telefoniche ☐ le aziende di commercio internazionale, le ditte di trasporti ☐
Samuele: Allora ☐ al posto tuo ☐ cercherei informazioni sul sito di quelle aziende ☐ Se possibile ☐ andrei a eventi in cui puoi incontrare quei tuoi compagni ☐ oppure li chiamerei direttamente e gli direi che cosa sto cercando ☐ magari chiederei di parlare con il responsabile del personale ☐

LA GRAMMATICA IN TABELLE

IL CONDIZIONALE SEMPLICE						
	verbi regolari			alcuni verbi irregolari		
	chiamare	*chiedere*	*preferire*	*andare*	*sapere*	*dovere*
io	chiamerei	chiederei	preferirei	andrei	saprei	dovrei
tu	chiameresti	chiederesti	preferiresti	andresti	sapresti	dovresti
lui/lei/Lei	chiamerebbe	chiederebbe	preferirebbe	andrebbe	saprebbe	dovrebbe
noi	chiameremmo	chiederemmo	preferiremmo	andremmo	sapremmo	dovremmo
voi	chiamereste	chiedereste	preferireste	andreste	sapreste	dovreste
loro	chiamerebbero	chiederebbero	preferirebbero	andrebbero	saprebbero	dovrebbero

IL CONDIZIONALE SEMPLICE	
altri verbi irregolari	
volere	vorrei, vorresti, vorrebbe, vorremmo, vorreste, vorrebbero
dare	darei, daresti, darebbe, daremmo, dareste, darebbero
potere	potrei, potresti, potrebbe, potremmo, potreste, potrebbero
cercare	cercherei, cercheresti, cercherebbe, cercheremmo, cerchereste, cercherebbero

IL CONDIZIONALE COMPOSTO	
con ausiliare *essere*	con ausiliare *avere*
In realtà mi **sarebbe piaciuto** lavorare in un villaggio.	Io invece **avrei abitato** volentieri in montagna.

LE FUNZIONI COMUNICATIVE

- **Informarsi sull'attuale occupazione di una persona**
  Che cosa fai di bello da quando sei tornata in Italia?
- **Dire a una persona che non avrà difficoltà a trovare lavoro**
  Ma una come te non dovrebbe avere problemi!
- **Dare consigli a una persona sul modo migliore per trovare lavoro**
  Dovresti evitare di spedire semplicemente una mail alla sezione "Lavora con noi".
- **Dire che cosa faremmo al posto di un'altra persona**
  Io, almeno, preferirei cercare in maniera più dettagliata.
  Al posto tuo cercherei informazioni sul sito di quelle aziende.
- **Incoraggiare una persona**
  Secondo me non dovresti vedere le cose in questo modo.
  Dovresti convincerti che stai offrendo la tua preziosa collaborazione a qualcuno.
- **Dire a che ora dovremmo arrivare in un certo luogo**
  Dovrei essere in centro verso le due.
- **Esprimere un dubbio**
  Mah, non saprei.
- **Esprimere un desiderio**
  A me piacerebbe lavorare per le grandi compagnie telefoniche.
- **Chiedere aiuto**
  A proposito di curriculum, potresti aiutarmi un po'?
- **Dare informazioni anagrafiche**
  Mi chiamo Nadia Rossi, ho 23 anni.
- **Parlare delle nostre competenze e caratteristiche personali**
  Il mio italiano è di livello B2.
  Sono una persona flessibile e attiva.
- **Parlare delle nostre esperienze di lavoro**
  Ho lavorato per sei anni in un grande negozio di articoli sportivi.
- **Dire perché siamo interessati a un lavoro**
  Sarei molto lieta di ottenere il lavoro da Voi proposto perchè vorrei cominciare a lavorare prima di terminare gli studi.

■ **Iniziare e terminare una email/lettera di offerta di collaborazione**
Gentili Signori, mi chiamo / Resto in attesa di un Vostro riscontro e porgo i miei più distinti saluti / Cordiali saluti / Distinti saluti / In attesa di risposta, porgo cordiali saluti.

■ **Specificare i documenti che alleghiamo a un'email**
Allego il mio CV.
Vi invio il mio curriculum vitae.

■ **Chiedere a una persona di parlare un po' di sé**
Mi vuol raccontare qualcosa di Lei?

■ **Informarsi sul titolo di studio di una persona e rispondere**
- *In che cosa si è laureato?*
- *In Scienze dell'alimentazione.*

■ **Chiedere a una persona perché vorrebbe svolgere una certa attività e rispondere**
- *Per quale ragione vorrebbe lavorare in un agriturismo?*
- *Perché adoro la vita all'aria aperta.*

■ **Chiedere a una persona se ha svolto una certa attività e rispondere**
- *Senta, ha mai lavorato nel settore dell'ospitalità?*
- *Due anni fa in estate ho lavorato in un ristorante di Roma.*

■ **Chiedere a una persona quali erano le sue mansioni nel precedente posto di lavoro e rispondere**
- *Di che cosa si occupava?*
- *All'inizio ho fatto semplicemente l'aiuto cuoco.*

■ **Raccontare un desiderio del passato che non si è realizzato**
In realtà mi sarebbe piaciuto lavorare in un villaggio ma non in montagna.

■ **Chiedere a una persona quali lingue straniere conosce e rispondere**
- *Senta, quali lingue straniere conosce?*
- *Io parlo molto bene inglese e francese e so anche un po' di tedesco.*

■ **Chiedere a una persona quali sono le sue conoscenze informatiche**
Per quanto riguarda le conoscenze informatiche?

■ **Chiedere a una persona quali desideri ha avuto in passato**
Avresti voluto lavorare all'estero?
Ti sarebbe piaciuto fare il dottore?

IL LESSICO

■ **Le parole utili per la ricerca di lavoro**
l'annuncio, l'inserzione, l'occupazione, la posizione, il settore

■ **Le informazioni personali**
il nome, l'indirizzo, il telefono, il fax, l'email, la nazionalità, il luogo e la data di nascita

■ **L'esperienza lavorativa**
le date (da – a), il nome del datore di lavoro, il tipo di azienda o settore, il tipo di impiego

■ **I datori di lavoro**
le grandi compagnie telefoniche, le aziende di commercio internazionale, le ditte di trasporti, l'agriturismo, il negozio di abbigliamento, la filiale tecnica

■ **Il tipo di attività**
l'impiegata, l'operaio, l'ingegnere, la commessa, il responsabile del personale, l'esperto di marketing, il cuoco, il sommelier, il consulente

■ **L'orario di lavoro**
turni, flessibile, tempo pieno, part-time

■ **Il tipo di contratto e lo stipendio**
contratto a termine di un mese con eventuale successiva assunzione a tempo indeterminato, due mesi più proroghe, stipendio base superiore agli standard italiani, 800 euro più provvigioni

■ **L'istruzione e la formazione**
le date (da – a), il nome e il tipo di istituto di istruzione o formazione, le materie / abilità professionali oggetto dello studio, la qualifica conseguita

■ **I titoli di studio**
il diploma di scuola media superiore, il diploma in ragioneria, il diploma del liceo scientifico, la laurea in Economia e commercio, la laurea triennale in Ingegneria, la laurea magistrale, la laurea in Scienze dell'alimentazione

■ **Le altre conoscenze**
ottima conoscenza della lingua inglese scritta e parlata e del pacchetto Office, capacità di lettura del disegno CAD, conoscenza della lingua tedesca, ottima conoscenza della lingua italiana, ottime conoscenze informatiche

■ **Gli altri requisiti**
esperienza pluriennale, flessibilità e dinamicità, esperienza precedente, automunita, flessibile e dinamica, con doti comunicative, persone serie e interessate, grandi capacità organizzative, brevetto da bagnino, patente di guida B

■ **I materiali inviati con l'email**
la fotografia, il CV

LEGGERE

1 **Scrivete le cinque caratteristiche più importanti del vostro lavoro ideale.**

2 **Svolgete il test: sono presenti alcune delle caratteristiche che avete scritto nell'attività precedente?**

IL LAVORO IDEALE

Significato dei punteggi
1 Per nulla importante
2 Poco importante
3 Sufficientemente importante
4 Abbastanza importante
5 Molto importante

Quali sono le cose che ritieni più importanti pensando al lavoro?
Attribuisci un punteggio a ciascuno dei 25 obiettivi elencati, facendo riferimento alla scala d'importanza nel riquadro qui a destra.

	Obiettivo	Punteggio
1	Fare carriera	1 2 3 4 5
2	Iniziare a lavorare subito dopo aver terminato la scuola	1 2 3 4 5
3	Essere soddisfatto di quello che faccio	1 2 3 4 5
4	Fare amicizia con i colleghi	1 2 3 4 5
5	Dare sfogo alla mia creatività	1 2 3 4 5
6	Guadagnare molti soldi	1 2 3 4 5
7	Avere tempo libero	1 2 3 4 5
8	Trovare rapidamente una buona occupazione	1 2 3 4 5
9	Conoscere e migliorare me stesso	1 2 3 4 5
10	Stabilire relazioni positive con gli altri	1 2 3 4 5
11	Imparare sempre cose nuove	1 2 3 4 5
12	Avere la possibilità di viaggiare per lavoro	1 2 3 4 5
13	Poter cambiare azienda con facilità	1 2 3 4 5
14	Svolgere un lavoro legato agli studi fatti	1 2 3 4 5
15	Avere tempo per la famiglia e gli amici	1 2 3 4 5
16	Migliorare il mio rapporto con la gente	1 2 3 4 5
17	Essere disponibile nei riguardi degli altri	1 2 3 4 5
18	Ricoprire ruoli di responsabilità	1 2 3 4 5
19	Poter scegliere tra diverse offerte di lavoro	1 2 3 4 5
20	Raggiungere un buon tenore di vita	1 2 3 4 5
21	Migliorare le mie capacità	1 2 3 4 5
22	Conoscere gente nuova	1 2 3 4 5
23	Dedicare tempo ai miei hobby	1 2 3 4 5
24	Avere successo nella professione	1 2 3 4 5
25	Non restare legato a occupazioni non soddisfacenti	1 2 3 4 5

Somma i punteggi attribuiti, secondo il seguente schema:

Principali obiettivi	Obiettivi da sommare	Tot.
Riuscita professionale. Indica il desiderio di raggiungere risultati e ricevere gratificazioni sia in senso economico che di responsabilità e di interessi personali.	1 – 6 – 12 – 18 – 24	
Relazioni interpersonali. Esprime il bisogno di stringere relazioni interpersonali e di lavorare in un ambiente piacevole.	4 – 10 – 15 – 17 – 22	
Miglioramento di sé. Evidenzia il bisogno di crescita delle proprie conoscenze e competenze, con apertura a nuove esperienze.	5 – 9 – 11 – 16 – 21	
Qualità della vita. Indica il bisogno di intraprendere un'attività che permetta di raggiungere un buon tenore di vita e di sviluppare i propri interessi, professionali ed extralavorativi.	3 – 7 – 14 – 20 – 23	
Libertà di scelta. Indica il desiderio di svolgere la professione che meglio si adatta alle proprie caratteristiche personali, ai propri obiettivi e alle proprie aspirazioni.	2 – 8 – 13 – 19 – 25	

Inserisci i valori più importanti in base ai punteggi conseguiti, iniziando da quelli più elevati.

1° ....
2° ....
3° ....
4° ....
5° ....

(adattato da www.polomeccanica.net)

3 In gruppo.
Qual è il vostro lavoro ideale? Perché?

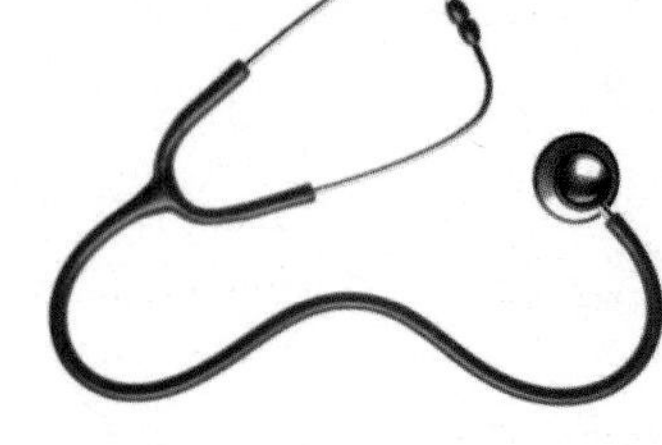

ASCOLTARE

1 Raccontate: nel vostro Paese ci sono molti giovani che dopo l'università scelgono di lavorare all'estero? Quali sono i Paesi in cui preferiscono andare? Quali tipi di lavoro cercano i giovani che vanno all'estero?

2 Ascoltate la prima parte della trasmissione e completate la tabella con le informazioni relative agli intervistati.

nome	Marta	....	....
cognome	....	....	....
età	....	....	....
città	....	....	....
studi	....	....	....
professione	....	....	....
luogo di lavoro	....	....	....

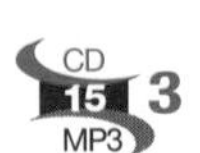

3 Ascoltate la seconda parte della trasmissione e rispondete alle domande.

1 Perché Marta ha deciso di fare un master a Chicago? ....
2 Quali esperienze di lavoro ha fatto mentre partecipava al master? ....
3 Quali sono le sue mansioni? ....
4 Perché Giacomo ha scelto un certo tipo di studi? ....
5 Che cosa gli è successo dopo il dottorato? ....
6 Quale posizione occupa al momento? ....
7 Perché Andrea ha scelto un certo tipo di studi? ....
8 È soddisfatto del suo lavoro? ....
9 Secondo Marta, che cosa dovrebbe cambiare in Italia per spingerla a ritornare? ....

4 E a voi piacerebbe lavorare all'estero? Se sì, perché e quale professione vi piacerebbe svolgere? Se no, perché?

SCRIVERE

1 Compilate il vostro curriculum vitae.

CURRICULUM VITAE

INFORMAZIONI PERSONALI
Nome ....
Indirizzo ....
Telefono ....
Fax ....
E-mail ....
Nazionalità ....
Data di nascita ....

ESPERIENZA LAVORATIVA
• Date (da – a) ....
• Nome e indirizzo del datore di lavoro ....
• Tipo di azienda o settore ....
• Tipo di impiego ....
• Principali mansioni e responsabilità ....

ISTRUZIONE E FORMAZIONE
• Date (da – a) ....
• Nome e tipo di istituto di istruzione o formazione ....
• Principali materie / abilità professionali oggetto dello studio ....

CAPACITÀ E COMPETENZE PERSONALI
MADRELINGUA ....
ALTRE LINGUE ....

CAPACITÀ E COMPETENZE RELAZIONALI, ORGANIZZATIVE, TECNICHE, ARTISTICHE ....

ALTRE CAPACITÀ E COMPETENZE ....

PATENTE O PATENTI ....

ULTERIORI INFORMAZIONI ....

ALLEGATI ....

Autorizzo il trattamento dei miei dati personali ai sensi del D.lgs. 196 del 30 giugno 2003.

Data __________ Firma __________

2 Immaginate di rispondere a un annuncio di lavoro in cui si offre il lavoro dei vostri sogni. Scrivete l'email di presentazione, a cui allegate il vostro curriculum vitae. Se volete e potete, inviate l'email al vostro insegnante per farvela correggere.

PARLARE

1 In coppia.
A turno assumete il ruolo di datore di lavoro e candidato e intervistatevi reciprocamente. Utilizzate le seguenti domande e, se volete, aggiungetene altre.

1. Mi può parlare un po' di Lei?
2. Quali esperienze professionali ha fatto?
3. Quali sono le sue qualità nel mondo del lavoro?
4. Quali sono i suoi difetti?
5. Perché Le interessa il lavoro che offriamo?
6. Quali sono, secondo Lei, le cose più importanti in campo lavorativo?
7. Come dovrebbe essere il suo ambiente di lavoro ideale?
8. Come si comporterebbe con un capo insopportabile?

2 In gruppo.
Raccontate le vostre esperienze di lavoro.

Per saperne di più

1 Leggete il testo e rispondete alle domande.

Il mondo del lavoro in Italia

L'Italia, come molti Paesi industrializzati, vive un momento di forte crisi occupazionale. Ci sono molte persone che non trovano lavoro e molte che lo perdono perché le aziende in cui lavoravano chiudono.
Per fortuna arrivano anche dei segnali positivi: in base a quanto rivelano alcuni studi di settore, ci sono delle professioni ancora molto ricercate.

La situazione in Italia - Secondo studi recenti sarebbero ben **100mila i posti di lavoro vacanti.** Nel nostro Paese si cercano **infermieri, ingegneri, commercialisti, agenti commerciali, falegnami, cuochi** e **parrucchieri.** Ma anche **matematici, chimici, fisici, saldatori, operai** e **fabbri.** Questi profili si ricercano non solo nelle **piccole e medie imprese,** ma anche nelle **grandi aziende.**

Le professioni del futuro - Per chi adesso sta ancora studiando, uno sguardo sulle professioni del futuro sarà molto utile per capire quale indirizzo prendere. **Medici, chirurghi** e **igienisti dentali,** ma soprattutto **infermieri.** Inoltre ci sarà una grande domanda di **interpreti:** le lingue più richieste? **Cinese** e **arabo,** le due lingue del futuro.

Le professioni più richieste all'estero - Siete stanchi dell'Italia e volete andare a cercare **fortuna all'estero?** Sono molto richiesti **artigiani, agenti commerciali, cuochi** e **aiuto cuochi, saldatori, ingegneri, addetti sanitari, addetti alle pulizie,** professionisti del **settore bancario** e **assicurativo.** Retribuzione discreta o ottima (a seconda del proprio profilo professionale) e opportunità di crescita. E poi, si sa, un lavoro all'estero "fa curriculum".

(adattato da www.forexinfo.it)

1. Quali problemi presenta il mondo del lavoro italiano?
2. Quali figure professionali hanno maggiori possibilità di trovare lavoro in Italia?
3. Che cosa consigliereste di studiare a un amico che spera di lavorare subito dopo l'università?
4. Quali sono i vantaggi di chi va a lavorare all'estero?

2 E nel vostro Paese? Quali sono i problemi maggiori nel mondo del lavoro? Quali sono le figure professionali più ricercate? Quali saranno le professioni del futuro? Le persone che vanno a lavorare all'estero, quali Paesi scelgono? Perché?

Un luogo

3 Leggete il testo e compilate la scheda a lato.

***Il Lingotto di Torino* -** Il Lingotto di Torino è stato uno dei principali stabilimenti di produzione della Fiat ed è oggi uno dei più grandi centri multifunzionali d'Europa. È stato progettato e costruito, a partire dal 1915, sul modello degli stabilimenti della casa automobilistica statunitense Ford. L'inaugurazione è avvenuta nel 1922, alla presenza del re d'Italia. Nel corso del tempo, nello stabilimento sono stati prodotti molti modelli di automobili, come la Torpedo, la Balilla e la Topolino. Oggi il Lingotto non è più un luogo produttivo, ma comunque un centro di intensa attività: infatti ospita al suo interno il centro fiere, la pinacoteca, l'auditorium Gianni Agnelli, il centro congressi, un centro commerciale e una pista automobilistica.

(da www.ilcinzanino.org)

Nome dell'edificio: ....
Città: ....
Inizio della costruzione: ....
Modello a cui è ispirato: ....
....
Anno di inaugurazione: ....
Utilizzo in passato: ....
....
Utilizzo attuale: ....
....

4 E nel vostro Paese? Esiste un luogo simbolo del lavoro? Raccontate quello che sapete in proposito.

Un personaggio

Immacolata Simioli è nata in provincia di Napoli nel 1966. È presidente e amministratore delegato di un'azienda leader nella produzione di pasticceria surgelata per la prima colazione all'italiana. A maggio del 2012 è stata nominata Cavaliere del Lavoro. Si tratta di un titolo attribuito dal presidente della Repubblica italiana alle persone che hanno meriti particolari nel mondo del lavoro. Immacolata Simioli si è dimostrata una donna molto intraprendente, capace di aumentare il volume di affari dell'azienda e di creare numerosi posti di lavoro.

5 E nel vostro Paese? Conoscete donne o uomini che hanno dimostrato di avere grandi capacità imprenditoriali? Pensate a uno di loro: raccontate che cosa ha fatto di particolarmente importante e se ha ricevuto dei riconoscimenti da parte dello Stato.

Un'opera

6 Osservate la foto e descivetela: che cosa rappresenta?

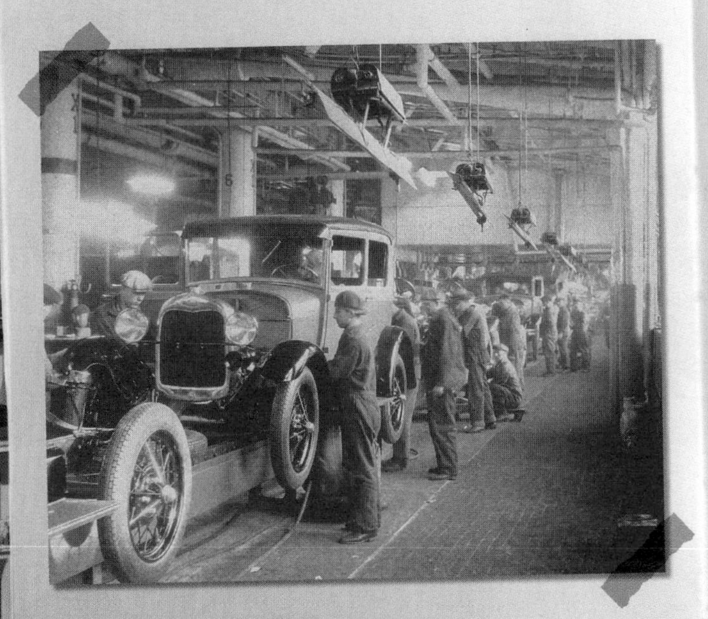

7 Leggete la frase tratta dall'opera letteraria *Mammut* di Antonio Pennacchi e rispondete alle domande.

Purtroppo, la storia è andata avanti: [...] la classe operaia, come classe che doveva dirigere tutto, come diceva Marx [...] oramai è una specie in via d'estinzione. Anche numericamente.

1. Secondo voi di che cosa parla il romanzo?
2. Siete d'accordo con l'affermazione dell'autore? Perché?
3. Conoscete un'opera letteraria del vostro Paese in cui si parla del mondo del lavoro? Quale?

Un video

8 Collegatevi al sito www.loescher.it/studiareitaliano/. Guardate il video *Il mondo del lavoro* e svolgete le attività proposte.

4 Diglielo con un fiore!

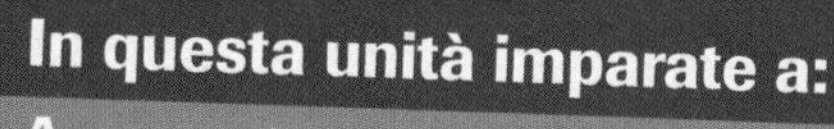

In questa unità imparate a:

- A raccontare un incontro importante e l'inizio di una storia d'amore
- B organizzare un evento importante
- C parlare di luoghi e appuntamenti romantici
- D scambiare messaggi con il partner

1 Abbinate le battute alle immagini.

1. [B] Insomma, mi hai stufato, te l'ho detto mille volte che non c'è nessun'altra...
2. [ ] Ti ricordi come pioveva quando siamo usciti dalla chiesa?
3. [ ] Come sei bella!
4. [ ] Dimmelo ancora che non mi lascerai mai...

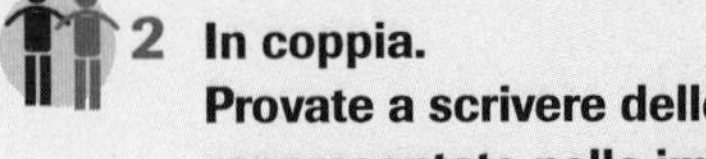

2 In coppia.
Provate a scrivere delle battute adatte alle situazioni rappresentate nelle immagini.

CI SIAMO GUARDATI UN ATTIMO E...

1 In coppia.
I disegni sottostanti raccontano l'inizio di una storia d'amore ma sono in disordine. Secondo voi qual è la giusta sequenza? Provate a ricostruirla e a raccontare la storia.

2 Ascoltate il dialogo e controllate se avete messo i disegni dell'attività precedente nella giusta sequenza.

3 In coppia.
Come si sono conosciuti Alberto e Serena? Raccontate la prima parte della storia al vostro compagno (fino all'uscita dalla pizzeria), poi ascoltate il vostro compagno che vi racconta la seconda parte.

4 Completate i fumetti come nell'esempio.

5 Completate la tabella e rispondete alle domande.

I VERBI RECIPROCI	
abbracciarsi	
io	–
tu	–
lui/lei/Lei	–
noi	.... abbracciamo
voi	.... abbracciate
loro	si abbracciano

Il verbo *abbracciarsi* e i verbi dell'attività precedente (*guardarsi*, *conoscersi*, *lasciarsi*) appartengono alla categoria dei verbi reciproci, cioè dei verbi in cui l'azione è scambiata tra due o più persone. Ricordate un'altra categoria di verbi molto simili ai verbi reciproci? Quali differenze ci sono tra le due categorie?

E ora svolgete le attività 1 e 2 a p. 28 dell'eserciziario.

6 Inserite nella colonna di sinistra della tabella le funzioni comunicative che corrispondono agli esempi della colonna di destra.

~~parlare di ricordi~~ esortare una persona ad ammettere un interesse per qualcuno
esprimere delle opinioni su una persona esprimere incredulità
negare con convinzione chiedere a una persona perché ha fatto una cosa

1 parlare di ricordi	• Ti ricordi quando sono entrata in casa tua con Alberto? • Ti ricordi come pioveva quando siamo usciti? • Com'è andata che non mi ricordo? • E poi? • Mi ricordo, certo che mi ricordo...
2	• Per quale motivo eri passata?
3	• Davvero? • È incredibile! • Dai... • Non ci posso credere!
4	• Di' la verità... ci avevi già fatto un pensierino!
5	• No, lo giuro.
6	• Che esagerato! • Che imbranato questo qui! • Che cavaliere! • Che carino, è così dolce! • Ed è anche un bel ragazzo!

7 In coppia.
Pensate al momento in cui avete conosciuto una persona importante della vostra vita. Dove eravate? Con chi? Che cosa è successo?

B ME LO PORTA LA MATTINA DEL MATRIMONIO

1 Abbinate le parole agli oggetti. Secondo voi ci sono altre cose a cui è importante pensare prima di un matrimonio?

1 [F] i documenti
2 [ ] il menu
3 [ ] il bouquet
4 [ ] il vestito
5 [ ] le bomboniere
6 [ ] la torta
7 [ ] le partecipazioni
8 [ ] le musiche
Altro: ....

A

B

C

D

Menu

Aperitivo

Affettati misti
Tagliolini con salsa al tartufo
Tortelloni di rucola al burro e salvia

Sorbetto al limone

Tagliata di manzo con rucola e scaglie di grana
Scaloppine di vitello con salsa al madera
(patate fritte e verdure di stagione)

Formaggi
Macedonia di frutta fresca con gelato

Torta nuziale

Caffè

E

Matteo Paniga Fabiana Verdi
annunciano il loro matrimonio
sabato 6 luglio 2013
Chiesa di S. Giovanni, Monza

F

G

H

CD 17 MP3 **2 Ascoltate il dialogo e rispondete alle domande nella tabella inserendo una ✗ nella casella giusta.**

	Alberto (lo sposo)	Serena (la sposa)	La mamma di Alberto	Il papà di Serena	Martina	Il tipografo	Il fioraio
Chi porta i documenti al sacerdote?			✗				
Chi porta i menu al ristoratore?							
Chi porta il bouquet allo sposo?							
Chi porta il vestito alla sposa?							
Chi ordina la torta al pasticcere?							
Chi spedisce la partecipazione a zia Lina?							
Chi porta le bomboniere al ristorante?							
Chi salva le musiche nella chiavetta?							

3 Osservate i pronomi evidenziati nella colonna di sinistra: a che cosa e a chi si riferiscono? Abbinateli agli elementi corrispondenti della colonna di destra.

1 [c] **Te lo** porta a casa.
2 [ ] Lo ritira Martina e **me lo** porta la mattina del matrimonio.
3 [ ] **Ce le** porta mio padre.
4 [ ] Domani **gliela** spedisco.
5 [ ] **Ce le** salvo stasera stessa.
6 [ ] Domani **glieli** porta mia madre.

a Le bomboniere al ristorante.
b I documenti al sacerdote.
~~c~~ Il bouquet a te.
d Il vestito a me.
e La partecipazione a zia Lina.
f Le musiche nella chiavetta.

4 Inserite i pronomi doppi o combinati nella tabella e completate le regole sottostanti.

I PRONOMI DOPPI O COMBINATI		
Martina porta *il vestito* a me.	Me lo	
Il fioraio porta *il bouquet* a te.	Te lo	
Mia madre porta *un documento* al sacerdote.	Ce le	
Il fotografo porta *un album fotografico* alla sposa.	....	porta domani.
Martina porta *un regalo* a noi.	....	
Alberto porta *un CD* con le musiche a voi.	....	
Serena porta *un invito* agli zii.	....	
Mio padre porta *il dolce* al ristorante.	....	

I pronomi doppi sono la combinazione di un pronome indiretto e di un pronome ....
Il pronome .... si trova prima del pronome ....
Quando il pronome indiretto si combina con il pronome diretto, la vocale *-i* del pronome indiretto si trasforma in una -.......... .
Nella terza persona singolare e plurale il pronome .... diventa *gli* + *e* e si scrive attaccato al pronome ....
I pronomi diretti si possono combinare anche con altri pronomi, come nella frase .... *porta domani* (il dolce al ristorante).

E ora svolgete le attività 1 e 2 a p. 29 dell'eserciziario.

5 In gruppo.
Pensate a una festa importante (un matrimonio, un anniversario, un battesimo, un compleanno ecc.). Scrivete una lista di cose da fare e organizzate insieme l'evento.

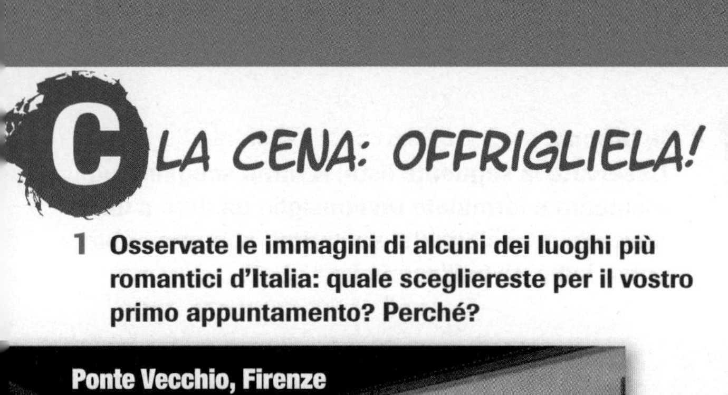

C LA CENA: OFFRIGLIELA!

1 Osservate le immagini di alcuni dei luoghi più romantici d'Italia: quale scegliereste per il vostro primo appuntamento? Perché?

Ponte Vecchio, Firenze

Canal Grande, Venezia

Via dell'Amore, Liguria

2 Leggete il testo e abbinate le frasi alle immagini.

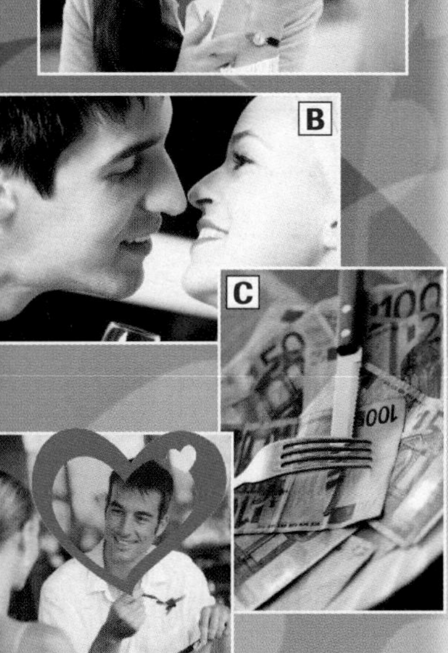

Il **primo appuntamento** è fondamentale per costruire un buon rapporto di coppia; la prima cena insieme, ad esempio, può decretare l'inizio o la fine di una storia d'amore. Ed ecco allora le **10 cose da fare e da non fare quando si incontra il proprio lui o la propria lei per la prima volta**.

1 [A] L'orario: rispettalo! La prima impressione è quella che conta.
2 [ ] Il ristorante più romantico della città: portacela!
3 [ ] La tua ultima storia d'amore: raccontagliela in sole due frasi e passa ad altro!
4 [ ] La cena: offrigliela!
5 [ ] L'incontro con tua madre: non proporglielo per il giorno dopo!
6 [ ] La politica, lo sport, il lavoro: parlagliene pure ma non annoiarla troppo!
7 [ ] Il tuo interesse per lei: mostraglielo in maniera discreta!
8 [ ] Il ritorno a casa: accompagnala ma non chiederle di salire!
9 [ ] Il primo bacio: non darglielo se non è il momento giusto, ma se lo è, fa' che sia indimenticabile!
10 [ ] Il giorno dopo ti svegli innamorato: diglielo con un fiore!

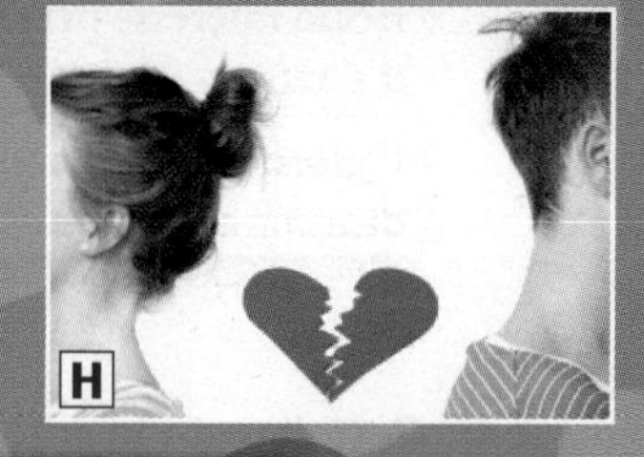

3 **In coppia.**
Nell'attività precedente, sottolineate con il verde i consigli che dareste anche voi a un amico per il primo appuntamento e con il rosso quelli che non dareste mai. Poi motivate le vostre scelte.

4 **Alcune frasi dell'attività 2 contengono dei verbi all'imperativo informale (*tu*) con i pronomi doppi o combinati. Inseriteli nella tabella.**

L'IMPERATIVO (*TU*) CON I PRONOMI DOPPI O COMBINATI
portacela
....
....
....
....
....
....
....

5 **Osservate gli esempi e trasformate alcune frasi dell'attività 2 all'imperativo di cortesia (*Lei*).**

L'IMPERATIVO (*LEI*) CON I PRONOMI DOPPI O COMBINATI
La cena ...gliela offra... .
L'incontro con Sua madre: non ...glielo... proponga per il giorno dopo.
La politica, lo sport, il lavoro: .... parli pure ma non la annoi troppo.
Il Suo interesse per lei: .... mostri in maniera discreta.
Il giorno dopo si sveglia innamorato: .... dica con un fiore.

6 **Sottolineate la parola giusta per completare le regole.**

Con l'imperativo informale (*tu*) i pronomi doppi o combinati si mettono *prima del / dopo il* verbo e formano con esso un'unica parola.
Con l'imperativo formale (*Lei*) i pronomi doppi o combinati si mettono *prima del / dopo il* verbo.

E ora svolgete le attività 1-3 a p. 30 e l'attività 4 a p. 31 dell'eserciziario.

7 **In gruppo.**
Osservate la seguente lista. A turno scegliete un elemento e formulate un consiglio da dare a un amico in occasione del suo primo appuntamento, come indicato nell'esempio.

1 i cioccolatini
2 i fiori
3 le foto nel telefono
4 un messaggio
5 tua madre
6 il tuo appartamento
7 la tua automobile
8 la tua squadra preferita

1 I cioccolatini: portaglieli come regalo!
2 ....
3 ....
4 ....
5 ....
6 ....
7 ....
8 ....

8 **In gruppo.**
Pensate a un primo appuntamento importante (amore, studio, lavoro, amicizia) e raccontate la vostra esperienza.

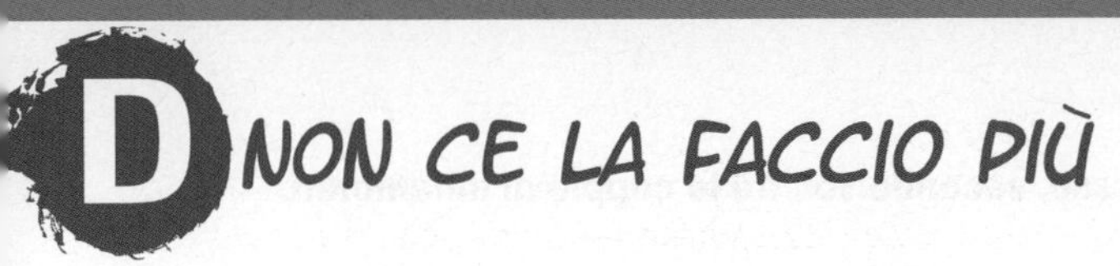

D NON CE LA FACCIO PIÙ

1 Leggete l'articolo e provate a riassumerlo nelle due righe sottostanti.

Auguri di San Valentino gratis
grazie a social network e WhatsApp

Gli auguri di San Valentino 2013 sono tecnologici e gratuiti tramite social network e da smartphone con WhatsApp.

Il 14 febbraio, i social network, come Facebook e Twitter, saranno utilizzati per fare gli auguri di San Valentino al proprio partner, soprattutto tramite smartphone, attraverso il quale è anche possibile usare il gratuito WhatsApp.
Per la festa degli innamorati, su Facebook sono perfino nate diverse applicazioni: Photo in Love, Frasi d'amore, Mix Me San Valentino e molte altre per inviare "regali" (immagini) scegliendo tra un cuscino di cuori, una tazza, tappetini, puzzle e vari tipi di cuori. Altre applicazioni permettono di inviare una dedica con un editor di testo virtuale aggiungendo effetti e oggetti, o anche inserendo immagini.

(da http://telefonia.supermoney.eu)

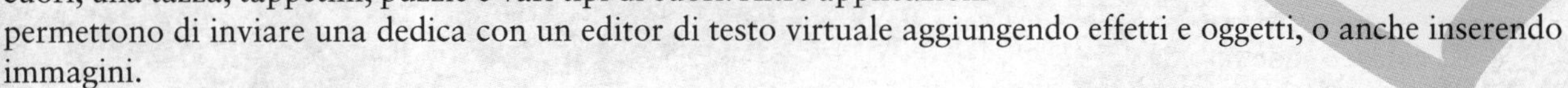

L'articolo parla della possibilità di ....

....

2 Discutete insieme: che cosa pensate dell'utilizzo della tecnologia quando si parla di sentimenti?

3 Leggete i biglietti: quali sentimenti esprimono?

4 Raccontate: avete mai scritto o ricevuto un messaggio come quelli raffigurati qui sopra? In quale occasione?

5 In gruppo.
Leggete gli scambi di messaggi e dite che cosa è successo, secondo voi, tra le coppie di innamorati.

6 Abbinate le espressioni a sinistra con il significato corrispondente a destra.

1 [c] Non ce la faccio.
2 [ ] Me ne sto qui.
3 [ ] Io me ne vado.
4 [ ] Non me la sento.
5 [ ] Ce l'hai con...

a Rimango qui.
b Non ho il coraggio.
~~c~~ Non riesco.
d Hai qualcosa contro...
e Vado via.

7 Completate la tabella.

ALCUNI VERBI PRONOMINALI					
	farcela	*starsene*	*andarsene*	*sentirsela*	*avercela*
io	...ce la... faccio	.... sto	.... vado	.... sento	ce l'ho
tu	ce la fai	te ne stai	te ne vai	.... senti	.... hai
lui/lei/Lei	.... fa	se ne sta	.... va	se la sente	.... ha
noi	ce la facciamo	.... stiamo	ce ne andiamo	ce la sentiamo	ce l'abbiamo
voi	ce la fate	ve ne state	.... andate	ve la sentite	.... avete
loro	.... fanno	se ne stanno	se ne vanno	.... sentono	ce l'hanno

E ora svolgete l'attività 1 a p. 31 e 2 a p. 32 dell'eserciziario.

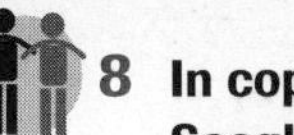

8 In coppia.
Scegliete una delle seguenti situazioni e scrivete un messaggio su un foglietto. Poi scambiatevi i foglietti e scrivete le risposte al messaggio del compagno.

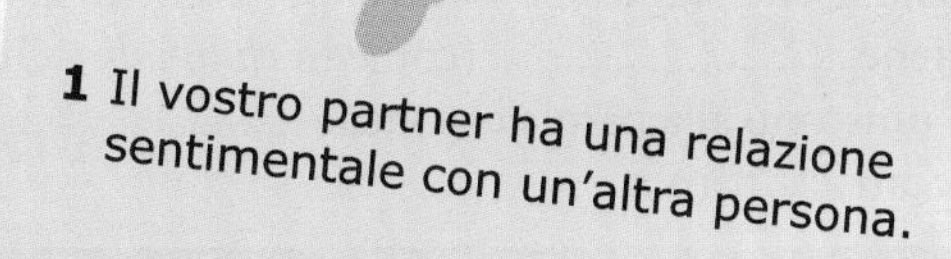

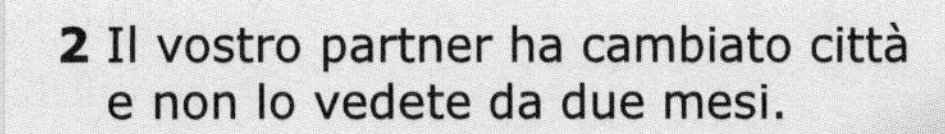

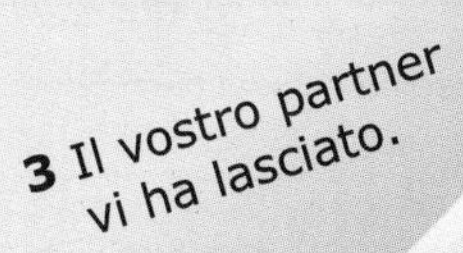

4 Da qualche tempo la vostra relazione non funziona.

5 Ieri sera siete usciti con una persona molto interessante e vorreste rivederla.

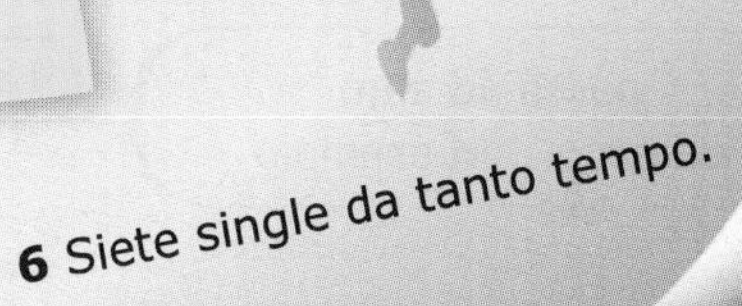

Progettiamolo INSIEME

1 Formate dei gruppi e scegliete tra i seguenti argomenti.

Ogni gruppo inventa una storia sull'argomento che ha scelto e la racconta utilizzando una delle seguenti modalità:
- il fotoromanzo;
- la commedia teatrale.

Al termine del lavoro ogni storia viene presentata in classe o con l'esposizione del fotoromanzo o con la rappresentazione teatrale, oppure sotto forma di sequenza di immagini e/o video.

PRONUNCIA E GRAFIA

CD 18 MP3 **1 Ascoltate e scrivete le parole. Poi completate la regola accanto.**

1	la torta	**4**	chiamala
2	....	**5**	....
3	....	**6**	....

> Spesso, quando parliamo, uniamo le parole composte da una sola sillaba, i monosillabi, alla parola che viene dopo (come in *la torta*) o a quella che viene .... (come in *chiamala*). Quando i monosillabi si uniscono alla parola che viene ...., si scrivono attaccati alla parola.

2 Cercate nell'unità altri esempi di monosillabi che si uniscono alle parole successive e precedenti simili a quelli dell'attività 1 e scriveteli nello spazio sottostante.

1 Monosillabi che si uniscono alla parola che viene dopo: la torta, ...

2 Monosillabi che si uniscono alla parola che viene prima: chiamala, ...

3 Osservate le tre espressioni e completate la regola della *d* eufonica.

passa **ad** altro
ed ecco **ad** esempio

> La *d* eufonica normalmente si usa quando la preposizione *a* e la congiunzione *e* si trovano davanti a parole che iniziano con la stessa vocale, come in .... e ...., oppure in formule fisse come *ad esempio*.

4 Ascoltate il messaggio che Federico ha lasciato nella segreteria telefonica dell'amica Veronica e completate.

> Ciao Veronica, ti chiamavo per .... scusa. Negli ultimi giorni non .... Marisa .... e io sto molto male. .... a fare niente e .... più. .... lontano, ... in Australia, ma poi continuo a .... ! Lei .... che il nostro rapporto non funzionava più ma io .... di parlarne e alla fine lei .... un po' di tempo per riflettere. Tutti mi dicono: "..........................", "Non farti più sentire!" e "Dimostrale che .... anche senza di lei!" .... come devo comportarmi. So che passerà, ma per il momento .... e sono disperato. Sentiamoci quando puoi... Ho bisogno di parlare con una vera amica!

LA GRAMMATICA IN TABELLE

I VERBI RECIPROCI	
abbracciarsi	
io	–
tu	–
lui/lei/Lei	–
noi	ci abbracciamo
voi	vi abbracciate
loro	si abbracciano

I PRONOMI DOPPI O COMBINATI		
Martina porta *il vestito* a me.	Me lo	porta domani.
Il fioraio porta *il bouquet* a te.	Te lo	
Mia madre porta *un documento* al sacerdote.	Glielo	
Il fotografo porta *un album fotografico* alla sposa.	Glielo	
Martina porta *un regalo* a noi.	Ce lo	
Alberto porta *un CD* con le musiche a voi.	Ve lo	
Serena porta *un invito* agli zii.	Glielo	
Mio padre porta *il dolce* al ristorante.	Ce lo	

L'IMPERATIVO (*TU*) CON I PRONOMI DOPPI O COMBINATI			
portacela	offrigliela	mostraglielo	non darglielo
raccontagliela	parlagliene	diglielo	non proporglielo

L'IMPERATIVO (*LEI*) CON I PRONOMI DOPPI O COMBINATI
La cena: gliela offra.
L'incontro con Sua madre: non glielo proponga per il giorno dopo.
La politica, lo sport, il lavoro: gliene parli pure ma non la annoi troppo.
Il Suo interesse per lei: glielo mostri in maniera discreta.
Il giorno dopo si sveglia innamorato: glielo dica con un fiore.

ALCUNI VERBI PRONOMINALI					
	farcela	*starsene*	*andarsene*	*sentirsela*	*avercela*
io	ce la faccio	me ne sto	me ne vado	me la sento	ce l'ho
tu	ce la fai	te ne stai	te ne vai	te la senti	ce l'hai
lui/lei/Lei	ce la fa	se ne sta	se ne va	se la sente	ce l'ha
noi	ce la facciamo	ce ne stiamo	ce ne andiamo	ce la sentiamo	ce l'abbiamo
voi	ce la fate	ve ne state	ve ne andate	ve la sentite	ce l'avete
loro	ce la fanno	se ne stanno	se ne vanno	se la sentono	ce l'hanno

LE FUNZIONI COMUNICATIVE

- **Parlare di ricordi**
  Ti ricordi quando sono entrata in casa tua con Alberto?
  Ti ricordi come pioveva quando siamo usciti?
  Com'è andata che non mi ricordo?
  E poi?
  Mi ricordo, certo che mi ricordo...
- **Chiedere a una persona perché ha fatto una cosa**
  Per quale motivo eri passata?
- **Esprimere incredulità**
  Davvero?
  È incredibile!
  Dai...
  Non ci posso credere!
- **Esortare una persona ad ammettere un interesse per qualcuno**
  Di' la verità... ci avevi già fatto un pensierino!
- **Negare con convinzione**
  No, lo giuro.
- **Esprimere delle opinioni su una persona**
  Che esagerato!
  Che imbranato questo qui!
  Che cavaliere!
  Che carino, è così dolce!
  Ed è anche un bel ragazzo!
- **Organizzare un evento**
  Chi porta...?
  Chi ordina...?
  Chi spedisce...?
  Chi compra...?
- **Dare consigli per conquistare qualcuno**
  Il ristorante più romantico della città: portacela!
  Il Suo interesse per lei: glielo mostri in maniera discreta.
- **Esprimere insofferenza**
  Sono stufo! Non ce la faccio più a sopportare la tua storia con Francesco.
- **Dire a una persona che ci manca**
  Mi manchi tanto.
- **Dire a una persona che la amiamo**
  Ti amo.
- **Esprimere rammarico**
  Mi dispiace.
- **Dire che non siamo capaci di fare una cosa**
  Non ce la faccio.
  Io proprio non me la sento.

IL LESSICO

- **Alcuni verbi per parlare di amore**
  farci un pensierino, guardarsi, conoscersi, abbracciarsi, mancare, amare, lasciare/lasciarsi, giurare, credere
- **Parole ed espressioni per parlare di amore**
  il primo appuntamento, il primo bacio, la storia d'amore, il matrimonio, l'anniversario, il rapporto di coppia, gli auguri di San Valentino, la festa degli innamorati, il partner
- **I preparativi per il matrimonio**
  la lista, il sacerdote, il ristoratore, il fioraio, lo sposo, la sposa, i documenti, i menu, il bouquet, il vestito, le bomboniere, la torta, la partecipazione, le musiche, il fotografo, l'album, le fedi
- **Alcuni stati d'animo**
  innamorato, stufo, stressato, triste, impaziente, depresso, imbarazzato

LEGGERE

1 In gruppo.
Osservate lo schema e cerchiate cinque parole che per voi sono molto importanti quando si parla di amore. Poi motivate la vostra scelta.

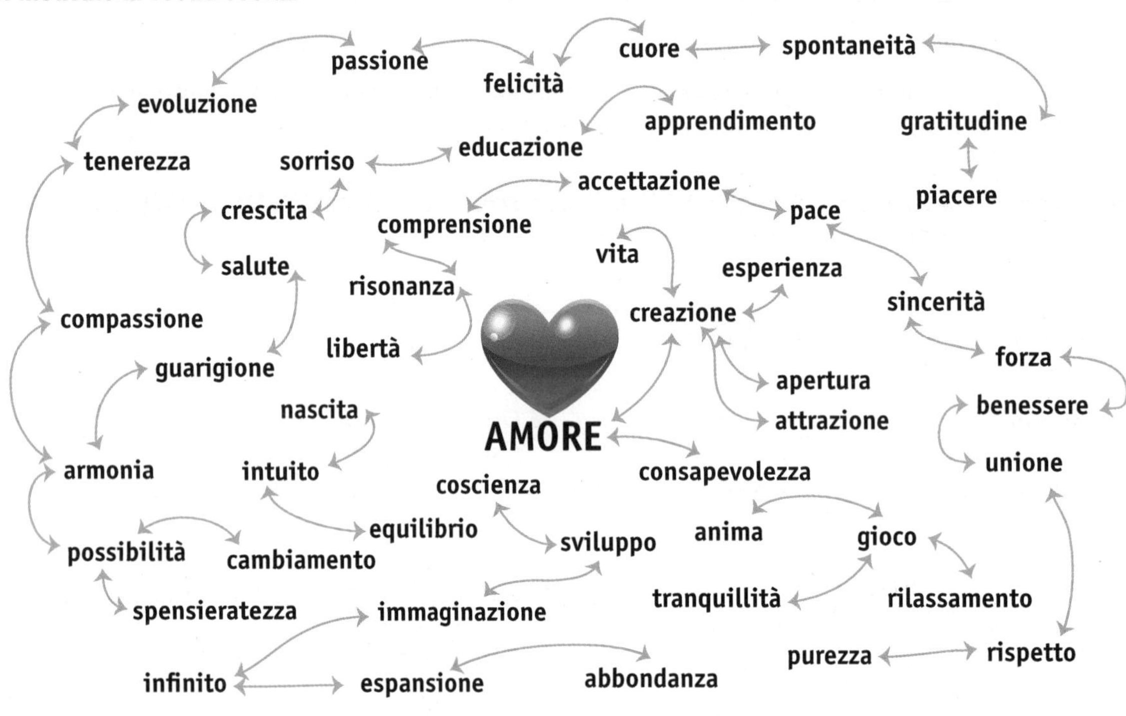

2 Leggete il testo: sono presenti alcune delle parole di cui avete discusso nell'attività precedente?

L'innamoramento

Perché è così bello? Può durare tutta la vita?

Un affetto profondo
L'innamoramento può essere definito come un affetto profondo che spinge chi lo prova a desiderare di stare insieme alla persona amata. Certo, il benessere che provoca questo sentimento varia da una persona all'altra: può essere debole, forte o, addirittura, un'ossessione. L'inizio di un amore si manifesta con un'immensa felicità al solo pensiero o alla vista della persona che si ama.

I meccanismi dell'amore
Gli psichiatri e gli psicanalisti affermano che l'innamoramento non avviene per caso: il nostro inconscio sceglie il volto, la voce, i gesti della persona sulla base delle esperienze precedenti.
Quando si è innamorati, le emozioni sono più intense, l'euforia e la dipendenza si sviluppano e la realtà diventa bella come un sogno a occhi aperti...

Le differenze tra uomini e donne
Tutte queste emozioni sono quasi identiche nei due sessi. Tuttavia, la percezione del sentimento cambia.
Gli uomini considerano l'amore come una parte della loro vita mentre le donne vivono questa emozione in maniera totale.

Quanto dura l'amore?
In un primo momento, l'innamoramento è provocato da passione e attrazione. Ma la passione finisce presto. Gli scienziati e gli psichiatri sono d'accordo sul fatto che lo stato di innamoramento dura solo tre anni, poi prende un'altra forma, più vicina alla tenerezza, al rispetto reciproco e alla voglia di portare avanti progetti comuni (la casa, i figli). Resta una domanda: l'innamoramento, una volta finito, potrà mai tornare? I pareri sono discordi. Incontrare il vero amore più di una volta nella vita è possibile, ma la cosa più difficile è mantenere vivo un amore nella quotidianità. Prendersi cura dell'altro e avere interessi in comune: ecco i segreti di un amore duraturo.
(adattato da www.alfemminile.com)

3 In coppia.
Provate a spiegare il significato delle parole e delle espressioni sottolineate nell'articolo dell'attività precedente. Se necessario, usate un dizionario o chiedete aiuto all'insegnante.

4 Tra le sensazioni e le azioni di cui si parla nel testo, quali sono secondo voi le più importanti per far funzionare una relazione sentimentale?

ASCOLTARE

1 Avete mai ascoltato un radiodramma? Se sì, quale? Se no, cercatene qualcuno on-line e provate ad ascoltarne qualche minuto.

CD 20 MP3

2 Ascoltate il brano tratto da un radiodramma italiano e indicate i ruoli e le relazioni tra i personaggi.

Nome del personaggio	Laura	....	....	....
Chi è?	....	Il futuro sposo	....	....

3 Rispondete alle domande.

1 Perché i due fidanzati sono andati a trovare i signori De Santis?
....

2 Come reagisce il signor De Santis alla notizia che gli danno i due fidanzati?
....

3 Come reagisce la signora De Santis?
....

4 Che cosa propone il fidanzato per quanto riguarda la data?
....

5 Perché i due fidanzati non rimangono a pranzo?
....

4 Ascoltate ancora e scrivete le frasi dei personaggi del radiodramma che hanno un significato uguale o simile a quelle riportate di seguito.

1 Non sono moderna. Sono all'antica.
2 Beviamo pensando al futuro. ....
3 Salute. ....
4 Spero che sarete d'accordo. ....
5 Siamo contenti di accoglierti nella nostra famiglia. ....
6 Vi auguro che il vostro matrimonio funzioni. ....
7 Avete deciso la data del matrimonio? ....
8 Voglio che sia il più presto possibile. ....

5 In coppia.
Pensate a un giorno in cui avete comunicato un avvenimento importante a qualcuno o qualcuno vi ha comunicato qualcosa di importante. Raccontate.

SCRIVERE

1 Osservate i riquadri. Sceglietene uno e usate gli elementi che contiene per raccontare una storia d'amore.

A

B

C

PARLARE

1 In gruppo.
Il testo che avete letto alle pp. 70-71 contiene domande e affermazioni riguardanti il sentimento dell'amore. Esprimete le vostre opinioni a proposito e poi riferite al resto della classe.

Le domande:
- Perché l'amore è così bello?
- Può durare tutta la vita?
- L'innamoramento, una volta finito, potrà mai tornare?

Le affermazioni:
- L'innamoramento non avviene per caso.
- Tutte queste emozioni sono quasi identiche nei due sessi.
- La cosa più difficile è mantenere vivo un amore nella quotidianità.
- Prendersi cura dell'altro e avere interessi in comune: ecco i segreti di un amore duraturo.

Per saperne di più

1 Abbinate i testi alle immagini.

Il matrimonio all'italiana

1 [A] L'abito da sposa
La tradizione dell'abito bianco per la sposa risale all'Ottocento e rappresenta verginità e purezza.

2 [ ] Il bouquet
Il bouquet è, secondo la tradizione, l'ultimo omaggio dello sposo per la sposa e chiude il ciclo del fidanzamento.

3 [ ] Le fedi
L'usanza di portare la fede all'anulare sinistro risale addirittura all'epoca degli antichi egizi. Essi credevano infatti di aver scoperto una vena che va dall'anulare sinistro al cuore da cui passano sangue e sentimenti.

4 [ ] I confetti
Per tradizione devono essere di colore bianco e sempre in numero dispari, di solito cinque, per rappresentare gli elementi che non devono mancare nella vita degli sposi: salute, fertilità, lunga vita, felicità e ricchezza.
Dopo il taglio della torta, gli sposi girano tra i tavoli degli invitati e regalano i confetti insieme alle bomboniere, un piccolo omaggio che serve per ricordare il lieto evento.

5 [ ] Il riso
Il riso si getta sugli sposi al termine della cerimonia per simboleggiare una pioggia di fertilità.

6 [ ] La luna di miele
Gli sposini dell'antica Roma erano soliti mangiare del miele per tutta la durata di "una luna" dopo il matrimonio (forse anche per riprendere le forze dopo la lunga giornata). Da qui l'origine dell'espressione "luna di miele" a indicare i primi, dolci momenti della vita di coppia. Oggi, in genere, il periodo della luna di miele si trascorre in viaggio.

(adattato da www.nozzeitalia.com)

2 E nel vostro Paese? Ci sono delle tradizioni legate al matrimonio uguali a quelle italiane? Se sì, quali? Se no, quali altre tradizioni esistono?

Un luogo

3 **Conoscete Verona? Dove si trova? Che cosa sapete di questa città? Secondo voi perché è chiamata città dell'amore?**

4 **Leggete il testo e rispondete alle domande.**

Se ami qualcuno portalo a *Verona*

Verona in Love: San Valentino nella città di Giulietta e Romeo

Se ami qualcuno portalo a Verona. È questo lo slogan di San Valentino a Verona, la città di Giulietta e Romeo, la più romantica d'Italia. Si chiama *Verona in Love* il ciclo di manifestazioni ed eventi che si svolgono a Verona nei giorni attorno a San Valentino e che riscuote un sempre maggior interesse in tutto il mondo. Ogni anno il calendario delle manifestazioni si arricchisce di iniziative ed eventi. Un'occasione per tutti gli innamorati di trascorrere alcuni giorni romantici nella città di Giulietta. Per tutta la settimana che porta al 14 febbraio le vie del centro di Verona sono addobbate con cuori rossi che ricoprono i lampioni. L'ingresso ai luoghi shakespeariani di Verona, la casa di Giulietta e la tomba di Giulietta, è gratuito e per gli altri monumenti le coppie possono entrare pagando un solo biglietto.

(da www.veronissima.com)

1 In quale periodo dell'anno hanno luogo le manifestazioni di Verona in Love?

....

2 Che cosa c'è di particolare in città in questo periodo?

....

....

3 Quali sono le offerte per le coppie in visita a Verona?

....

....

5 **Vi piacerebbe trascorrere alcuni giorni a Verona con il vostro partner? Se sì, andate al sito www.veronissima.com e scegliete le attività che vi piacerebbe fare tra quelle presenti nel calendario. Se no, in quale città vi piacerebbe trascorrere una vacanza romantica? Perché?**

Opere e personaggi

6 Abbinate i nomi delle coppie di amanti celebri alla trama dei testi che raccontano la loro storia.

1 [d] Renzo e Lucia
2 [ ] Antonio e Cleopatra
3 [ ] Paolo e Francesca
4 [ ] Romeo e Giulietta

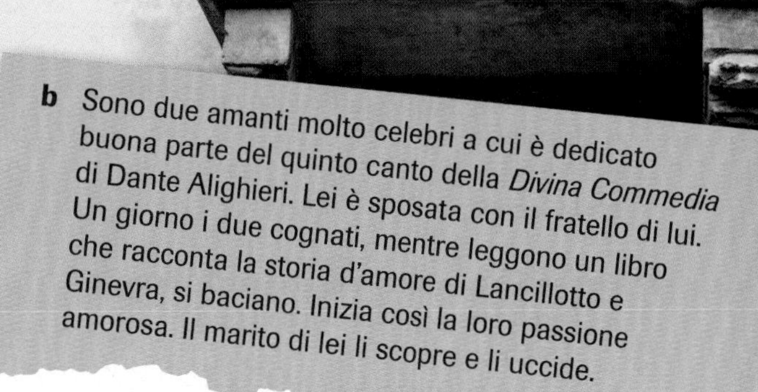

a Lui si innamora di lei mentre si trova alla sua corte ad Alessandria d'Egitto. Poco dopo però la deve lasciare per rientrare a Roma e combattere contro il nemico Ottaviano. Il nemico vince la guerra e lui si uccide. E lei, per non diventare il trofeo di Ottaviano, si lascia mordere da un serpente e muore.

b Sono due amanti molto celebri a cui è dedicato buona parte del quinto canto della *Divina Commedia* di Dante Alighieri. Lei è sposata con il fratello di lui. Un giorno i due cognati, mentre leggono un libro che racconta la storia d'amore di Lancillotto e Ginevra, si baciano. Inizia così la loro passione amorosa. Il marito di lei li scopre e li uccide.

c Sono due giovani veronesi appartenenti a due famiglie che si odiano, i Montecchi e i Capuleti. Si incontrano a una festa in maschera e si innamorano. Riescono a sposarsi ma devono separarsi. Al suo ritorno lui trova lei addormentata, la crede morta e si uccide. Quando lei si sveglia, vede lui morto e si toglie la vita.

d ✓ Sono i protagonisti del romanzo *I promessi sposi* di Alessandro Manzoni. I due giovani vogliono sposarsi, ma Don Rodrigo, un uomo potente e cattivo, vuole la ragazza per sé e proibisce al parroco Don Abbondio di celebrare il matrimonio. Dopo molte difficoltà i due innamorati riescono a sposarsi.

7 E nel vostro Paese? Quali sono le coppie di amanti celebri? Sceglietene una e raccontatene la storia.

Un video

8 Collegatevi al sito www.loescher.it/studiareitaliano/. Guardate il video *Una famiglia numerosa* e svolgete le attività proposte.

Facciamo il punto

Comprensione orale

CD 21 MP3 **1 Ascoltate i testi e rispondete alle domande.**

1 Da quanto tempo è tornato Giulio?
a Da una settimana.
b Da più di una settimana.
c Da meno di una settimana.

2 Dove si sono conosciuti Enrico ed Ezio?
a In mensa.
b A lezione.
c In facoltà.

3 Perché il signor Brini ha smesso di lavorare?
a Perché non gli piaceva il negozio di abbigliamento.
b Perché guadagnava troppo poco.
c Perché voleva riprendere a studiare.

4 Che cosa hanno fatto Agostino e Carla durante il loro primo appuntamento?
a Sono andati al ristorante.
b Hanno camminato nel parco.
c Hanno passeggiato in centro.

PUNTEGGIO: 1 PUNTO PER OGNI ITEM CORRETTO — PUNTEGGIO .... /4

CD 22 MP3 **2 Ascoltate i testi e segnate l'alternativa corretta.**

1 La ragazza ha conosciuto
a un ragazzo straniero.
b il cugino di un'amica.
c un tipo un po' strano.

2 Oggi
a solo alcune persone possono andare nel parco.
b i bambini non possono entrare nel parco.
c il parco non c'è più.

3 Mario
a non voleva rimanere all'estero.
b non era contento del suo lavoro.
c è andato a vivere a Milano con la moglie.

4 Il giorno del matrimonio
a la sposa aveva freddo.
b la sposa era felice.
c la sposa era dispiaciuta.

PUNTEGGIO: 1 PUNTO PER OGNI ITEM CORRETTO — PUNTEGGIO .... /4

CD 23 MP3 **3 Ascoltate due volte il testo e indicate quali affermazioni sono presenti.**

1 Roma è il comune italiano con più abitanti.
2 È più grande di Parigi.
3 Ha quasi tre millenni di storia.
4 Le mura della città sono state costruite nel III secolo avanti Cristo.
5 La maggior parte dei beni culturali italiani si trova a Roma.
6 Il Vaticano è uno Stato dentro un altro Stato.
7 Roma è la città più bella del mondo.
8 A Roma ci sono tante aree verdi.
9 In periferia ci sono delle zone agricole.
10 La lupa è l'animale che ha allattato i fondatori di Roma.
11 Il Colosseo è stato costruito dall'imperatore Vespasiano.
12 La cupola di San Pietro è una delle sette meraviglie del mondo.
13 A Roma ci sono sette colline storiche.
14 In passato il Tevere era considerato una divinità bionda.
15 Il Tevere divide la città dalla campagna.

PUNTEGGIO: 1 PUNTO PER OGNI ITEM CORRETTO — PUNTEGGIO .... /15

4 Ascoltate due volte il testo e indicate quali affermazioni sono presenti.

1 Tutti gli italiani utilizzano Internet.
2 Meetic è un sito di on-line dating molto famoso.
3 Un italiano su quattro incontra il partner in rete.
4 Maurizio Zorzetto è il creatore del sito.
5 Meetic aiuta le persone a incontrarsi.
6 Oggi le persone non si incontrano più nei luoghi tradizionali.
7 In passato molte persone avevano un po' paura delle chat.

PUNTEGGIO: 1 PUNTO PER OGNI ITEM CORRETTO — PUNTEGGIO .... /7

PUNTEGGIO TOTALE DELLA PROVA DI COMPRENSIONE ORALE — TOTALE .... /30

Comprensione scritta

1 Leggete i testi e segnate l'alternativa corretta.

1

Giovanni è un tipo simpatico ed estroverso. Ha 38 anni e fa il musicista. Suona da molti anni nell'orchestra del teatro di Parma. Ha una grande passione per la musica rock e nel tempo libero insegna ai suoi bambini a suonare la chitarra elettrica. L'anno scorso ha tenuto un concerto a Londra con una band inglese molto famosa.

Il testo dà informazioni
a solo sulla professione di una persona.
b solo sul carattere di una persona.
c su diversi aspetti della vita di una persona.

2

Lo scorso anno ho partecipato a una gara in bicicletta intorno al lago di Garda. Siamo partiti da Sirmione alle nove del mattino e siamo tornati al punto di partenza verso sera. Ero insieme ad alcuni amici e a mia moglie. Abbiamo pedalato per quasi dieci ore, con tre piccole pause. È stata un'esperienza molto bella.

Il testo racconta
a un'esperienza di lavoro.
b un'esperienza sportiva.
c una gita turistica.

3

Padova, capoluogo di provincia con circa 210 000 abitanti, si trova nella pianura Padana, non lontano da Venezia. Tanti anni fa era famosa per i suoi trasporti fluviali ed è sempre stata un importante centro di commerci. La sua università, fondata nel XIII secolo, è una delle più antiche d'Italia e d'Europa.

Il testo parla
a di una città e del suo passato.
b delle bellezze di una città.
c della vita attuale in una città italiana.

4

Quando abitavo a Milano, la mia vita era molto faticosa. Dovevo alzarmi molto presto per andare al lavoro a causa del traffico cittadino e la sera tornavo a casa sempre tardi. Quando arrivavo sotto casa, dovevo cercare parcheggio per almeno mezz'ora tutte le sere. In passato avevo già abitato a Piacenza, una piccola città di provincia, e mi ero trovato molto bene. Così alla fine ho deciso di lasciare la grande città e tornare a vivere a Piacenza.

Il testo parla
a delle difficoltà della vita in una piccola città.
b delle difficoltà della vita in una grande città.
c del piacere di vivere in campagna.

5

Cerchiamo un/a segretario/a madrelingua italiano/a con ottima conoscenza della lingua cinese per ufficio commerciale con sede a Ravenna. Le mansioni da svolgere sono di segreteria e assistenza ai clienti. Inviare il proprio curriculum a Pechino3000@alice.it.

Il testo è
- **a** una richiesta di lavoro.
- **b** la pubblicità di un prodotto.
- **c** un'offerta di lavoro.

6

Vorrei lavorare in una grande città europea. Mi piacerebbe fare un'esperienza all'estero, ad esempio a Madrid, a Bruxelles o a Berlino. Insomma, in un ambiente in cui potrei conoscere tante persone di Paesi diversi. Il mio sogno sarebbe il Parlamento europeo, ma certo non è facile riuscire a trovare un lavoro così bello.

La persona desidera
- **a** un lavoro sicuro.
- **b** un lavoro nella propria città.
- **c** un ambiente di lavoro internazionale.

7

Non ce la faccio più a sopportare mio marito. Non apprezza nessuna delle cose che piacciono a me, e a me non interessano le cose che piacciono a lui. Siamo sposati da quindici anni e io mi sono annoiata. Glielo dico spesso: il nostro matrimonio è alla fine. Ma lui per tutta risposta fa finta di non sentire e se ne va.

La donna
- **a** si è separata dal marito.
- **b** è stanca del suo matrimonio.
- **c** ha un marito cattivo.

PUNTEGGIO: 1 PUNTO PER OGNI ITEM CORRETTO | **PUNTEGGIO** .... /7

2 Leggete il testo e indicate quali tra le affermazioni nella pagina seguente sono presenti.

«La mia bisnonna si chiama Gjylsyme» – inizia così il racconto con cui la diciottenne Lina Alushi ha vinto il premio speciale del Rotary Club al concorso letterario Lingua Madre, dedicato alle donne straniere residenti in Italia. Lei, però, è tutt'altro che straniera.
«Quando ci siamo trasferiti in Italia da Tirana – spiega – avevo solo tre anni, ma avevo già iniziato a parlare la lingua albanese e a Novara, la mia città, ho imparato anche l'italiano. Non mi sono fermata lì: frequento la scuola superiore e oggi conosco anche lo spagnolo, il francese e l'inglese».
Oltre a studiare, la giovane scrittrice gioca a pallavolo da otto anni e nel tempo libero ascolta la musica ed esce con gli amici.
«Caratterialmente sono una persona molto espansiva e socievole, forse ho un carattere fin troppo estroverso. Non conoscevo il concorso, me ne ha parlato la mia professoressa di Lettere e mi ha incoraggiata a partecipare. Io non sapevo cosa scrivere. Una volta arrivata a casa ho condiviso questa cosa con la mia famiglia e loro mi hanno suggerito di raccontare della mia bisnonna, Gjylsyme, la nonna di mamma. Ho scritto la sua storia, l'ho letta e riletta e ho fatto mille modifiche e correzioni. Poi l'ho consegnata alla mia professoressa e insieme l'abbiamo spedita per partecipare a Lingua Madre, un concorso nazionale di scrittura rivolto a tutti, non solo alle scuole.
Un giorno ho ricevuto una telefonata. "Lina?" "Sì?" "Chiamo dal concorso Lingua Madre. Le annuncio che ha vinto il premio speciale Rotary Club Torino Mole Antonelliana. Mi raccomando, non lo dica a nessuno!" Ovviamente il giorno dopo, a scuola, appena ho messo piede in aula, l'ho detto a tutti!»

(adattato da www.stranieriinitalia.it)

1 La giovane scrittrice abita in Italia.
2 Conosce cinque lingue diverse.
3 Dopo la scuola superiore vuole andare all'università.
4 Pratica uno sport e le piace ascoltare la musica.
5 In Italia ha degli amici.
6 La sua professoressa di italiano le ha consigliato di partecipare al concorso.
7 Suo padre l'ha aiutata a scrivere la storia della bisnonna.
8 La sua bisnonna era una donna forte e piena di iniziative.
9 Quando le hanno detto che aveva vinto il concorso, non riusciva a crederci.
10 Ha raccontato della sua vittoria a tutti i compagni.

PUNTEGGIO: 1 PUNTO PER OGNI ITEM CORRETTO **PUNTEGGIO** .... /10

3 Completate le frasi scegliendo la parola opportuna tra quelle proposte.

1 Mentre correvo, sono caduto e ora mi fa male il ....
a gambo **b** orecchio **c** braccio **d** braccia

2 Ho .... di studiare l'italiano perché mi interessa la cultura italiana.
a capito **b** deciso **c** voluto **d** piaciuto

3 Lucia ha cambiato città .... voleva tornare a vivere vicino ai suoi genitori.
a perché **b** come **c** così **d** dove

4 In quale .... si trova Venezia?
a città **b** collina **c** regione **d** montagna

5 Ho vissuto in campagna fino a due anni ....
a già **b** fa **c** scorsi **d** passati

6 Domani ho un .... di lavoro importante.
a dialogo **b** centro **c** colloquio **d** tempo

7 Cerchiamo un impiegato con ottima .... della lingua inglese.
a capacità **b** attività **c** conoscenza **d** attitudine

8 Luca e io siamo sposati .... cinque anni.
a per **b** con **c** in **d** da

9 Maria è molto triste da quando Giovanni .... n'è andato.
a se **b** gli **c** me **d** ce

10 Giulietta e Romeo si .... a una festa in maschera.
a innamora **b** innamoriamo **c** innamorano **d** innamori

PUNTEGGIO: 1 PUNTO PER OGNI ITEM CORRETTO **PUNTEGGIO** .... /10

4 Completa il testo scegliendo la parola opportuna tra quelle proposte.

La ricerca di lavoro

Siete alla ricerca di un' (1) opportunità.......... di lavoro in Italia? Ecco qualche consiglio per voi.

- Comprate i giornali locali: molte compagnie (2) pubblicano........... i loro (3) annunci.............. sui giornali.
- Visitate regolarmente i (4) ......posti........................ di ricerca di lavoro per cercare gli annunci che potrebbero interessarvi.
- Quando preparate il (5) ..curriculum.........., ricordate di (6) ....scrivere.................... il vostro indirizzo email e un numero di telefono dove potete essere (7) ..contattati............. .
- Dite a conoscenti e amici che state (8) ....cercando......... un lavoro.

1	**a** facilità	**b** opportunità	**c** casualità
2	**a** pubblicano	**b** mostrano	**c** regalano
3	**a** indagini	**b** annunci	**c** interessi
4	**a** posti	**b** luoghi	**c** siti
5	**a** curriculum	**b** email	**c** colloquio
6	**a** lasciare	**b** consegnare	**c** scrivere
7	**a** scritti	**b** contattati	**c** scoperti
8	**a** trovando	**b** cercando	**c** studiando

PUNTEGGIO: 1 PUNTO PER OGNI ITEM CORRETTO — PUNTEGGIO .... /8

5 Completate le frasi con i pronomi opportuni.

1. Giulia e Stefano ...gli......... sono conosciuti nel 2013.
2. Prima di iscrivermi al corso, ...loro......... sono informato sulle università per stranieri in Italia.
3. L'anello di fidanzamento? Non .... regalo di certo: non ho abbastanza soldi!
4. Se vedi Laura, ...lei....... dici che più tardi vado a casa sua?
5. Prima di partire, ... lo lasci il tuo indirizzo e-mail?

PUNTEGGIO: 1 PUNTO PER OGNI ITEM CORRETTO — PUNTEGGIO .... /5

PUNTEGGIO TOTALE DELLA PROVA DI COMPRENSIONE SCRITTA — TOTALE .... /40

Produzione scritta

1 Avete deciso di andare in vacanza in un villaggio turistico. Per consigliarvi le attività da svolgere, l'animatore vi chiede di compilare il seguente questionario.

Che tipo sei?

Nome: ....

Cognome: ....

Età: ....

Occupazione: ....

Carattere: ....

Interessi: ....

Attività nel tempo libero: ....

....

PUNTEGGIO: DA 0 A 5 PUNTI — PUNTEGGIO .... /5

2 Scrivete un annuncio.

Avete imparato un po' di italiano e ora volete esercitarvi con un'altra persona. Scrivete un breve annuncio da inserire in un giornale locale o nella bacheca dell'università per trovare una persona con cui fare un po' di conversazione. Nell'annuncio descrivete voi stessi, indicate il vostro livello di conoscenza della lingua italiana, proponete luoghi e orari per incontrare il vostro partner e fare conversazione, scrivete il vostro indirizzo email e il vostro numero di telefono.
(100 parole circa)

PUNTEGGIO: DA 0 A 15 PUNTI — PUNTEGGIO .... /15

3 Scrivete un'email.

Avete trovato un annuncio di lavoro interessante per un posto in un'azienda in cui lavora un vostro amico. Scrivetegli un'email seguendo questo schema.
- Raccontategli dove e quando avete visto l'annuncio.
- Spiegategli perché vi interessa.
- Chiedetegli com'è l'azienda, quante persone ci lavorano, se sono soddisfatte ecc.
- Parlategli delle vostre esperienze di lavoro e delle vostre conoscenze e chiedetegli se secondo lui corrispondono alla figura professionale richiesta.
- Informatevi su che cosa dovreste fare e con chi dovreste parlare per fissare un colloquio.
- Chiedetegli se vi potrebbe aiutare a rivedere il vostro CV, prima di inviarlo.
- Salutatelo e ringraziatelo.

PUNTEGGIO: DA 0 A 20 PUNTI — PUNTEGGIO .... /20

PUNTEGGIO TOTALE DELLA PROVA DI PRODUZIONE SCRITTA — TOTALE .... /40

Produzione orale

1 Parlate di voi: presentatevi, raccontate dove abitate, che lavoro fate o che cosa studiate, che tipo siete, quali esperienze importanti avete fatto nella vita e qual è la vostra esperienza di studio della lingua italiana.

PUNTEGGIO: DA 0 A 20 PUNTI — PUNTEGGIO .... /20

2 Scegliete uno dei seguenti argomenti e raccontate.

a La vostra città: dov'è e com'è la zona in cui abitate, com'era in passato, com'è oggi, se in passato avete abitato in altri luoghi, se preferite la vita in città o in campagna.

b Il vostro lavoro: il luogo in cui lavorate, quali sono i vostri compiti, il vostro orario, se vi piace quello che fate, come avete trovato questo posto, se in passato avete fatto altri lavori e quali.

c L'amore: un incontro o una storia d'amore importante.

PUNTEGGIO TOTALE DEL TEST — TOTALE .... /150

5 Che ne dite di guardare la TV?

In questa unità imparate a:

A proporre un'attività – accettare o rifiutare un invito

B parlare delle vostre abitudini televisive

C parlare delle trasmissioni televisive

1 Abbinate i fumetti alle immagini.

1 [B] La sera spesso vado dai miei compagni di corso o loro vengono da me e giochiamo con il computer.

2 [ ] Io ho il satellite e la sera guardo le trasmissioni del mio Paese. È rilassante sdraiarsi sul divano e ascoltare persone che parlano nella mia lingua.

3 [ ] Viaggio spesso per lavoro e la sera in albergo mi piace rimanere in camera e ascoltare un po' di buona musica.

4 [ ] Mia moglie e io la sera ci mettiamo sul divano e guardiamo la TV.

5 [ ] La mia famiglia è lontana, quindi la sera ci parliamo su Skype.

6 [ ] La sera mi piace invitare gente a casa: mangiamo e beviamo qualcosa insieme e poi ci guardiamo un bel film.

2 E voi che cosa fate la sera per rilassarvi?

A SKYPE CE L'HO ANCH'IO

1 Abbinate le immagini delle trasmissioni televisive alla guida dei programmi.

	**A Questo nostro amore** Questa sera su Rai 1 e in alta definizione su Rai HD seconda puntata della serie televisiva diretta da Luca Ribuoli.
	**B Vieni via con me** Ultima puntata del programma condotto da Fabio Fazio e Roberto Saviano. Questa sera su Rai 3.
	**C Italialand** Questa sera in prima serata su La 7 vi aspetta il fantastico show di Maurizio Crozza.
	**D Inter-Dynamo Kiev** Rai Sport ti aspetta con le grandi partite di calcio.
	**E X Factor** Su digitale terrestre o in streaming, non perdere la replica del talent show più seguito del momento.

2 Abbinate le parole sottolineate nell'attività precedente alle loro spiegazioni.

1 [g] parte di una storia raccontata in TV o alla radio che non ha un inizio e una fine autonomi
2 [ ] una storia per la TV raccontata in più puntate
3 [ ] una risoluzione più elevata che permette di vedere immagini migliori
4 [ ] una trasmissione realizzata per la TV
5 [ ] uno spettacolo in cui le persone mostrano agli altri il loro talento
6 [ ] la fascia oraria che va dalle 21.00 alle 22.30 circa
7 [ ] la televisione trasmessa con segnale digitale
8 [ ] la ripetizione della trasmissione di un programma

a la replica
b il talent show
c l'alta definizione
d il programma
e il digitale terrestre
f la serie televisiva
~~g~~ la puntata
h la prima serata

3 Ascoltate i dialoghi e abbinateli ai programmi dell'attività 1.

Dialogo **1** [ ] Dialogo **2** [ ] Dialogo **3** [ ] Dialogo **4** [ ] Dialogo **5** [ ]

4 Ascoltate ancora i dialoghi e abbinateli alle seguenti situazioni.

a [2] Una persona vuole vedere un programma e può farlo soltanto a casa di un amico.
b [ ] Due persone consultano una guida dei programmi televisivi per scegliere qualcosa da guardare insieme.
c [ ] Una persona prima rifiuta e poi accetta un invito a guardare un programma con un'altra persona.
d [ ] Due persone hanno qualcosa da fare e non possono accettare un invito.
e [ ] Una persona invita due amici a mangiare qualcosa insieme e a guardare la TV.

5 Ascoltate ancora i dialoghi e completate le espressioni che le persone usano per:

1 proporre di guardare qualcosa insieme in TV	• Che ne dite di guardare la TV stasera? • Stasera ....? • Stasera c'è l'ultima serata di *X Factor*: ....? • Allora ....?
2 accettare un invito / una proposta	• Per me .... • .... Allora vengo. • Sì, ...
3 rifiutare una proposta	• Mi dispiace, ... • ...., stasera non posso venire a casa tua.
4 chiedere a una persona il motivo di un rifiuto	• .... il problema?
5 chiedere a che ora inizia un programma	• .... il programma?
6 chiedere dove è possibile vedere una trasmissione	• .... la trasmettono?
7 chiedere a una persona se è sicura di qualcosa	• Sei ....?
8 dire a una persona che sta dicendo una cosa non giusta	• Ti ....
9 chiedere a una persona se ha qualcosa	• Ma .... l'abbonamento?
10 dire di avere o non avere qualcosa	• Guarda, Skype .... anch'io. • No, non ....

6 In coppia.
A turno assumete i ruoli di A e B e recitate il dialogo.

A Scegli una trasmissione tra quelle elencate nell'attività 1 e invita B a guardarla insieme.

→ **B** Rifiuta l'invito e spiega il motivo del tuo rifiuto.

→ **A** Invita B a guardare un'altra trasmissione in un altro momento.

→ **B** Accetta l'invito e informati su orario di inizio, canale ecc.

7 Osservate le frasi nei fumetti e a turno chiedete al vostro compagno se ha o non ha quanto illustrato.

E ora svolgete le attività 4 e 5 a p. 37 dell'eserciziario.

8 In gruppo.
Organizzate una serata davanti alla TV: decidete a casa di chi andare e che cosa guardare.

SERATA **05/04/2013**

GUIDA TV | MATTINO | POMERIGGIO | NOTTE

Cambia data: < IERI | DOMANI >

Rai 1	20:00 TELEGIORNALE + 20:30 Affari Tuoi + 21:10 Red or Black? Tutto o niente + 22:00 Tg1 60 Secondi + 23:35 TV7 +
Rai 2	20:30 Tg2 + 21:05 Rex + 22:00 Rex + 22:50 Tg2 + 23:05 L'ultima parola +
Rai 3	20:00 Blob + 20:15 Per ridere insieme con Stanlio e Ollio + 20:35 Un posto al sole + 21:05 Monsters & Co. + 22:45 Glob Porcellum +
4	20:30 Walker Texas Ranger + 21:10 Quarto grado + 23:55 I Bellissimi di Rete 4 +
5	20:00 Tg5 + 20:39 Meteo.it + 20:40 Striscia la notizia - La voce dell'insolvenza + 21:10 Paperissima + 23:00 Tutti per Bruno +
1	20:20 C.S.I. New York + 21:10 A Dangerous Man - Solo contro tutti + 22:07 Tgcom + 22:10 Meteo.it + 23:05 Le Iene +

LA7	20:00 Tg La7 + 20:30 Otto e mezzo + 21:10 Crozza nel paese delle meraviglie + 22:20 Zeta +
MTV	20:20 Scrubs + 21:10 Underemployed: generazione in saldo + 22:00 Diario di una Nerd Superstar + 22:50 Geordie Shore +
Rai Sport 1	20:00 Calcio a 5: Futsal 2012 + 20:25 Pallavolo Femminile: Schiacciatrici + 21:00 Freestyle: Coppa del Mondo + 21:55 Memoria Raisport + 23:45 Rai Tg Sport +
Rai 4	20:25 Desperate Housewives + 21:10 Mutant Chronicles + 23:00 Wonderland 2013 + 23:25 Lovely Molly +
Rai 5	20:10 Con i tuoi occhi - Le queyras + 20:40 Passepartout: D'annunzio o dell'ambiguità + 21:15 Brasile con Michael Palin - Verso Rio + 22:15 Q. B. all'estero Quanto basta - Varsavia + 22:45 Idro il viaggiatore + 23:15 David Letterman Show +

Rai Movie	21:05 Rendition - Detenzione illegale + 23:05 Angels in America +
Rai Premium	20:10 Attori e Divi Italiani + 21:10 Einstein + 23:00 Autoritratti: I protagonisti delle fiction + 23:55 Il romanzo di Amanda +
real time	20:40 Abito da sposa cercasi + 21:10 Quattro matrimoni + 22:10 Abito da sposa cercasi + 22:40 Abito da sposa cercasi + 23:05 Il boss delle torte + 23:35 Il boss delle torte +
7d	20:10 I menù di Benedetta + 21:10 The Big C + 21:35 Sex and the City + 22:05 Sex and the City + 22:30 Sex and the City + 23:00 Sex and the City + 23:35 Web Theraphy +
cielo	20:15 Affari al buio + 20:45 Affari al buio + 21:10 Burlesque + 23:15 Sex Therapy +
IRIS	20:11 Hazzard + 21:05 Atto di forza + 23:04 The Warrior +

B PASSO UN TERZO DELLA GIORNATA DAVANTI ALLA TV

1 Abbinate le parole alle immagini.

1 [A] il telequiz
2 [ ] il telegiornale
3 [ ] il varietà
4 [ ] il cartone animato
5 [ ] il documentario
6 [ ] il telefilm
7 [ ] il reality

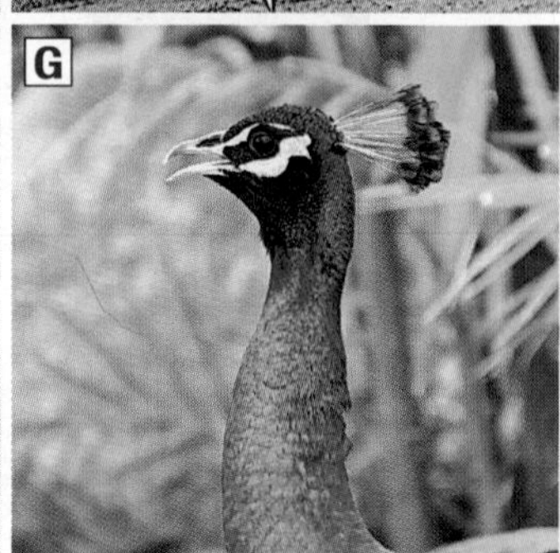

2 Leggete il sondaggio, poi abbinate i nomi dei telespettatori alle descrizioni corrispondenti.

Gli italiani e la TV

Alcune persone hanno partecipato a un sondaggio sulle abitudini degli italiani per quanto riguarda la televisione.
Ecco che cosa hanno risposto alla domanda: "Che cosa guardate di solito in televisione?".

MARINA: Lo ammetto, passo un terzo della giornata davanti alla TV. Quando non c'è movimento in albergo, guardo di tutto: i telegiornali, le telenovele, i telequiz... Passo velocemente da un canale all'altro. A volte guardo i canali stranieri per mantenere vive le lingue che conosco. Posso dire sicuramente che tante trasmissioni sono brutte ma, se sappiamo scegliere, la TV è una grande finestra sul mondo.

RICCARDA: Io guardo poco la televisione. Non riesco a orientarmi, i canali raddoppiano, le trasmissioni interessanti si dimezzano... Troppa spazzatura, troppi filmacci. Ogni tanto però guardo *Un posto al sole*, una serie di non so quante migliaia di puntate. Mi piace perché tratta di problemi attuali e non solo di storielle d'amore. Mi sembra una delle poche serie televisive accettabili.

MARCELLO: Io sono abbonato a un canale sportivo privato, così posso guardare il calcio, il rugby, il tennis, la Formula 1. Quando poi c'è qualche partitona, tipo un derby o una finale, invito una decina di amici a casa mia, sempre gli stessi. Vengono fuori delle seratine proprio divertenti: una pizza ciascuno, tifo e grandi risate.

CLARA: Io volevo studiare Medicina, ma poi ho scelto Lettere: la passione però mi è rimasta ed è per questo motivo probabilmente che guardo tutte le trasmissioni dove appaiono medici e ospedali, comprese *Grey's Anatomy*, *ER*, *Dr. House*... Poi guardo i documentari, tipo *Quark*, quando parlano di qualche personaggio storico e infine *MasterChef*: l'unico reality che trovo veramente divertente.

GIACOMO: Io non ho la televisione, se voglio guardare qualcosa uso il computer, ho orari strani e quindi vedo i film in streaming... per esempio su Rai Movie e Rai Premium. Fino a qualche anno fa usavo la chiavetta USB e l'antennina ma oggi ci sono tanti siti per vedere la TV sul computer. Ad esempio, la domenica non ho tempo di vedere *Che tempo che fa*, su Rai 3. Lo guardo regolarmente su YouTube il giorno dopo, perchè mi piace la Littizzetto alla fine della trasmissione: la trovo una comica geniale. Con la sua aria da ragazzetta prende in giro i potenti di tutto il mondo e mi fa proprio ridere.

1 Ha un'opinione molto positiva sulla televisione e le piace molto guardarla. ...Marina...
2 Gli piace guardare la TV negli orari più diversi. ....
3 Adora lo sport in TV. ....
4 Guarda soltanto una trasmissione ma non regolarmente. ....
5 Le piacciono soprattutto le trasmissioni che hanno a che vedere con i medici. ....

3 Cercate nel testo dell'attività 2 le parole che corrispondono ai seguenti significati. Poi completate la regola.

1 in modo sicuro ...sicuramente...
2 in modo veloce ....
3 in modo probabile ....
4 in modo vero ....
5 in modo regolare ....

Il suffisso *-mente* trasforma gli aggettivi in avverbi di modo e si aggiunge al femminile singolare dell'aggettivo.
Se l'aggettivo finisce in *-le* o *-re*, cade la vocale finale *-e* come in ...probabilmente... e ....

4 Osservate gli esempi e provate a formulare delle frasi con gli avverbi in *-mente*.

Guardo raramente "Un posto al sole".
Probabilmente domani sera invito gli amici a guardare la partita in TV.

E ora svolgete le attività 1 e 2 a p. 38 dell'eserciziario.

5 Abbinate le parole alle immagini.

A B C D E F

1 [C] antenn**ina**
2 [ ] antenn**ona**
3 [ ] antenn**accia**
4 [ ] ragazz**etta**
5 [ ] ragazz**ona**
6 [ ] ragazz**accia**

6 Osservate i nomi dell'attività precedente e completate la regola.

I NOMI ALTERATI
Il suffisso -ino/a... generalmente significa "piccolo/a".
Il suffisso -...etta... generalmente significa "carino/a", "simpatico/a".
Il suffisso -...ona... generalmente significa "grande".
Il suffisso -...accia... generalmente significa "brutto/a", "cattivo/a".

7 A volte i nomi alterati possono assumere significati diversi, oppure indicare qualcosa di particolare. Cercate nel testo dell'attività 2 le parole che hanno i seguenti significati.

1 una storia d'amore di poca importanza
una storiella
2 una partita veramente importante
....
3 una serata allegra e divertente
....
4 un supporto dati con porta USB
....

8 In coppia.
Raccontate le vostre esperienze usando i seguenti elementi come argomento di conversazione.

9 Leggete le espressioni della colonna di sinistra, tratte dal testo dell'attività 2, e abbinatele a quelle della colonna di destra.

1 [g] una decina di amici
2 [ ] l'unico reality
3 [ ] migliaia di puntate
4 [ ] i canali raddoppiano
5 [ ] le trasmissioni si dimezzano
6 [ ] una pizza ciascuno
7 [ ] un terzo della giornata
8 [ ] una delle poche serie televisive

a 8 ore al giorno
b prima 10, poi 20
c prima 80, poi 40
d uno solo
e 2000, 3000 ecc.
f una di 10
g circa 10
h una per me, una per te, una per lui ecc.

10 Completate le frasi con le vostre abitudini e opinioni.

1 Passo un terzo / un quarto della giornata a ....
2 In TV raddoppiano ....
3 In TV si dimezzano ....
4 L'unica trasmissione che ....
5 Una serie con migliaia di puntate è ....
6 Una delle poche serie televisive che mi piace / non mi piace è ....

11 In gruppo.
Confrontate con i compagni le abitudini e le opinioni che avete descritto nell'attività precedente.

12 Vi piace guardare la TV? Se sì, quali sono i vostri programmi preferiti? Se no, perché non vi piace?

C È UNA TRASMISSIONE DIVERTENTE

1 Esistono diversi mezzi per guardare i programmi televisivi: voi quali utilizzate?

lo smartphone

IL COMPUTER

IL TABLET

lo schermo tradizionale

LO SCHERMO 3D

2 Fate una statistica: quali sono i mezzi per guardare i programmi televisivi più utilizzati nella vostra classe?

3 Leggete l'articolo e abbinate le parole sottolineate alle definizioni.

SOCIAL TV

Le trasmissioni di maggior successo in rete

Nell'analisi svolta da Blogmeter svettano gli eventi unici legati alla politica e le trasmissioni come *X Factor*, *Servizio Pubblico*, *Che tempo che fa* e *Report*, i faccia a faccia tra i politici, ma anche il "one man show" di Benigni dedicato alla Costituzione italiana e i reality come *MasterChef Italia*. È lunga la lista delle trasmissioni che si sono aperte con successo a quel nuovo modo di fare televisione che si chiama social TV e permette di vedere i programmi televisivi attraverso la mediazione della rete. Un fenomeno in crescita, sia per l'espandersi di soluzioni hardware e software pensate per il coinvolgimento del telespettatore, sia per le nuove abitudini delle fasce di popolazione avvezze alla tecnologia, che hanno incominciato a commentare i programmi in tempo reale.

(da www.datamanager.it)

1	sono più in alto, ai primi posti	svettano	**4**	abituate	....
2	i confronti tra due persone	....	**5**	l'aumento	....
3	in contemporanea	....	**6**	la partecipazione	....

4 Rispondete alle domande.

1 Che cos'è la social TV? ....

2 Perché si diffonde sempre di più? ....

3 Quali possibilità offre al telespettatore? ....

5 Osservate la classifica delle trasmissioni social più seguite, leggete i commenti dei fan e inserite i programmi nella tabella sottostante a seconda del loro argomento.

Programma	Commento	FAN
Report	Le vostre inchieste offrono sempre degli elementi interessanti per capire che cosa succede veramente in questo Paese.	597 315
Che tempo che fa	Fabio Fazio è un conduttore molto intelligente e sa conversare con ospiti italiani e internazionali di ogni tipo.	358 085
Servizio pubblico	L'approfondimento politico di Santoro mi appassiona, soprattutto da quando è passato alla TV satellitare.	256 189
The X Factor	Marco ha un enorme talento e una voce stupenda. E che faccia rotonda!	256 189
Voyager – Indagare per conoscere	Grazie per le vostre inchieste e le discussioni sui misteri archeologici e scientifici. Finalmente un programma diverso.	130 887
La prova del cuoco	Oggi il cuoco del "pomodoro rosso" era davvero fantastico.	106 677
Kilimangiaro	Un programma ricco di immagini che fanno sognare. Come vorrei visitare i luoghi che ci fate vedere...	96 347
MasterChef	Ma come si fa a partecipare a MasterChef? Io sono un bravo cuoco... almeno a casa mia!	83 222
Ballarò	In diversi programmi si parla di politica, ma Ballarò per me rimane il talk show più interessante...	75 920
Gli sgommati	Sono maschere bruttine ma mi fanno morire dal ridere.	72 635

politica	attualità	cucina	viaggi	archeologia	satira	musica e intrattenimento
....	Report	....	....	....	....	....
....	....	....				

6 Nei commenti dell'attività precedente, sottolineate le coppie aggettivo-nome, come negli esempi.

7 Completate la regola sulla posizione degli aggettivi inserendo nella tabella alcuni esempi tratti dall'attività 5.

LA POSIZIONE DEGLI AGGETTIVI	
Seguono il nome gli aggettivi:	
– che indicano una caratteristica materiale	la TV satellitare
– che indicano un colore	....
– che indicano una forma	....
– che indicano la nazionalità	....
– alterati	....
– seguiti da un complemento	un programma ricco di immagini
– preceduti dagli indefiniti (*molto*, *poco* ecc.)	....
– in alcune espressioni fisse	l'approfondimento politico, i misteri archeologici e scientifici, casa mia
Precedono il nome gli aggettivi:	
– dimostrativi	ogni tipo, ...
– possessivi	....
Possono precedere o seguire il nome gli aggettivi:	
– qualificativi	un enorme talento, ...
A volte la posizione dell'aggettivo qualificativo cambia il significato dell'aggettivo stesso.	diversi programmi (= molti programmi) .... (= un programma non uguale agli altri)

E ora svolgete l'attività 1 a p. 39 dell'eserciziario.

8 **Pensate a 3 programmi molto famosi nel vostro Paese e per ognuno scrivete il titolo e un breve commento.**

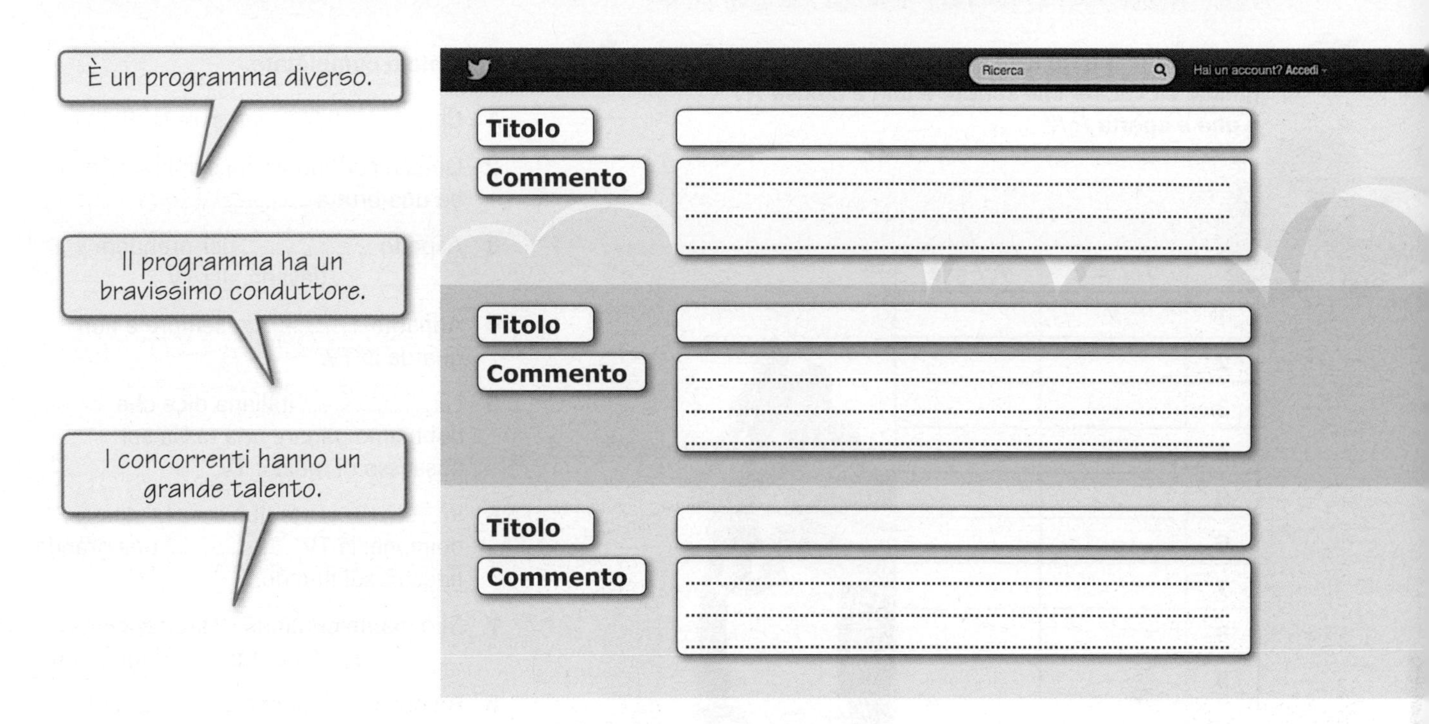

9 **In gruppo.**
Parlate con i vostri compagni dei programmi TV dell'attività precedente. Se siete della stessa nazionalità, condividete l'opinione sui programmi? Se siete di nazionalità diverse, esistono nel vostro Paese programmi simili a quelli dei vostri compagni?

Progettiamolo INSIEME

1 **In gruppo.**
Formate dei gruppi di persone che condividono l'interesse per un certo tipo di trasmissione televisiva (telegiornale, varietà, telefilm, reality, telequiz ecc.) e provate a progettare la vostra trasmissione.
Realizzate cinque minuti di ripresa della trasmissione che avete progettato e mostrate il video in classe oppure mostrate ai compagni la diretta televisiva, con la messa in scena del vostro programma.

PRONUNCIA E GRAFIA

1 Ascoltate le parole e inserite una ✗ nella casella giusta. La vocale che sentite è una *e* chiusa /e/ o una *e* aperta /ɛ/?

	/e/ = e	/ɛ/ = è
1	✗	
2		
3		
4		
5		
6		
7		
8		
9		
10		

2 Ascoltate le parole e inserite una ✗ nella casella giusta. La vocale che sentite è una *o* chiusa /o/ o una *o* aperta/ɔ/?

	/o/ = o	/ɔ/ = ho
1	✗	
2		
3		
4		
5		
6		
7		
8		
9		
10		

3 Ascoltate e completate.

1 Che cosa ..*c'era*.. ieri sera su Rai 1?

2 Questo conduttore mi sembra stanco, ha una brutta ....

3 Aspetto .... per prendere il .... davanti alla TV.

4 Annarita .... sempre e non guarda la TV.

5 La .... italiana dice che dobbiamo pagare una tassa sul possesso di radio e TV.

6 Io .... te abbiamo la stessa opinione: la TV .... una grande finestra sul mondo.

7 Mio marito continua a fare zapping e .... dei programmi inguardabili.

8 Amore, prima di guardare i cartoni devi mangiare un po' di frutta: prendi la ....

9 .... io il telecomando: che cosa vuoi guardare, il film .... il telequiz?

10 Io non ho la TV, ho .... l'occasione di eliminarla quando ho cambiato casa.

11 Luigi è molto .... e preferisce guardare trasmissioni istruttive.

12 .... stasera non vengono perché vogliono guardare la partita in TV.

13 Ho visto un documentario su come si lavorava .... ai tempi degli etruschi.

14 Guarda che hai .... lo schermo dalla parte sbagliata.

15 Che bel .... che ha quella presentatrice!

16 Ieri ho seguito la boxe in TV: mamma mia quante .... si sono dati!

17 Hai visto il documentario su Gubbio? Sotto il duomo c'è una .... di vino enorme.

E ora svolgete l'attività 1 a p. 40 dell'eserciziario.

LA GRAMMATICA IN TABELLE

GLI AVVERBI IN *-MENTE*	
sicur**a**mente	in modo sicuro
velocemente	in modo veloce
probabilmente	in modo probabile
ver**a**mente	in modo vero
regolarmente	in modo regolare

I NOMI ALTERATI	
antenn**ina**	Il suffisso *-ino/a* è diminutivo perché generalmente significa "piccolo/a".
ragazz**etta**	Il suffisso *-etto/a* è vezzeggiativo perché generalmente significa "carino/a", "simpatico/a".
antenn**ona**	Il suffisso *-one/a* è accrescitivo perché generalmente significa "grande".
antenn**accia**	Il suffisso *-accio/a* è dispregiativo perché generalmente significa "brutto/a", "cattivo/a".

ALTRI SIGNIFICATI DEI NOMI ALTERATI	
una storiella	una storia d'amore di poca importanza
una partitona	una partita veramente importante
una seratina	una serata allegra e divertente
una chiavetta	un supporto dati con porta USB

LA POSIZIONE DEGLI AGGETTIVI	
Seguono il nome gli aggettivi: **– che indicano una caratteristica materiale** **– che indicano un colore** **– che indicano una forma** **– che indicano la nazionalità** **– alterati** **– seguiti da un complemento** **– preceduti dagli indefiniti (*molto, poco* ecc.)** **– in alcune espressioni fisse**	 la TV satellitare pomodoro rosso faccia rotonda ospiti italiani e internazionali maschere bruttine un programma ricco di immagini un conduttore molto intelligente l'approfondimento politico, i misteri archeologici e scientifici, casa mia
Precedono il nome gli aggettivi: **– dimostrativi** **– possessivi**	 ogni tipo, questo Paese le vostre inchieste
Possono precedere o seguire il nome gli aggettivi: **– qualificativi**	 un enorme talento, una voce stupenda, un bravo cuoco
A volte la posizione dell'aggettivo qualificativo cambia il significato dell'aggettivo stesso.	diversi programmi (= molti programmi) un programma diverso (= un programma non uguale agli altri)

LE FUNZIONI COMUNICATIVE

- **Proporre un'attività (guardare la TV)**
  Che ne dite di guardare la TV stasera?
  Stasera guardiamo la partita?
  Stasera c'è l'ultima serata di X Factor*: vi va di guardarla insieme?*
  Allora lo guardiamo insieme?
- **Accettare un invito (guardare la TV)**
  Per me va bene.
  D'accordo. Allora vengo.
  Sì, dai.
- **Rifiutare un invito (guardare la TV)**
  Mi dispiace, non possiamo.
  Mi dispiace, stasera non posso venire a casa tua.
- **Chiedere a una persona il motivo di un rifiuto**
  Qual è il problema?
- **Chiedere a che ora inizia un programma**
  A che ora inizia il programma?
- **Chiedere dove è possibile vedere una trasmissione**
  Dove la trasmettono?
- **Chiedere a una persona se è sicura di qualcosa**
  Sei sicuro?
- **Dire a una persona che sta dicendo una cosa non giusta**
  Ti sbagli.
- **Chiedere a una persona se ha qualcosa**
  Ma tu ce l'hai l'abbonamento?
- **Dire di avere o non avere qualcosa**
  Guarda, Skype ce l'ho anch'io.
  No, non ce l'ho.
- **Parlare delle proprie abitudini televisive**
  Passo un terzo della giornata davanti alla TV.
  Io guardo poco la televisione.
  Io sono abbonato a un canale sportivo privato, così posso guardare il calcio, il rugby, il tennis, la Formula 1.
- **Esprimere la propria opinione su programmi e personaggi della TV**
  Le vostre inchieste offrono sempre degli elementi interessanti per capire che cosa succede veramente in questo Paese.
  Fabio Fazio è un conduttore molto intelligente e sa conversare con ospiti italiani e internazionali di ogni tipo.
  Finalmente un programma diverso.
  Per me rimane il talk show più interessante...

IL LESSICO

- **I canali televisivi**
  Rai 1, Rai 2, Rai 3, Canale 5, Italia 1, La 7, Cielo, Rai Movie, Rai Premium
- **I programmi**
  la puntata, il programma, la replica, la serie televisiva, lo show, il talent show, il telegiornale, la telenovela, il telequiz, il varietà, il cartone animato, il documentario, il telefilm, il reality, le inchieste, l'approfondimento politico, il talk show, la guida ai programmi TV
- **La tecnologia**
  la TV, l'alta definizione, il satellite, il digitale terrestre, lo streaming, le cuffie, il tablet, il computer, il cellulare, lo smartphone, l'antenna satellitare, la chiavetta, lo schermo, lo schermo 3D, la social TV
- **Moltiplicativi, distributivi, frazionari**
  l'unico, un terzo, una decina, migliaia, una delle poche, una ciascuno, raddoppiare, dimezzare

LEGGERE

1 **Leggete l'inizio dei seguenti articoli riguardanti una trasmissione televisiva italiana molto famosa. Secondo voi di che tipo di trasmissione si tratta?**

I membri della giuria di qualità del Festival di Sanremo
La giuria di qualità è composta da dieci personaggi del mondo della musica, dello spettacolo e della cultura

Sanremo Giovani, vince Antonio Maggio
Il premio della critica a Renzo Rubino, il premio per le migliori parole a Il Cile

ESCLUSIVA: IL BACKSTAGE DEL FESTIVAL
Ecco i momenti più divertenti, mai visti in televisione, catturati dietro le quinte dell'Ariston

2 **Leggete l'articolo e cercate nel testo le espressioni che corrispondono a quelle elencate.**

MUSICROOM

Connect | Login | Registrati

Cerca

Home | Classifiche | Cd in Uscita | Recensioni | Concerti | Eventi | Talent Show | Foto | Video

Il Festival di Sanremo

Il Festival della Canzone italiana, o Festival di Sanremo, nasce nel 1951 e da allora rappresenta uno dei principali eventi mediatici della televisione italiana.
Ogni anno, in un periodo che va da metà/fine febbraio a inizio marzo, si tiene nella cittadina ligure di Sanremo l'attesissimo e seguitissimo Festival della Canzone italiana. Attualmente è il Teatro Ariston a ospitare il festival.
Nella sostanza il Festival di Sanremo è una gara canora durante la quale diversi cantanti italiani presentano canzoni inedite. Le canzoni ammesse alla gara sono composte da autori italiani e sono votate da giurie scelte e dagli spettatori.

Il Festival di Sanremo non nasce in televisione: le prime edizioni sono infatti trasmesse solo via radio, mentre dal 1955 la manifestazione si trasferisce in TV e viene trasmessa in Eurovisione da RaiUno.

Nel 1984 viene introdotta la categoria "Nuove Proposte", oggi ribattezzata "Sanremo Giovani": si tratta di una parentesi dedicata interamente a volti non ancora noti della canzone italiana. Tra le "Nuove Proposte" del passato ricordiamo nomi che sono diventati punti di riferimento per la canzone italiana: Laura Pausini, Eros Ramazzotti e Andrea Bocelli.

Il Festival di Sanremo rappresenta anche un traguardo importante per i conduttori televisivi (alcuni nomi tra tutti: Pippo Baudo e Mike Bongiorno) nonché un'ottima vetrina per le vallette che affiancano i conduttori.

(da www.musicroom.it)

1 avvenimento importante per i mezzi di comunicazione ...*evento mediatico*...
2 competizione tra cantanti ....
3 mai eseguite in precedenza ....
4 persone competenti che giudicano i cantanti ....
5 rinominata ....
6 facce non famose ....
7 personaggi importanti ....
8 giovani donne che accompagnano il presentatore ....

3 **Indicate se le seguenti affermazioni sono vere o false.**

		V	F
1	Il Festival di Sanremo è iniziato alla fine degli anni Cinquanta.	☐	☑
2	Al Festival partecipano soltanto cantanti famosi.	☐	☐
3	Le canzoni sono valutate anche dalle persone che guardano la TV.	☐	☐
4	Il Festival di Sanremo è trasmesso in tutta Europa.	☐	☐
5	Le "Nuove Proposte" sono canzoni che nessuno ha mai ascoltato.	☐	☐
6	Il Festival è un'occasione importante non solo per i cantanti.	☐	☐

ASCOLTARE

1 Leggete le battute e dite quale potrebbe essere la vostra.

2 Ascoltate l'intervista ad alcuni giovani che hanno risposto alla domanda "Che cosa ne pensi della TV di oggi?" e indicate quali delle seguenti affermazioni sono presenti.

1 ☑ La televisione utilizza troppo i modelli stranieri.
2 ☐ Ci sono alcune trasmissioni televisive molto interessanti.
3 ☐ I programmi TV sono sempre uguali.
4 ☐ Il fenomeno del *Grande Fratello* non piace a molti.
5 ☐ La TV dovrebbe parlare maggiormente di politica.
6 ☐ La TV dovrebbe cercare di capire i gusti e gli interessi dei telespettatori.
7 ☐ Ci dovrebbero essere più film in prima serata.
8 ☐ Ci dovrebbero essere più programmi allegri e divertenti.
9 ☐ Sarebbe bello avere un'offerta per i ragazzi che amano la cultura.

3 Condividete alcune delle opinioni espresse nel sondaggio? Se sì, quali? Se no, quali sono le vostre opinioni sulla televisione di oggi?

SCRIVERE

1 Descrivete una trasmissione televisiva particolarmente famosa nel vostro Paese. Da quanto tempo esiste? Quale canale la trasmette? Quando? Di che cosa tratta? Perché è tanto nota?

PARLARE

1 In gruppo.
Formate dei gruppi di 4 o 6 persone. All'interno del gruppo dividetevi in persone a favore e persone contro la televisione. Il sottogruppo di coloro che sono a favore della TV elenca una serie di elementi positivi che la riguardano, il sottogruppo di coloro che sono contro la TV elenca gli elementi negativi. Al termine riunite il gruppo e discutete insieme: cercate di convincere i compagni che la pensano diversamente.

Per saperne di più

1 Leggete il testo e rispondete alle domande.

La Rai

La Rai – abbreviavione di Radiotelevisione italiana – è la società che gestisce il servizio pubblico radiotelevisivo in Italia ed è una delle più grandi aziende di comunicazione d'Europa.

Il Programma Nazionale, l'attuale Rai 1, nasce il 3 gennaio del 1954, giorno in cui va in onda il primo telegiornale (l'attuale Tg1). Quella stessa sera prende il via anche *La domenica sportiva*, il programma di sport più famoso della televisione italiana, trasmesso ancora oggi.

Nel 1957 tutto il territorio italiano è coperto dal segnale televisivo e a Roma si inaugura lo storico centro televisivo di Via Teulada, 66.

Nel corso degli anni aumentano i canali Rai, passando a due e poi a tre. Oggigiorno l'offerta televisiva della Rai è molto diversificata, con circa venti canali. Alcuni sono tematici, cioè dedicati a generi specifici, ad esempio lo sport, le notizie, la cultura, i cartoni animati ecc.

Nel 2012 la Rai, così come le altre emittenti italiane, spegne definitivamente tutti i suoi canali analogici e passa al digitale terrestre, rimanendo disponibile però anche sul satellite e in streaming via web.

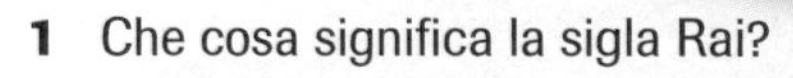

1. Che cosa significa la sigla Rai?
2. Quando è stato trasmesso il primo programma della Rai?
3. Quali sono stati i cambiamenti più importanti della Rai nel corso degli anni?

2 E nel vostro Paese? Rispondete alle domande.

1. Come si chiama la TV pubblica?
2. Quando è nata?
3. Come si è sviluppata?
4. Com'è organizzata oggi?

Un luogo

3 Leggete il testo e rispondete alle domande.

Sanremo e il teatro Ariston

Sanremo è un comune italiano della provincia di Imperia in Liguria.
È una località turistica, famosa per la coltivazione dei fiori, da cui deriva il nome di "Città dei fiori" che le è stato attribuito. Ogni anno vi si tiene "Sanremo in fiore", una sfilata di carri allegorici decorati con tantissimi fiori, trasmessa in diretta su Rai 1.
Il clima mite della città la rende meta di soggiorni estivi, invernali e curativi.
Sanremo è molto nota al grande pubblico perché ogni anno ospita il Festival della Canzone italiana all'interno del teatro Ariston, uno dei più importanti cinema-teatro d'Italia, costruito nel 1953.

1 Dove si trova Sanremo?
2 Perché è chiamata "Città dei fiori"?
3 Perché ci sono molti turisti in tutti i mesi dell'anno?
4 Qual è la manifestazione più importante della città?

Un personaggio

5 Leggete il testo e completate la scheda sottostante.

FABIO FAZIO

Nato a Savona il 30 novembre 1964, Fabio Fazio inizia la sua carriera alla radio nel 1982: l'emittente radiofonica è quella della Rai e la trasmissione si chiama *Black out*. Debutta quindi in televisione nel 1983 con Raffaella Carrà in *Pronto Raffaella*. Si occupa poi di trasmissioni dedicate ai giovani con nuove forme d'intrattenimento per questo tipo di pubblico.
Il successo vero e proprio arriva nel 1993, quando scrive e conduce il varietà domenicale *Quelli che il calcio...* . La sua conduzione al programma prosegue fino al 2001 e ottiene un enorme successo di critica e pubblico. Nel 1997 conduce *Sanremo Giovani* e scrive il programma di Rai 2 *Serenate*. Grande successo ottiene nel 2010 il programma televisivo di attualità *Vieni via con me*, condotto insieme allo scrittore Roberto Saviano.
A partire dal 2003 Fazio presenta *Che tempo che fa*, un talk show con interviste in studio a ospiti illustri e con l'intervento di comici come Luciana Littizzetto.

Nome	
Data e luogo di nascita	
Professione	
Inizio carriera	
Programmi di maggior successo	

4 E nel vostro Paese? Esiste una città che è diventata famosa grazie a una trasmissione televisiva?

6 Pensate a un famoso personaggio televisivo del vostro Paese, completate la scheda e poi parlatene ai vostri compagni.

Nome	
Data e luogo di nascita	
Professione	
Inizio carriera	
Programmi di maggior successo	

Un'opera

7 Leggete il testo e completate il riassunto.

Il cavallo morente di Francesco Messina

Per molti è il simbolo stesso della Rai: il grande cavallo morente in bronzo nel giardino davanti alla sede della Direzione generale di viale Mazzini a Roma. Il nobile animale fa un disperato tentativo per rialzarsi sulle zampe anteriori, mentre con il muso rivolto verso il cielo esprime tutto il suo dolore. La scultura è stata commissionata al grande artista siciliano Francesco Messina nel 1964. Ci sono voluti due anni di duro lavoro per portarla a termine. Le sue misure sono imponenti: 4,60 metri di altezza per 5,50 di lunghezza, mentre il peso del cavallo e della sua base arriva a 25 quintali. Secondo il suo scultore, rappresenta un cavallo ferito nella lotta con altri cavalli ed è il simbolo di un modo di comunicare che muore per lasciare spazio alla modernità.

Il cavallo morente è una scultura di .... che si trova ....
La statua è alta ...., lunga .... e pesa ....
Raffigura un cavallo ....
e vuole rappresentare ....

8 E nel vostro Paese? Esiste un'opera d'arte (scultura, dipinto, poesia ecc.) che potete collegare al mondo della televisione? Se sì, provate a descriverla.

Un video

9 Collegatevi al sito www.loescher.it/studiareitaliano/. Guardate il video *Cosa pensi della TV?* e svolgete le attività proposte.

6

Si può fare di più!

In questa unità imparate a:

- **A** parlare della tutela dell'ambiente nella vita quotidiana
- **B** parlare del problema dei rifiuti
- **C** parlare della raccolta differenziata

1 **Osservate le immagini e abbinatele alle descrizioni di alcuni parchi italiani.**

1 E **Campi Flegrei: terra della natura e del mito**
Il Parco Regionale dei Campi Flegrei protegge un'area vulcanica attiva in continua evoluzione situata nel territorio della Campania.

2 ☐ **Parco Regionale del delta del Po**
Nel profilo unico del delta del Po c'è il territorio creato dal fiume e dall'opera dell'uomo che nei secoli ha controllato le sue acque.

3 ☐ **Parco Naturale Regionale delle Dolomiti d'Ampezzo**
Si estende al confine del Veneto con l'Alto Adige, nel cuore delle Dolomiti orientali, nel Comune di Cortina d'Ampezzo.

4 ☐ **Parco Regionale del lago Trasimeno**
Il territorio del lago Trasimeno, situato tra le dolci colline dell'Umbria, è il paesaggio storico inconfondibile riprodotto nelle tavole di tanti maestri pittori del XV secolo.

5 ☐ **Parco Nazionale dell'Arcipelago della Maddalena**
È un'area protetta, formata da un insieme di isole situate nel tratto di mare tra la Sardegna e la Corsica.

2 **Mare, montagna, vulcano, lago, fiume: quali di questi ambienti naturali preferite? Perché?**

A BISOGNA STARE ATTENTI AL CONSUMO DELL'ACQUA

1 Abbinate i titoli agli articoli corrispondenti.

1 ☐ **Consumi troppa acqua? Attento a non restare senza**

2 ☐ **E tu, ce li hai i pannelli solari?**

3 ☐ **La tua terra vale di più**

a Il nostro Paese avrebbe un grande potenziale ma sono ancora pochi gli impianti che permettono di utilizzare il sole come risorsa energetica.

b In Italia ogni anno dobbiamo affrontare il problema della siccità. Sono in particolare le regioni del Sud a soffrire della mancanza di acqua. Soprattutto in estate è necessario razionare i consumi.

c Perché non andiamo a comprare i prodotti alimentari dal contadino che vive a pochi chilometri di distanza? Se amiamo la natura, dobbiamo cambiare le nostre abitudini.

2 Alcune persone hanno partecipato a un sondaggio e hanno risposto alla domanda: "Secondo voi che cosa possiamo fare nella vita di tutti i giorni per tutelare l'ambiente?". Ascoltate e abbinate le opinioni alle immagini.

3 Ascoltate ancora e completate le frasi.

1 Non basta usare .... le borse di cotone per la spesa.
2 .... il consumo di plastica.
3 .... prodotti locali.
4 .... riscaldare troppo.
5 Per risparmiare carta .... la tecnologia digitale.
6 .... al consumo dell'acqua.
7 Per risparmiare un po' di elettricità .... elettrodomestici e computer.
8 .... sempre la macchina.
9 .... fonti di energia alternativa.

4 Sottolineate le frasi dell'attività precedente che contengono il verbo *essere* seguito da aggettivo o avverbio. Poi completate la seguente affermazione e rispondete alle domande.

In frasi come *È vietato riscaldare troppo* o *È meglio usare fonti di energia alternativa* il verbo *essere* è usato in un'espressione impersonale, cioè non ha un .... espresso ed è coniugato alla .... persona ....

Nell'attività 3 sono presenti dei verbi impersonali? ....

Conoscete almeno un altro verbo impersonale? ....

E ora svolgete le attività 1 e 2 a p. 44 dell'eserciziario.

5 In gruppo.
Immaginate di partecipare al sondaggio e rispondete alla domanda "Secondo voi che cosa possiamo fare nella vita di tutti i giorni per tutelare l'ambiente?".

B OGGI FINALMENTE SI VA AL SUPERMERCATO CON IL CARRELLINO

1 Quali sono le vostre abitudini quando fate la spesa rispetto a quanto illustrato qui sotto?

2 Leggete il testo e indicate se le affermazioni sono vere o false.

Supermercati e buste di plastica

In Italia si cerca di diminuire la produzione di rifiuti

In passato si usciva di casa con il borsello in mano, si andava al supermercato a fare la spesa e alla cassa c'erano le buste di plastica gratuite. Era tutto normale. Un giorno si è deciso di far pagare i sacchetti disponibili nei supermercati e sono apparse le prime persone che portavano le buste da casa. Oggi finalmente si va al supermercato con il carrellino o la borsa di tessuto, ma c'è ancora troppa plastica. Plastica ovunque: plastica per contenere due

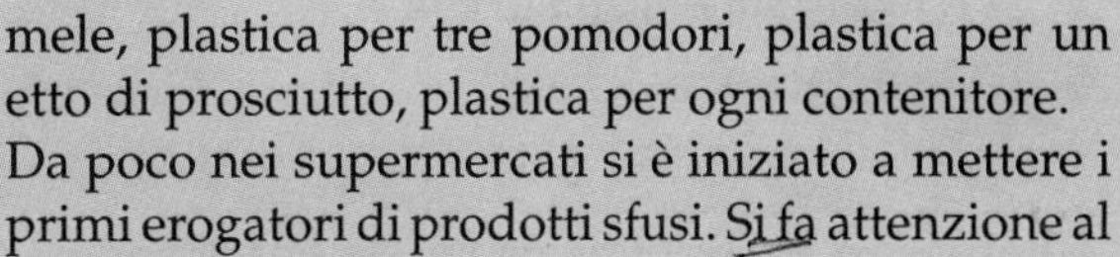

mele, plastica per tre pomodori, plastica per un etto di prosciutto, plastica per ogni contenitore. Da poco nei supermercati si è iniziato a mettere i primi erogatori di prodotti sfusi. Si fa attenzione al contenitore: del detersivo, dei cereali, dei succhi o dell'acqua. È meglio comprarlo una volta sola e riutilizzarlo. La parola che segna il cambiamento è proprio riuso, non riciclo. Questo significa che si è più sensibili ai problemi dell'ambiente. Ma attenzione: si può fare di più...

		V	F
1	Alcuni anni fa i supermercati regalavano le buste di plastica ai loro clienti.	☐	☐
2	In Italia non ci sono più buste per la spesa nei supermercati.	☐	☐
3	Molte persone hanno cominciato a usare più volte la stessa busta.	☐	☐
4	Oggi la plastica si usa di meno.	☐	☐
5	In alcuni negozi è possibile mettere i prodotti dentro un contenitore usato.	☐	☐
6	Oggi si cerca di riusare i contenitori, non solo di riciclarli.	☐	☐
7	Alla gente non interessa la difesa della natura.	☐	☐

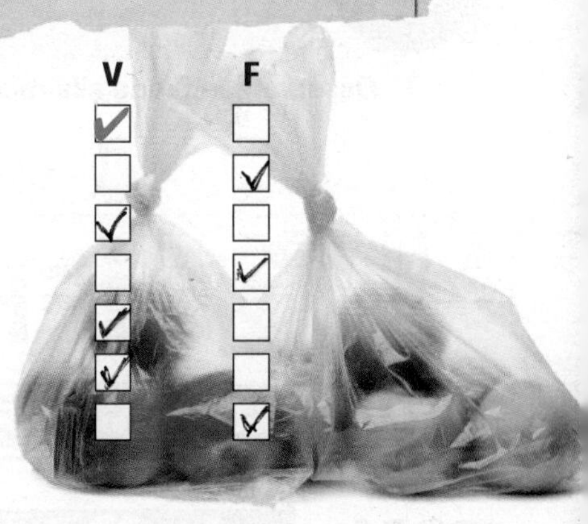

3 Sottolineate nel testo dell'attività precedente tutte le frasi in cui compare la particella *si* e trascrivetele qui sotto. Poi completate le affermazioni sottostanti con la scelta corretta.

- In Italia si cerca di diminuire la produzione di rifiuti.
- ....
- ....
- ....
- ....
- ....
- ....
- ....
- ....

1 Le frasi sono formulate con
a la forma negativa.
b la forma impersonale.

2 Con il verbo *essere* usiamo
a l'aggettivo al plurale.
b l'aggettivo al singolare.

3 Nelle frasi non è presente
a il verbo andare.
b il complemento oggetto.

4 Per costruire la forma impersonale
a usiamo *si* + il verbo alla terza persona singolare.
b usiamo *si* + il verbo alla terza persona plurale.

5 Le frasi descrivono
a delle azioni generali comuni a molte persone.
b delle azioni particolari di una persona.

4 Ricomponete le frasi.

Per difendere l'ambiente...

1 [c] si cerca di
2 [ ] si fa attenzione
3 [ ] si esce a piedi quando
4 [ ] si va al supermercato con
5 [ ] si è deciso di

a all'imballaggio dei prodotti.
b le buste di stoffa.
~~c~~ non usare troppa plastica.
d regolare il consumo dell'acqua.
e è possibile.

E ora svolgete le attività 1-3 a p. 45 dell'eserciziario.

5 E nel vostro Paese? Che cosa si fa per difendere l'ambiente? Che altro si può / si deve fare?

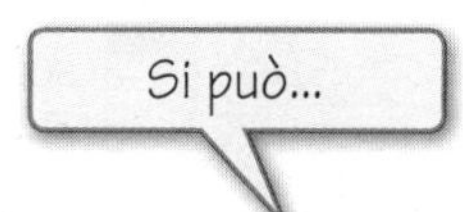

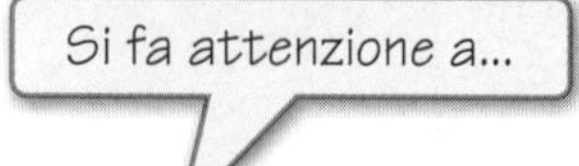

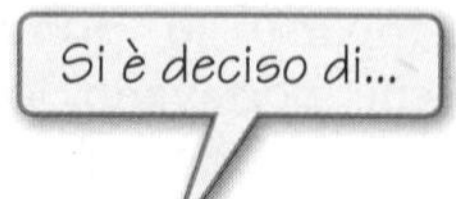

C MA QUI COME FUNZIONA LA RACCOLTA DIFFERENZIATA?

1 Osservate la guida alla raccolta differenziata e inserite le parole elencate nella colonna giusta.

~~organico~~ residuo vetro e metalli carta e cartone plastica

DIFFERENZIAMOCI

ASM Terni S.p.A.

GUIDA RAPIDA ALLA RACCOLTA DIFFERENZIATA

	organico	....	....	....	....
COSA DIFFERENZIARE					
COME FARE	nel sacchetti biodegradabili ben chiusi nella apposita mastella antirandagismo da 25 litri	nel sacco trasparente **giallo** ben chiuso, dopo aver ridotto il volume degli oggetti e pulito i rifiuti plastici	nel sacco trasparente **azzurro** ben chiuso, dopo aver ridotto il volume degli scatoloni e averli piegati	nel sacco trasparente **verde** ben chiuso, dopo aver lavato le bottiglie e i contenitori metallici	nel sacco trasparente **grigio**, ben chiuso *i sacchi per il residuo non sono in dotazione ASM Tern*
COSA METTERE	avanzi di cibo - bucce di frutta e scarti di verdura - ossa e avanzi di carne - pesce - insaccati - cibi avariati e scaduti - pane raffermo - fondi di caffè - bustine di tè e tisane - gusci d'uovo - fiori recisi	contenitori in plastica per liquidi con i simboli PET - PE/HD - PVC - PE/LD - PP - PS - O - bottiglie di acqua o bibite - flaconi per detersivo - buste di plastica - vaschette di polistirolo pulite - etc.	giornali - riviste - libri - quaderni - moduli continui per stampanti - scatole di imballaggi in cartone - contenitori per alimenti in Tetrapak debitamente lavati	bottiglie di vetro - vasetti in vetro - vetri rotti - coperchi in metallo - lattine in alluminio - scatolette e barattoli ferrosi - fogli di alluminio	bicchieri, piatti, forchette usa e gett di vario genere - giocattoli - tappeti antiscivolo - guanti monouso - ceramica - porcellana - pannolini - assorbenti - sacchetti aspirapolvere mozziconi di sigaretta **Tutto ciò su cui si hanno dei dub**
COSA NON METTERE	pannolini - assorbenti - liquidi - stracci - indumenti - metalli - vetro - plastica - medicinali - pile - sacchetti aspirapolvere - plastica - mozziconi di sigaretta	bicchieri, piatti, forchette usa e getta di vario genere - giocattoli - tappetini antiscivolo - guanti monouso	carta sporca di alimenti - carta con residui di colla - contenitori unti - carta oleata o plastificata	ceramica - porcellana lampadine	carta - vetro - lattine flaconi ed imballaggi in plastic **Tutti i rifiuti pericolosi:** pile - farmaci - vernici

INGOMBRANTI

SERVIZIO A DOMICILIO GRATUITO su prenotazione al numero verde 800215501 oppure **conferimento gratuito** presso i centri comunali di raccolta (CERD)

SFALCI VERDI

OLIO VEGETALE ESAUSTO new

L'olio vegetale, una volta raffreddato, dovrà essere versato nella tanichetta. Quando essa sarà piena, dovrà essere svuotata presso i CERD dell'ASM di Maratta, San Martino e Piediluco. La tanichetta da 5,5 litri, può essere **ritirata gratuitamente** all'ASM Terni presso il Servizio di Igiene Ambientale, dal lunedì al venerdì dalle ore 15 alle ore 17 fino a esaurimento scorte, comunicando il proprio Codice Utente.

PILE ESAUSTE presso le tabaccherie, i rivenditori, i Centri Comunali di Raccolta (CERD) e i punti ecologici attrezzati

FARMACI SCADUT

presso le farmacie, gli ambulatori medici, i Centri Comunali di Raccolta (CERD) ed i punti ecologici attrezzati, dopo aver separato i medicinali da confezioni e foglietti

I rifiuti debbono essere posizionati davanti alla porta della propria casa: **dalle ore 05.00 alle ore 08.00**

INFORMAZIONI: n. Verde: 800215501 - fax: 0744.391407 - e_mail: info@asmterni.it
CONSEGNA SACCHI: Sede del SIA, Circoscrizioni e Sportello del Cittadino

(da www.iovivoaterni.

2 Cercate nel testo dell'attività precedente le informazioni per completare le seguenti frasi.

1 Devo mettere la plastica in un ...sacco trasparente giallo ben chiuso... .
2 Non posso mettere la ceramica e le lampadine con ....
3 Devo usare i sacchetti biodegradabili per ....
4 Dal tabaccaio posso portare ....
5 Non posso buttare i bicchieri, i piatti e le forchette usa e getta con ....
6 Devo buttare il Tetrapak con ....
7 Se non so come differenziare un rifiuto è meglio buttarlo con ....
8 Per eliminare oggetti molto grandi posso chiamare il ....
9 Devo mettere i rifiuti davanti alla mia porta dalle ore ....
10 Posso andare a prendere i sacchi presso la ....

CD 31 MP3 **3 Ascoltate il dialogo e indicate se le affermazioni sono vere o false.**

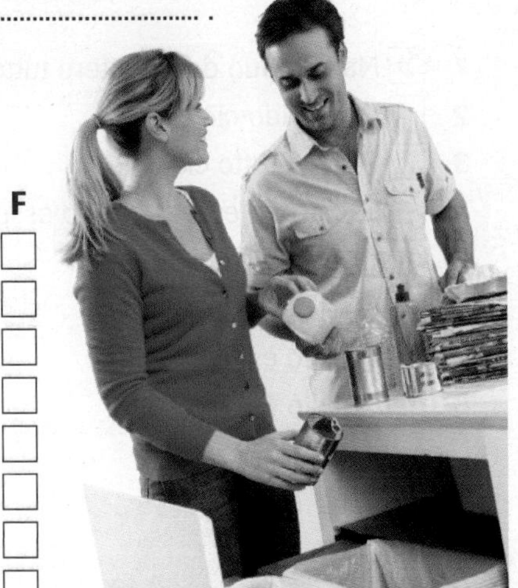

		V	F
1	Manuel non è di Terni.	☑	☐
2	Le regole per separare i rifiuti sono uguali dappertutto.	☐	☐
3	Per Manuel la raccolta differenziata a Terni non è facile.	☐	☐
4	Francesca mette i rifiuti dentro sacchi di diversi colori.	☐	☐
5	Manuel non sa dove portare le medicine.	☐	☐
6	Per ritirare i contenitori dell'olio usato serve il codice utente.	☐	☐
7	A Terni bisogna pagare per smaltire i rifiuti ingombranti.	☐	☐
8	Francesca non è convinta dell'utilità della raccolta differenziata.	☐	☐

CD 31 MP3 **4 Ascoltate ancora il dialogo e completate le frasi che le persone usano per:**

1 informarsi su come si fa qualcosa	• Scusa Francesca, ma qui da voi ...come si fa... la raccolta differenziata? • Per esempio, ... i piatti di plastica?
2 dare istruzioni	• .... nel residuo tutto ciò su cui hai dei dubbi.
3 chiedere conferma	• Poi porto le medicine nei raccoglitori delle farmacie, ...?
4 informarsi sui costi	• A proposito, ... il contenitore? • E .... quando riconsegno il contenitore pieno?

5 In coppia.
A turno assumete i ruoli di A e B e chiedete al vostro compagno di aiutarvi a capire come comportarvi con la raccolta differenziata. Volete sapere:

A
- di che colore è il sacco della plastica;
- a che ora mettere i rifiuti davanti a casa;
- dove buttare gli avanzi di cibo, le bustine di tè, l'erba e i fiori del giardino, le lattine in alluminio.

B
- dove prendere i sacchi colorati;
- che cosa fare con le pile esauste;
- dove buttare le scatolette e i barattoli di ferro, le vaschette di polistirolo, la ceramica, i vestiti.

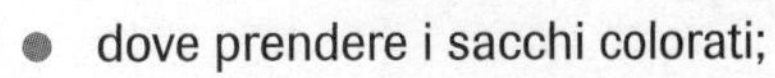

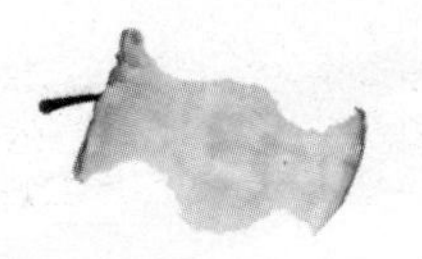

6 Leggete le frasi tratte dal dialogo dell'attività 3 e completate le regole.

1 Ecco il motivo **per cui** devo imparare tutto di nuovo.
2 È lo stesso numero **con cui** si paga la tassa sui rifiuti.
3 **Quello che** si fa qui è diverso da **quello che** si fa da noi.
4 Faccio **tutto ciò che** posso.

I pronomi dimostrativi *ciò* e *quello* possono avere valore di soggetto come nella frase .... o di oggetto come nella frase ....

Il pronome relativo *cui* è invariabile e ha sempre il valore di oggetto indiretto, per questo è preceduto da una preposizione come nelle frasi .... e ....

7 Manuel ha fatto confusione con la raccolta differenziata. Potete aiutarlo a rimettere in ordine le frasi?

1 ☐ Nel residuo devi mettere tutto ciò
2 ☐ Condivido ciò che
3 ☐ Pulisco tutto ciò che
4 ☐ La carta oleosa non può essere riciclata,
5 ☐ Questo è l'indirizzo mail
6 ☐ Quello che
7 ☐ Questo è il contenitore
8 ☐ Questo è il volantino

a dici: dobbiamo difendere la natura in ogni modo.
b su cui hai dei dubbi.
c di cui mi parlavi?
d non capisco è dove devo mettere i cartoni colorati.
e per cui la metto nel residuo.
f con cui possiamo smaltire l'olio vegetale esausto.
g metto nella plastica.
h a cui rivolgersi se hai bisogno di informazioni.

E ora svolgete l'attività 3 a p. 47 dell'eserciziario.

8 In gruppo.
Raccontate come funziona la raccolta differenziata nel vostro Paese e come siete organizzati a casa vostra.

Progettiamolo INSIEME

1 Fate una ricerca sull'ambiente in cui vi trovate: quali sono le risorse naturali più importanti? Quali sono i problemi più urgenti da risolvere? Raccogliete materiale informativo e fotografico.

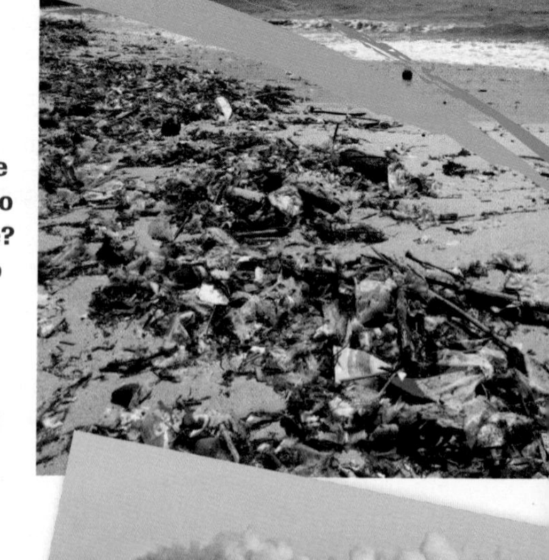

2 Immaginate di essere gli amministratori del territorio in cui vi trovate. Quali misure volete adottare a tutela dell'ambiente? Perché? Scrivete un programma e presentatelo ai vostri compagni.

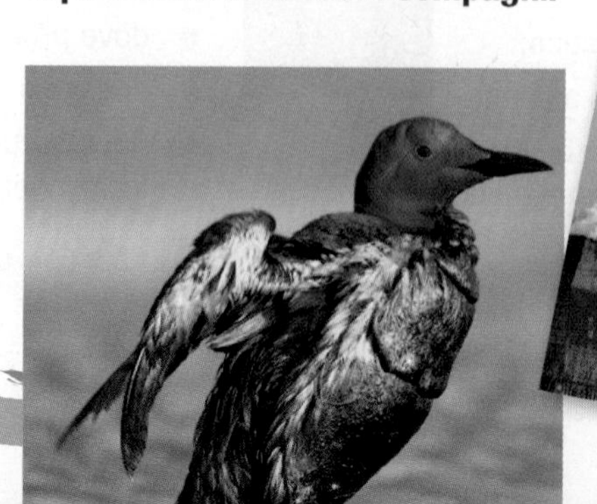

PRONUNCIA E GRAFIA

CD 32 MP3 **1 Ascoltate e scrivete le parole.**

1 ....
2 ....
3 ....
4 ....
5 ....
6 ....
7 ....
8 ....
9 ....
10 ....

CD 32 MP3 **2 Ascoltate ancora e ripetete le parole.**

3 Rileggete le parole dell'attività 1 e completate la regola.

Il suono /kw/ è sempre seguito da una vocale. Quando scriviamo, il suono /kw/ corrisponde alle lettere ...q.... o .... (e a volte *cq*) seguite da .... + un'altra vocale.

CD 33 MP3 **4 Ascoltate e scrivete le parole.**

1 ....
2 ....
3 ....
4 ....
5 ....
6 ....
7 ....
8 ....
9 ....
10 ....

CD 33 MP3 **5 Ascoltate ancora e ripetete le parole.**

6 Rileggete le parole dell'attività 4 e completate la regola.

Il suono /l/ si pronuncia in maniera leggermente diversa prima di /tʃ/ e /dʒ/ come in ...dolci... e ....

CD 34 MP3 **7 Ascoltate e scrivete le parole.**

1 ....
2 ....
3 ....
4 ....
5 ....
6 ....
7 ....
8 ....
9 ....
10 ....

CD 34 MP3 **8 Ascoltate ancora e ripetete le parole.**

9 Rileggete le parole dell'attività 7 e completate la regola.

Il suono /n/ si pronuncia in maniera leggermente diversa prima di /f/, /v/, /tʃ/, /dʒ/, /k/ e /g/ come in ...informazioni..., ..., ..., ..., ..., ... perché il suo suono si avvicina a quello della consonante che segue.

CD 35 MP3 **10 Ascoltate e completate il racconto di Angela.**

Sono appena tornata da una vacanza ..invernale.. sulle Dolomiti. No, ... settimana ...., niente sci, solo una .... gita per raccogliere impressioni e .... sulla .... e l'ambiente ....
Da .... mi sono iscritta a Scienze .... mi è venuta una .... passione per tutto ciò che ha a che fare con la .... dell'ambiente e .... posso visito .... luoghi che offrono la .... di conoscere i tesori della natura. Le .... sono un luogo fantastico, con cime dai colori ...., con piccoli specchi di .... e limpide ....: sembrano .... un paradiso terrestre al riparo da rumore e .... Ho visitato .... riserve naturali e ho conservato gli .... dei responsabili di .... zone.
Beh, io ho un sogno: .... di diventare una guida escursionistica. È una cosa che mi sta proprio a .... Sono .... che un giorno passeggerò in posti bellissimi e mostrerò .... che per me è la ricchezza più grande che abbiamo al mondo: la natura.

LA GRAMMATICA IN TABELLE

ALCUNI VERBI USATI ALLA FORMA IMPERSONALE
Non basta usare le borse di cotone per la spesa.
Bisogna ridurre il consumo di plastica.
È necessario comprare prodotti locali.
È sufficiente spegnere elettrodomestici e computer.
È vietato riscaldare troppo.
È meglio usare fonti di energia alternativa.

IL *SI* IMPERSONALE
In passato **si** usciva di casa con il borsello in mano.
Oggi finalmente **si** va al supermercato con il carrellino.
Si è più sensibili ai problemi dell'ambiente.
Si può fare di più.

IL PRONOME RELATIVO *CUI*
Ecco il motivo **per cui** devo imparare tutto di nuovo.
È lo stesso numero **con cui** si paga la tassa sui rifiuti.

I DIMOSTRATIVI *QUELLO* E *CIÒ*
Quello che si fa qui è diverso da **quello che** si fa da noi.
Faccio **tutto ciò che** posso.

LE FUNZIONI COMUNICATIVE

■ **Esporre un problema**
In Italia ogni anno dobbiamo affrontare il problema della siccità.
Sono in particolare le regioni del Sud a soffrire della mancanza di acqua.

■ **Esprimere il proprio modo di affrontare un problema**
Secondo me non basta usare le borse di cotone per la spesa.
Bisogna ridurre il consumo di plastica e preferire legno, vetro e materiali riutilizzabili.

■ **Dire come bisogna comportarsi**
È necessario comprare prodotti locali.
È vietato riscaldare troppo.
È sufficiente spegnere elettrodomestici e computer.
È meglio usare fonti di energia alternativa.
Basta utilizzare la tecnologia digitale.
Bisogna stare attenti al consumo dell'acqua.

■ **Dire come ci si comporta**
Si cerca di diminuire la produzione di rifiuti.
Si è deciso di far pagare i sacchetti.
Si fa attenzione al contenitore.
Si è più sensibili ai problemi dell'ambiente.

■ **Informarsi su come si fa qualcosa**
Scusa Francesca, ma qui da voi come si fa la raccolta differenziata?
Per esempio, dove butti i piatti di plastica?

■ **Dare istruzioni**
Devi buttare nel residuo tutto ciò su cui hai dei dubbi.

■ **Chiedere conferma**
Poi porto le medicine nei raccoglitori delle farmacie, vero?

■ **Informarsi sui costi**
A proposito, quanto costa il contenitore?
E quanto devo pagare quando riconsegno il contenitore pieno?

IL LESSICO

■ **Gli ambienti naturali**
il parco, l'area protetta, le isole, il mare, i boschi, le montagne, le colline, l'area vulcanica, il lago, il fiume, il delta del Po

■ **Gli elementi e i fenomeni naturali**
l'acqua, il sole, la terra, la pioggia, la neve, la temperatura, l'effetto serra

■ **L'energia e le fonti per produrla**
la risorsa energetica, l'elettricità, l'energia alternativa, l'energia rinnovabile, i pannelli solari, il petrolio, il metano, il gpl

■ **I materiali**
la plastica, il legno, il vetro, la carta, l'alluminio, il ferro, il polistirolo, la ceramica, il Tetrapak, gli imballaggi, il tessuto, il cotone

■ **La raccolta differenziata**
l'organico, la plastica, la carta e il cartone, il vetro e i metalli, il residuo, l'olio vegetale esausto, le pile esauste, i farmaci scaduti, i rifiuti ingombranti, gli sfalci, il sacco, i contenitori, i barattoli, le scatolette, le lattine

■ **Alcuni verbi legati alle problematiche ambientali**
riciclare, riusare, consumare, riscaldare, inquinare, differenziare, buttare, smaltire, tutelare

LEGGERE

1 L'Italia è una nazione piccola in cui però sono presenti tanti ambienti naturali diversi con molte specie di animali e piante. Abbinate le immagini ai loro nomi.

1 [D] la stella alpina
2 [ ] l'ulivo
3 [ ] il cervo
4 [ ] la primula
5 [ ] la lepre
6 [ ] il cinghiale
7 [ ] il tonno
8 [ ] la vite

A B C D E F G H

2 **Leggete il testo e abbinate le parole sottolineate alle spiegazioni sottostanti.**

La biodiversità in Italia

Il paesaggio italiano accoglie un gran numero di specie animali e vegetali. Una moltitudine tale da rendere il nostro Paese uno dei più ricchi di biodiversità a livello europeo e mondiale: oltre 57 mila specie animali, più di un terzo cioè dell'intera fauna europea, e 9 mila piante, ovvero la metà delle specie vegetali del continente. Per numero assoluto di specie floreali, inoltre, siamo i primi in Europa.

L'86% della fauna italiana è terrestre o d'acqua dolce, il restante 14% marino. I più diffusi tra gli animali sono gli insetti, che da soli rappresentano circa i due terzi della fauna italiana. Tra animali e vegetali, ben 5 mila sono specie che si trovano esclusivamente da noi. Per queste specie l'Italia ha una responsabilità maggiore: se le perdiamo, è il mondo intero che le perde! Tra queste occorre ricordare il camoscio appenninico, il cervo sardo e la lepre appenninica come esempi di straordinario valore naturalistico. Tra le piante, la primula di Palinuro, l'ontano napoletano e l'abete dei Nebrodi. Perché l'Italia è custode di così tanta biodiversità? La straordinaria presenza e diffusione di specie animali e vegetali in Italia è merito della posizione geografica della nostra penisola, che nel corso del tempo ha permesso a flora e fauna di sviluppare caratteristiche uniche e di grande valore. Un territorio stretto e lungo, in prevalenza montano-collinare, eterogeneo per clima, forma, composizione e circondato dal mare per quasi 7500 chilometri di coste. Una "fortuna naturale" che ha contribuito allo sviluppo della vita e alla sua evoluzione. Allungata al centro del mar Mediterraneo, l'Italia fa da ponte tra l'Europa centrale e il Nord dell'Africa, svolgendo un ruolo molto importante per la biodiversità e accogliendo specie che provengono dai Paesi che la circondano.
(da www.wwf.it)

1 le differenti specie di essere viventi ....la biodiversità....
2 guardiano ....
3 una grande quantità ....
4 le piante e i fiori ....
5 gli animali ....
6 vario ....
7 collegamento ....
8 per la maggior parte ....

3 **Utilizzate le parole sottolineate nel testo per completare le frasi sottostanti.**

1 Il camoscio, la lepre e il cervo fanno parte della ....fauna.... italiana mentre la primula e l'abete appartengono alla ....
2 L'Italia si trova in una posizione che favorisce lo sviluppo di specie diverse e per questo è .... di una .... di forme di vita.
3 Le temperature, la presenza di sole, pioggia e neve variano molto in Italia da Nord a Sud e per questo si può dire che l'Italia ha un clima molto ....

4 Rispondete alle domande.

1 Qual è il rapporto tra Italia ed Europa per quanto riguarda la presenza di specie animali, vegetali e floreali?

....

2 Da quali ambienti proviene la percentuale maggiore di animali italiani?

....

3 Quale specie animale è maggiormente presente?

....

4 Perché l'Italia ha una responsabilità maggiore rispetto ad alcune specie animali e vegetali?

....

5 Perché in Italia c'è grande ricchezza di specie diverse?

....

6 Quali sono le caratteristiche del territorio italiano?

....

7 Qual è la posizione geografica dell'Italia rispetto all'Europa e all'Africa?

....

5 In gruppo.
Raccontate: avete visitato degli ambienti naturali italiani (mare, montagna, laghi, colline, fiumi ecc.) o ne avete visto delle immagini? Quali? Qual è stata la vostra impressione? Avete visto animali o piante che vi hanno colpito particolarmente? Quali altri ambienti vi piacerebbe conoscere?

ASCOLTARE

1 Osservate il disegno: a che cosa vi fa pensare? Perché?

I rifiuti hanno bisogno di te per trovare la loro strada

2 Ascoltate l'intervista e completate le frasi con la scelta giusta tra quelle proposte.

1 Il numero delle persone che fa la raccolta differenziata negli ultimi anni è
 a aumentato.
 b diminuito.
 c rimasto invariato.

2 La persona che risponde alle domande della conduttrice è un esperto di
 a energie alternative.
 b raccolta differenziata.
 c chimica.

3 Possiamo buttare i depliant pubblicitari insieme a
 a giornali.
 b carta unta.
 c tovaglioli di carta.

4 È consigliabile mettere la carta da buttare in
 a una busta di plastica.
 b una busta di carta.
 c un contenitore giallo.

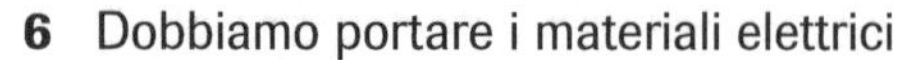

5 Prima di buttare le bottiglie di acqua è meglio
 a lavarle.
 b schiacciarle.
 c stapparle.

6 Dobbiamo portare i materiali elettrici
 a ai centri di raccolta.
 b al negozio in cui li abbiamo comprati.
 c in farmacia.

7 Sono rifiuti pericolosi
 a le lavatrici e i contenitori dei detersivi.
 b i farmaci scaduti e le pile esauste.
 c la plastica e gli imballaggi.

SCRIVERE

1 Raccogliete le informazioni necessarie per rispondere alle seguenti domande riguardo al vostro Paese.

1 Qual è la posizione geografica del vostro Paese rispetto al continente in cui si trova?
2 Quali sono le caratteristiche del suo territorio?
3 Quali specie animali sono maggiormente presenti?
4 Quali specie vegetali sono maggiormente presenti?
5 Quali sono le zone di maggior interesse naturalistico?

2 Scrivete un testo in cui descrivete il vostro Paese: la sua posizione geografica, le caratteristiche del suo territorio, le specie viventi più rappresentate e le zone di maggior interesse naturalistico.

PARLARE

1 Leggete gli spunti di conversazione e raccontate le vostre esperienze e le vostre opinioni a proposito.

Per saperne di più

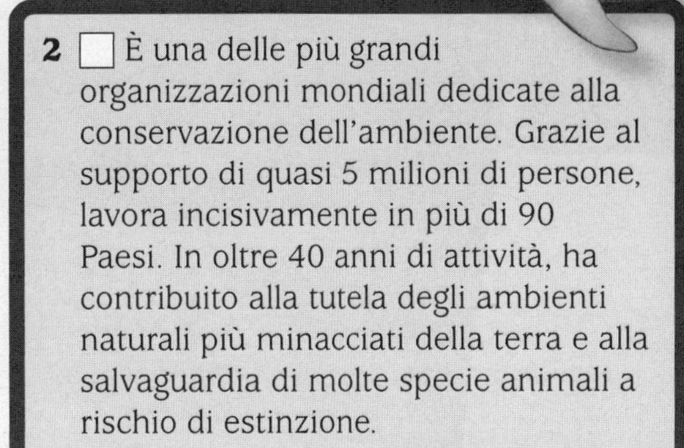

1 Abbinate le descrizioni delle associazioni ambientaliste ai rispettivi loghi.

1 [D] Da oltre 40 anni questa organizzazione svolge attività di volontariato per diffondere in Italia la "cultura della conservazione" del paesaggio urbano e rurale, dei monumenti e del carattere ambientale delle città.

2 [ ] È una delle più grandi organizzazioni mondiali dedicate alla conservazione dell'ambiente. Grazie al supporto di quasi 5 milioni di persone, lavora incisivamente in più di 90 Paesi. In oltre 40 anni di attività, ha contribuito alla tutela degli ambienti naturali più minacciati della terra e alla salvaguardia di molte specie animali a rischio di estinzione.

3 [ ] Tutela dell'ambiente, difesa della salute dei cittadini, salvaguardia del patrimonio artistico italiano... Sono molti i campi in cui questa associazione (con un cigno come simbolo) è quotidianamente impegnata, a livello nazionale e locale. Famose sono le sue campagne nazionali, tra le quali ricordiamo "Treno Verde", "Operazione Fiumi" e "Salvalarte"; altrettanto conosciute sono le giornate di volontariato come "Puliamo il mondo" e "Operazione spiagge pulite".

4 [ ] È una fondazione no profit per la tutela, la salvaguardia e la cura del patrimonio artistico e naturalistico. È nato nel 1975 ispirandosi al National Trust inglese ed oggi è la terza fondazione in Europa, con 78 000 iscritti e 38 beni di grandissimo valore sotto tutela.

A

B

C

FAI
FONDO PER L'AMBIENTE ITALIANO

D

Italia Nostra ONLUS

(da http://cultura.miolink.com)

2 E nel vostro Paese? Quali sono le organizzazioni ambientaliste più importanti? Quali sono i loro progetti e le loro attività?

Un luogo

3 Osservate le foto di alcune oasi del Wwf italiano: secondo voi che cosa significa oasi?

4 Leggete il testo e rispondete alle domande.

In tutta Italia ci sono oltre 100 Oasi Wwf, luoghi di straordinaria bellezza nati per difendere la biodiversità: un patrimonio unico di colori, profumi e suoni della natura.
Le Oasi Wwf sono la risposta alla distruzione e al degrado degli habitat nel nostro Paese. Sono esempi di come sia possibile agire concretamente per custodire e aumentare la biodiversità. Boschi, tratti di costa, fiumi, laghi, montagne dove la natura è viva e protetta: più di 100 luoghi straordinari dove specie animali e vegetali hanno trovato rifugio, salvandosi dall'estinzione.
Le Oasi Wwf sono il luogo dove la biodiversità si può vedere, toccare, ammirare: sono una scuola a cielo aperto e non solo per i bambini. La visita in un'oasi regala la certezza di quanto la natura sia bella e fragile; e sottolinea quanto sia importante proteggerla.
(da www.wwf.it)

1. Nel vostro Paese ci sono delle oasi o aree protette di particolare interesse per l'ambiente?
2. Dove sono?
3. Chi se ne occupa?

Un'opera

8 Osservate l'immagine di un opera d'arte italiana famosa e descrivetela. Poi leggete il testo.

Pietro Vannucci, detto "il Perugino" (Città della Pieve, 1448 circa – Fontignano, 1523), è considerato uno dei pittori più importanti dell'Umanesimo e il più grande rappresentante della pittura umbra del XV secolo. Una delle caratteristiche più innovative delle sue opere è la rappresentazione del paesaggio. Ad esempio, sullo sfondo della sua *Adorazione dei Magi* (1504) sono raffigurati un lago e delle colline, e la vegetazione è descritta in maniera molto dettagliata. La città del pittore, Città della Pieve, si trova vicino al lago Trasimeno e il paesaggio che vediamo nei suoi dipinti è proprio quello di questo lago.

9 E nel vostro Paese? Conoscete un'opera famosa in cui è rappresentato il paesaggio locale?

Un personaggio

5 Leggete la seguente affermazione di uno dei più famosi ecologisti italiani: secondo voi che cosa vuole insegnarci?

Sono ecologista, mi lavo ogni sette giorni.

6 Leggete il testo e rispondete alle domande.

Fulco Pratesi

Fulco Pratesi (Roma, 1934) è un giornalista, ambientalista, illustratore e politico italiano, fondatore del Wwf Italia, di cui è ora presidente onorario. Come giornalista è specializzato in argomenti ecologici e naturalistici, collabora da molti anni con il «Corriere della Sera», «l'Espresso» e numerose riviste del settore. Si è laureato in Architettura nel 1960 e quando si è reso conto che i suoi colleghi architetti danneggiavano l'ambiente con i loro progetti, ha deciso di dedicarsi alla protezione della natura. Nel 1966 ha fondato il Wwf Italia, poi ha progettato numerosi parchi nazionali e riserve naturali in Italia e all'estero. Ha rappresentato l'associazione Italia Nostra, di cui è stato consulente per i problemi ecologici ed è stato membro della Consulta per la difesa del mare e del Consiglio nazionale dell'ambiente.

1 Chi è Fulco Pratesi?
2 Quando e dove è nato?
3 Quando e in che cosa si è laureato?
4 Perché ha scelto di occuparsi della difesa della natura?
5 Che cosa ha fondato?
6 Quali progetti ha realizzato?

7 Conoscete dei personaggi del vostro Paese famosi per la loro attività a difesa dell'ambiente? Parlatene ai compagni.

Un video

10 Collegatevi al sito www.loescher.it/studiareitaliano/. Guardate il video *Legambiente* e svolgete le attività proposte.

7 Chi sarà stato?

In questa unità imparate a:

A parlare di giornali e riviste e delle vostre abitudini rispetto alla stampa
B riconoscere le diverse rubriche di un giornale
C leggere e raccontare un articolo di cronaca

1 Osservate e abbinate i tipi di giornali e riviste alle immagini.

1 [A] un quotidiano nazionale
2 [ ] un quotidiano locale
3 [ ] un quotidiano sportivo
4 [ ] un quotidiano economico
5 [ ] una rivista di attualità
6 [ ] una rivista femminile
7 [ ] una rivista di auto e moto
8 [ ] una rivista di enigmistica
9 [ ] una rivista di cucina
10 [ ] una rivista di turismo e viaggi

2 Immaginate di andare in edicola per comprare 2 quotidiani e 2 riviste: quali scegliete?

A DOVE SARÀ SAMUELE?

1 **Osservate le persone nel disegno, descrivetele e poi provate a indovinare: quale relazione c'è tra di loro? Che tipi sono? Quali giornali e riviste leggono? Che cosa fanno davanti all'edicola?**

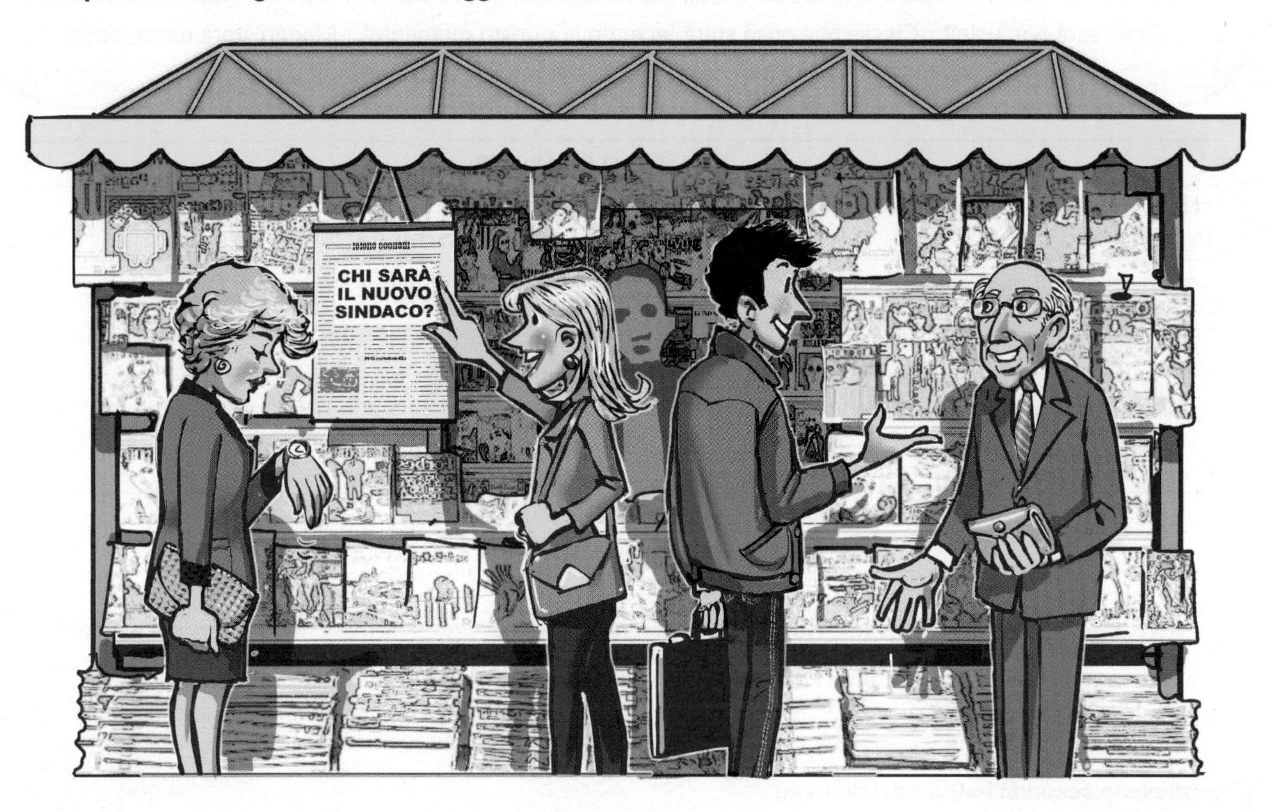

2 **Ascoltate il dialogo e verificate le vostre ipotesi.**

3 **Ascoltate ancora e scrivete nella tabella i titoli dei giornali e delle riviste che leggono i protagonisti del dialogo.**

il nonno	la mamma	Lorenzo	Lisa
La Settimana Enigmistica,			

4 **Raccontate: qual è il vostro rapporto con la stampa? Leggete giornali e riviste? Quali? On-line o su carta?**

5 Inserite nella tabella le seguenti frasi tratte dal dialogo dell'attività 2 e completate la regola.

~~Sarà Turrisi il nuovo sindaco di Parma?~~ Quando cominceranno ci sarà un sacco di rumore.
~~Tra pochi giorni partiranno i lavori per la costruzione del nuovo palazzetto dello sport.~~
Non avrà il cellulare con sé. Quando sarai una giornalista famosa, ricordati di me. Forse non ci crederai.
Dove sarà Samuele? Chissà che cosa starà facendo in questo momento! Magari starà dormendo!
Probabilmente sarà in coda da qualche parte e arriverà tra poco.

IL FUTURO SEMPLICE	
valore temporale: un'azione successiva al momento in cui si parla	**valore modale: un'incertezza o una supposizione rispetto al presente o al futuro**
Tra pochi giorni partiranno i lavori per la costruzione del nuovo palazzetto dello sport.	Sarà Turrisi il nuovo sindaco di Parma?
....	....
....	....
....	....
....	....
....	....
....	....
....	....

Il futuro semplice può avere un **valore temporale**, cioè indicare azioni successive al momento in cui si parla, o un **valore modale**, cioè esprimere ....

6 Scrivete la seconda battuta dei dialoghi.

- Non trovo il giornale.
- Sarà in macchina!

- Quando cominceranno a costruire il nuovo ospedale?
- ....

- Giovanni è appassionato di sport e politica: secondo te che giornali leggerà?
- ....

- A New York sono le cinque del pomeriggio: che cosa starà facendo Mirco?
- ....

- Marco non risponde al telefono.
- ....

7 In coppia.
Scrivete il nome di cinque persone che non sono in classe (per esempio compagni assenti, insegnanti, amici, personaggi famosi ecc.). Dove saranno? Che cosa staranno facendo?

E ora svolgete le attività 1 e 2 a p. 52 e 3 a p. 53 dell'eserciziario.

IN ARRIVO UNA SFILATA DI STELLE E LA PRIMA SARÀ PANSTARRS

1 Leggete i titoli e i sottotitoli degli articoli e abbinateli alla giusta sezione del giornale.

A
Premio Strega, ecco i 12 candidati
Il gran numero e l'alta qualità dei libri presentati riflettono una stagione letteraria ricca di proposte

B
America's Cup, a Napoli la festa della vela
Luna Rossa punta al bis della vittoria dello scorso anno: nove team si contendono il successo, le gare da giovedì a domenica

C
In arrivo una sfilata di stelle e la prima sarà Panstarrs
Il passaggio alla minima distanza dal sole è previsto per il 10 marzo

D
Il piccolo "naufrago" dell'Autobrennero
Bambino dimenticato dai genitori all'autogrill

E
Quirinale, cominciano le votazioni
I grandi elettori alla Camera per eleggere il presidente della Repubblica

F
Ue, vola lo shopping cinese. Nel 2012 investiti 12,6 miliardi
L'impero celeste ha aumentato la spesa nel Vecchio continente del 20% sull'anno prima

1 [D] Cronaca
2 [ ] Scienze
3 [ ] Politica
4 [ ] Economia
5 [ ] Sport
6 [ ] Cultura

2 Abbinate i titoli e i sottotitoli degli articoli dell'attività precedente ai seguenti testi.

1 [F]
È una storia infinita la campagna acquisti delle industrie cinesi nel mondo e soprattutto in Europa. Le grandi aziende hanno molto denaro e si stanno espandendo nelle acquisizioni di ditte europee. Lo afferma uno studio sui flussi di capitale dalla Cina del quotidiano tedesco «Die Welt».

2 [ ]
Il comitato direttivo del Premio Strega ha selezionato i dodici libri in gara. La proclamazione del vincitore sarà giovedì 4 luglio a Villa Giulia a Roma. Per la prima volta i giudici non si incontreranno di persona ma potranno votare i libri concorrenti on-line, in un'area del sito www.premiostrega.it.

3 [ ]
Si inizia a votare per eleggere il presidente della Repubblica. Alle 10 in punto, senatori, deputati e delegati regionali hanno avviato il processo che porterà al Quirinale il nuovo capo dello Stato. Il calendario prevede due votazioni al giorno, alle 10 e alle 16. O si raggiunge il quorum (678 voti) o si continua a votare.

4 ☐
Lo credevano addormentato, invece era sceso durante una sosta notturna a un autogrill. Quando il camper è ripartito, un uomo ha notato la corsa disperata del ragazzino e ha chiamato la Polizia stradale. Gli agenti hanno rassicurato il bambino, cioè gli hanno promesso di ritrovare i suoi genitori. Lui non ha né pianto né gridato ma ha aspettato fiducioso il loro ritorno.

5 ☐
Mancano poche ore all'inizio della "sfilata" delle comete: ne sono previste ben 4 nel corso dell'anno. A inaugurare la "passerella" è Panstarrs: apparirà nel nostro cielo il 9 marzo e anche il giorno dopo sarà visibile. Per osservarla bisognerà guardare verso ovest, subito dopo il tramonto.

6 ☐
Il lungomare di via Caracciolo è uno splendido stadio del mare. Gli allenamenti della Formula Uno della vela si svolgono là, in uno scenario unico, sotto uno splendido sole primaverile. La Coppa America arriva per il secondo anno consecutivo a Napoli. Nove squadre a contendersi la vittoria: americani, svedesi, inglesi, francesi, l'Emirates Team, il China Team, austriaci e italiani (questi ultimi con due team). L'attenzione del pubblico è puntata sia sui cinesi sia sulla squadra degli Emirati.

3 Completate la tabella con le informazioni principali contenute negli articoli dell'attività precedente.

	chi?	che cosa?	dove?	quando?
1	Le industrie cinesi			
2				
3				
4				
5				
6				

4 In coppia.
Aiutatevi con le informazioni presenti nella tabella dell'attività precedente e a turno provate a riassumere il contenuto degli articoli che avete letto.

5 Rileggete le seguenti affermazioni tratte dagli articoli dell'attività 2. Sottolineate in ognuna l'elemento o gli elementi che collegano le frasi o pezzi di frasi, e completate la regola.

1 Per la prima volta i giudici non si incontreranno di persona ma potranno votare i libri concorrenti on-line.
2 O si raggiunge il quorum (678 voti) o si continua a votare.
3 Gli agenti hanno rassicurato il bambino, cioè gli hanno promesso di ritrovare i suoi genitori.
4 Lui non ha né pianto né gridato.
5 Apparirà nel nostro cielo il 9 marzo e anche il giorno dopo sarà visibile.
6 L'attenzione del pubblico è puntata sia sui cinesi sia sulla squadra degli Emirati.

Le congiunzioni coordinative, come ...e,.. servono a unire parti di frasi o frasi intere. In quest'ultimo caso collegano due o più frasi principali, cioè ogni frase rimane indipendente.

6 Ricostruite i pezzi di articoli.

1 Il presidente della Repubblica piace agli italiani	ma	non è andato alla consegna del Premio Strega.
2 Le banche ridurranno i tassi di interesse	sia	la scoperta che gli scienziati speravano di fare da più di 100 anni.
3 Il vincitore ha dichiarato di essere felice	e	convince i capi di Stato europei.
4 L'Inter cambia	cioè	i carabinieri si sono messi subito al lavoro per ricostruire i fatti.
5 I poliziotti hanno iniziato le indagini e	né	sceglieranno altre strade per far ripartire l'economia?
6 Questa è una scoperta davvero eccezionale,	o	i responsabili del furto né il motivo per cui l'allarme non ha funzionato.
7 Gli investigatori non hanno ancora scoperto	anche	l'attaccante sia il portiere.

E ora svolgete l'attività 3 a p. 55 dell'eserciziario.

7 In gruppo.
Osservate le immagini tratte da alcuni articoli di giornale. Scrivete sopra a ciascuna un titolo e un sottotitolo adatti.

C CHI SARÀ STATO?

1 In coppia.
Con l'aiuto degli elementi dati, formulate delle ipotesi sull'articolo di cronaca che leggerete.

Chi?
- I ladri
- Il complice
- La Polizia

Che cosa?
- Le collane
- Le telecamere

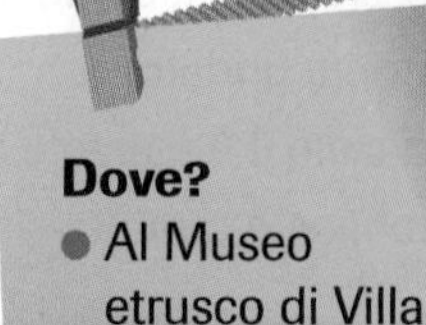

Dove?
- Al Museo etrusco di Villa Giulia a Roma

Quando?
- La notte tra sabato e domenica

2 Leggete l'articolo: le vostre ipotesi sono confermate?

Furto da film al museo di Villa Giulia
Caccia ai ladri nei filmati delle telecamere

Sono al vaglio degli investigatori ore e ore di filmati per identificare i responsabili del furto avvenuto la notte tra sabato e domenica scorsa nel Museo etrusco di Villa Giulia a Roma.
In particolare, si analizzeranno le immagini dei giorni precedenti al furto, perché probabilmente i ladri sono entrati nel museo qualche giorno prima e hanno effettuato un sopralluogo fingendosi turisti. Quando poi sono tornati, hanno rubato soltanto alcune collane che riproducevano delle collezioni di gioielli dell'Ottocento.
Chi sarà stato? Dove avrà nascosto il bottino? Sono le domande a cui cercano di rispondere gli investigatori. Ma soprattutto: i ladri saranno stati dei veri professionisti? Pare di no, visto che hanno lasciato nel museo oggetti di valore ben più elevato. Dopo che si saranno analizzati i filmati del museo, si riuscirà a dare una risposta a tutti questi interrogativi. Siccome i video sono offuscati per l'effetto dei fumogeni accesi dai ladri, gli esperti stanno lavorando per ripulirli. Forse si troverà qualche elemento interessante per le indagini, non appena il lavoro sarà terminato. Mentre è in corso questa operazione, la Polizia indaga in direzioni diverse e cerca di dare risposta a un'altra domanda: chi avrà aiutato i ladri? Forse sarà stato qualcuno che si trovava già dentro al museo. Gli agenti infatti temono la presenza di un complice interno al museo e hanno già una lista di persone sospette, ma non si esprimeranno finché non avranno individuato il responsabile.

3 Scrivete le parole e le espressioni sottolineate nell'articolo dell'attività precedente accanto alle loro spiegazioni.

1. l'appropriazione di una cosa che appartiene ad altre persone ..il furto..........
2. gli oggetti che emettono molto fumo ....
3. le domande ....
4. le persone che cercano di scoprire il colpevole ....
5. sono sotto esame ....
6. la persona che aiuta i criminali ....
7. le persone che potrebbero aver commesso un reato ....
8. hanno paura ....
9. non si vedono bene ....
10. la ricerca delle persone che hanno rubato qualcosa ....

11 gli oggetti rubati ....
12 scoprire ....
13 hanno fatto ....
14 le attività di ricerca del responsabile di un crimine ....
15 l'ispezione di un luogo per raccogliere informazioni ....

4 Rispondete alle domande.

1 Che cosa analizzano in particolare gli investigatori per cercare i colpevoli del furto?
2 Perché ritengono interessanti i filmati dei giorni precedenti alla notte in cui è avvenuto il furto?
3 Perché probabilmente i ladri non sono dei professionisti?
4 Quale problema presentano le immagini dei filmati?
5 Che cosa cerca la Polizia oltre ai ladri?

5 In gruppo.
Raccontate a catena. A turno pensate a una notizia che vi ha colpito di recente oppure inventatene una. Raccontatela al compagno alla vostra destra che a sua volta la riferirà al compagno successivo.
Quando il giro è finito, fatevi raccontare la notizia dall'ultimo compagno a cui è stata riferita e verificate se è corretta.

6 Inserite nella tabella le seguenti frasi tratte dall'articolo dell'attività 2 e completate la regola sottostante.

~~Forse si troverà qualche elemento interessante per le indagini, non appena il lavoro sarà terminato.~~
~~Chi sarà stato?~~ Dove avrà nascosto il bottino? I ladri saranno stati dei veri professionisti?
Chi avrà aiutato i ladri? Forse sarà stato qualcuno che si trovava già dentro al museo.
Gli agenti non si esprimeranno finché non avranno individuato il responsabile.

IL FUTURO ANTERIORE	
valore temporale: un'azione precedente a un'altra espressa al futuro semplice	**valore modale: un'incertezza o una supposizione rispetto a un avvenimento passato**
Forse si troverà qualche elemento interessante per le indagini, non appena il lavoro sarà terminato.	*Chi sarà stato?*
....	....
....	....
....	....
....	....
....	....
....	....

Il futuro anteriore si forma con l'ausiliare ...*essere*... o .... al futuro semplice seguito dal .... del verbo.
Il futuro anteriore, come il futuro semplice, può avere un valore .... e un valore ....
Nel primo caso esprime un'azione .... a un'altra espressa al futuro semplice.
Con valore modale, invece, esprime un'incertezza o .... rispetto a un avvenimento passato.

7 **Con l'aiuto delle informazioni nella tabella, formate delle frasi come nell'esempio.**

prima	poi
Gli agenti ripuliranno le immagini.	Gli agenti guarderanno con attenzione i filmati.
I ladri fuggiranno.	I ladri nasconderanno il bottino.
Il direttore del museo interrogherà i suoi dipendenti.	Il direttore del museo parlerà con la Polizia.
Il complice dei ladri eliminerà le prove.	Il complice dei ladri fingerà di collaborare con la Polizia.
I colpevoli venderanno le collane.	I colpevoli andranno a vivere all'estero.

1 *Gli agenti guarderanno con attenzione i filmati dopo che avranno ripulito le immagini.*
2 ....
3 ....
4 ....
5 ....

E ora svolgete le attività 1 a p. 55, 3 a p. 56 e 4 a p. 57 dell'eserciziario.

8 **Osservate le immagini e formulate delle ipotesi per rispondere alle domande della Polizia.**

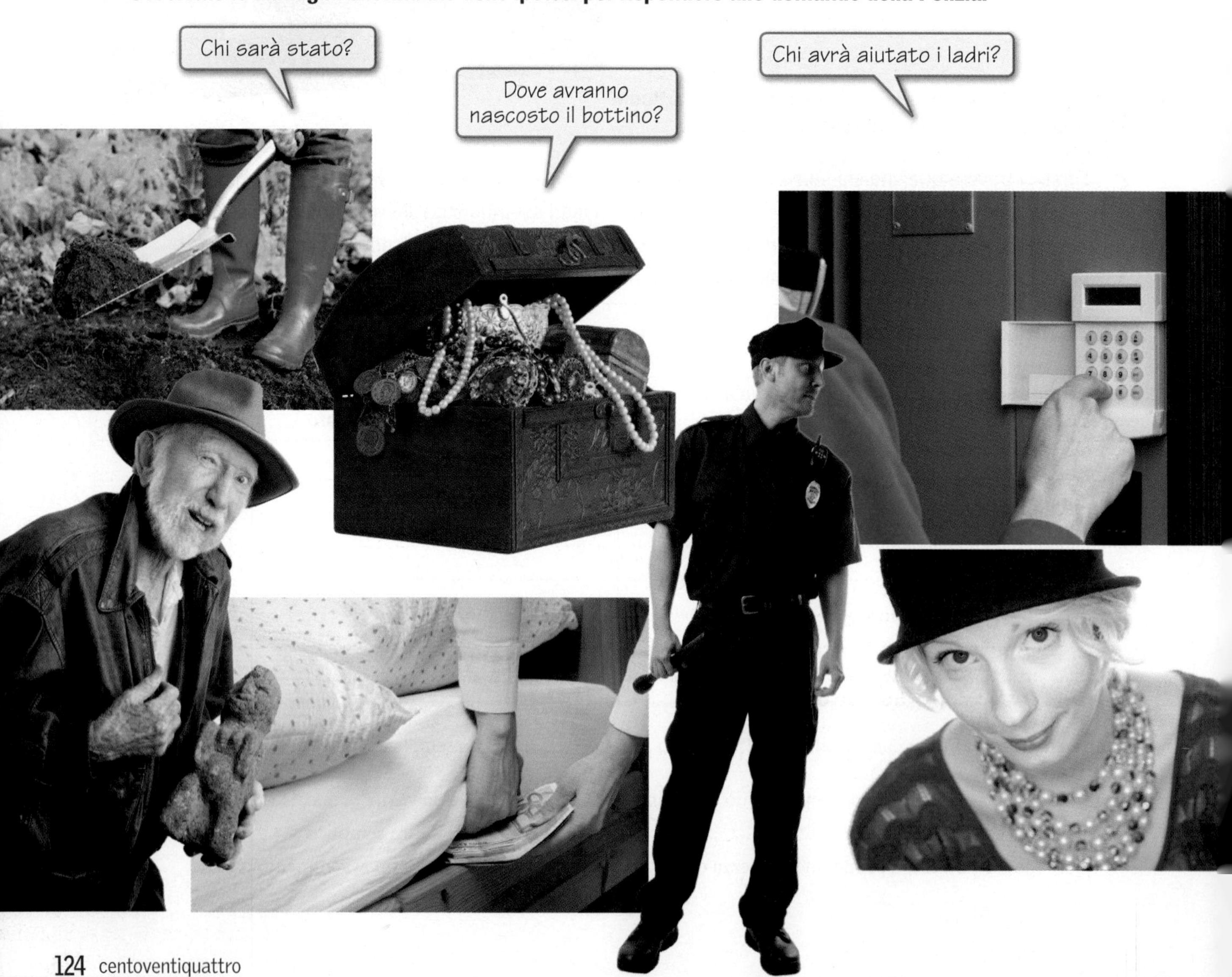

9 Le seguenti affermazioni, tratte dall'articolo dell'attività 2, sono formate da due frasi. Sottolineate con il rosso la frase principale e con il blu la frase subordinata, cioè quella che dipende dalla principale.

1 Si analizzeranno le immagini dei giorni precedenti al furto, perché probabilmente i ladri sono entrati nel museo qualche giorno prima.
2 Pare di no, visto che hanno lasciato nel museo oggetti di valore ben più elevato.
3 Dopo che si saranno analizzati i filmati del museo, si riuscirà a dare una risposta a tutti questi interrogativi.
4 Siccome i video sono offuscati per l'effetto dei fumogeni accesi dai ladri, gli esperti stanno lavorando per ripulirli.
5 Forse si troverà qualche elemento interessante per le indagini, non appena il lavoro sarà terminato.
6 Mentre è in corso questa operazione, la Polizia indaga in direzioni diverse.
7 Gli agenti non si esprimeranno finché non avranno individuato il responsabile.

10 Individuate nelle frasi dell'attività precedente le congiunzioni che uniscono le frasi subordinate alle principali e inseritele nella regola.

Le congiunzioni subordinative, come ..*perché*.. .... servono a unire le frasi subordinate alle principali.

11 In gruppo.
Osservate le immagini e formulate delle ipotesi per ognuna delle situazioni rappresentate. Che cosa sarà successo?

Progettiamolo INSIEME

1 Scrivete il primo numero del vostro giornale di classe. Insieme decidete il tipo di giornale che volete realizzare, il titolo, le rubriche presenti, l'aspetto grafico ecc. Formate dei gruppi e suddividete il lavoro: ogni gruppo sceglie e cura una sezione, decide gli argomenti da trattare e scrive dei brevi articoli.
Poi riunite insieme il lavoro svolto, impaginatelo e il primo numero del vostro giornale sarà pronto per essere pubblicato. Se volete, potete continuare con i numeri successivi.

PRONUNCIA E GRAFIA

1 Completate le frasi. Se necessario, ricercatele nelle attività precedenti.

1 ..Se... non leggo, mi sento fuori dal mondo.
2 Non avrà il cellulare con ...sé.... .
3 .... riuscirà a dare una risposta a tutti questi interrogativi.
4 ...Sì..., hai ragione.
5 .... sono previste ben 4 nel corso dell'anno.
6 Lui non ha .... pianto .... gridato.
7 I ladri sono entrati nel museo .... hanno effettuato un sopralluogo.
8 Quando il camper .... ripartito, un uomo ha notato la corsa disperata del ragazzino.
9 A inaugurare .... "passerella" è Panstarrs.
10 Gli allenamenti della Formula Uno della vela si svolgono ....

2 Leggete la regola e completate gli esempi nella tabella.

I monosillabi italiani normalmente non hanno la necessità di riportare l'accento dal punto di vista grafico. Per questo scriviamo *ma*, *fa* ecc. Tuttavia in alcuni casi l'accento compare su alcuni monosillabi che hanno un doppio valore grammaticale.

ALCUNI MONOSILLABI CON DOPPIO VALORE GRAMMATICALE	
da (preposizione)	*dà* (verbo *dare*)
....e.....(congiunzione)	*è* (verbo *essere*)
la (articolo o pronome)	.... (avverbio)
li (pronome)	*lì* (avverbio)
ne (pronome)	.... (congiunzione)
se (congiunzione)	.... (pronome)
.... (pronome)	*sì* (avverbio)
te (pronome)	.... (nome)

3 Completate le frasi con i monosillabi presenti nella tabella dell'attività precedente.

1 Chi mi ....dà.... il giornale?
2 Il giornalista viene .... Milano.
3 Compro «la Repubblica» .... il «Corriere».
4 Questo .... il «Corriere» di oggi.
5 Il bottino era proprio ...., sotto i loro occhi.
6 La Polizia .... ha arrestati.
7 Di quotidiani .... ho comprati tre oggi.
8 Non leggo né i quotidiani .... le riviste.
9 Porta sempre con .... il giornale.
10 .... vai in edicola, comprami la «Settimana Enigmistica».
11 Ho letto che la Juventus .... prepara a vincere il campionato.
12 Il nuovo allenatore ha detto "............" alle richieste dei giocatori.
13 Mi metto in poltrona, leggo il giornale e bevo il ....
14 Prendo il giornale anche per ....?

LA GRAMMATICA IN TABELLE

IL FUTURO SEMPLICE	
valore temporale: un'azione successiva al momento in cui si parla	**valore modale: un'incertezza o una supposizione rispetto al presente o al futuro**
Tra pochi giorni partiranno i lavori per la costruzione del nuovo palazzetto dello sport. Quando cominceranno, ci sarà un sacco di rumore. Quando sarai una giornalista famosa, ricordati di me.	Sarà Turrisi il nuovo sindaco di Parma? Forse non ci crederai. Dove sarà Samuele? Chissà che cosa starà facendo in questo momento! Magari starà dormendo! Non avrà il cellulare con sé. Probabilmente sarà in coda da qualche parte e arriverà tra poco.

IL FUTURO ANTERIORE	
valore temporale: un'azione precedente a un'altra espressa al futuro semplice	**valore modale: un'incertezza o una supposizione rispetto a un avvenimento passato**
Forse si troverà qualche elemento interessante per le indagini, non appena il lavoro sarà terminato. Gli agenti non si esprimeranno finché non avranno individuato il responsabile.	Chi sarà stato? Dove avrà nascosto il bottino? I ladri saranno stati dei veri professionisti? Chi avrà aiutato i ladri? Sarà stato qualcuno che si trovava già dentro al museo?

LE CONGIUNZIONI COORDINATIVE
Per la prima volta i giudici non si incontreranno di persona **ma** potranno votare i libri concorrenti on-line.
O si raggiunge il quorum (678 voti) **o** si continua a votare.
Gli agenti hanno rassicurato il bambino, **cioè** gli hanno promesso di ritrovare i suoi genitori.
Lui non ha **né** pianto **né** gridato.
Apparirà nel nostro cielo il 9 marzo **e anche** il giorno dopo sarà visibile.
L'attenzione del pubblico è puntata **sia** sui cinesi **sia** sulla squadra degli Emirati.

LE CONGIUNZIONI SUBORDINATIVE
Si analizzeranno le immagini dei giorni precedenti al furto, **perché** probabilmente i ladri sono entrati nel museo qualche giorno prima.
Pare di no, **visto che** hanno lasciato nel museo oggetti di valore ben più elevato.
Dopo che si saranno analizzati i filmati del museo, si riuscirà a dare una risposta a tutti questi interrogativi.
Siccome i video sono offuscati per l'effetto dei fumogeni accesi dai ladri, gli esperti stanno lavorando per ripulirli.
Forse si troverà qualche elemento interessante per le indagini, **non appena** il lavoro sarà terminato.
Mentre è in corso questa operazione, la Polizia indaga in direzioni diverse.
Gli agenti non si esprimeranno **finché** non avranno individuato il responsabile.

LE FUNZIONI COMUNICATIVE

- **Parlare delle proprie abitudini rispetto a giornali e riviste**
  Se non leggo ogni giorno almeno un paio di quotidiani, tipo «il Corriere della Sera» e «la Repubblica», e «l'Espresso» una volta a settimana, mi sento fuori dal mondo.
  Io leggo un po' di tutto: «la Repubblica», la «Gazzetta di Parma», «Il Sole 24 ORE», «l'Espresso», «La cucina italiana».
- **Parlare di avvenimenti futuri**
  Tra pochi giorni partiranno i lavori per la costruzione del nuovo palazzetto dello sport.
- **Esprimere un'incertezza rispetto al presente o al futuro**
  Sarà Turrisi il nuovo sindaco di Parma?
  Dove sarà Samuele?
- **Formulare una supposizione rispetto al presente o al futuro**
  Probabilmente sarà in coda da qualche parte e arriverà tra poco.
- **Parlare di più azioni future, mettendole in ordine temporale**
  Gli agenti non si esprimeranno finché non avranno individuato il responsabile.
- **Esprimere un'incertezza rispetto a un avvenimento passato**
  Chi sarà stato?
  Dove avrà nascosto il bottino?
- **Esprimere una supposizione rispetto a un avvenimento passato**
  Forse sarà stato qualcuno che si trovava già dentro al museo.

IL LESSICO

- **I giornali**
  il quotidiano nazionale, il quotidiano locale, il quotidiano sportivo, il quotidiano economico, la rivista di attualità, la rivista femminile, la rivista di auto e moto, la rivista di enigmistica, la rivista di cucina, la rivista di turismo e viaggi, la stampa locale, l'inserto, il settimanale, il mensile
- **Come comprare o consultare il giornale**
  l'abbonamento, il giornale on-line, l'edicola
- **Le rubriche del giornale**
  Cronaca, Cultura, Economia, Politica, Scienze, Sport
- **La cronaca nera**
  il furto, la caccia ai ladri, gli investigatori, il sopralluogo, il bottino, i fumogeni, le indagini, il complice, le persone sospette, la Polizia
- **Le parole delle supposizioni**
  forse, magari, chissà, probabilmente

LEGGERE

1 Il titolo di un giornale riassume le informazioni contenute nell'articolo: leggete il seguente titolo e provate a immaginare che cosa è successo.

Fa arrestare il ladro, poi gli offre un lavoro

2 Leggete l'articolo: le vostre previsioni sono confermate?

Il gesto di un manager di Firenze: «Non sono un santo, volevo dargli una possibilità. Ho pensato: che ladro può essere uno che viene a rubare con l'auto della moglie, uno che lavora tutta la notte per un bottino di 60 euro?».
Ha fermato il ladro, poi ha scoperto che era un disoccupato, uno che vive con 250 euro al mese, e il giorno dopo gli ha offerto un lavoro. Paolo P. ha 62 anni e fa "temporaneamente" il manager in un residence appena ultimato dove gli appartamenti sono tutti in vendita e disabitati. Tutti eccetto uno: quello in cui vive lui. Il ladro non lo sapeva, pensava di andare in un cantiere senza sorveglianza.

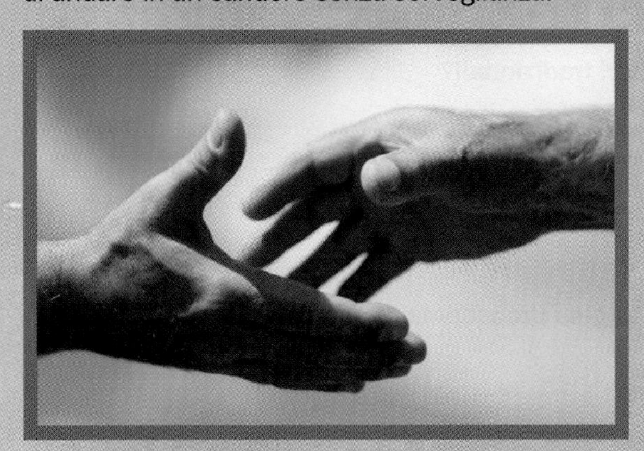

«Ho sentito dei rumori, lunedì, prima dell'alba, e ho pensato al vento, poi ho capito che doveva essere entrato qualcuno. Ho aperto la porta e ho visto un uomo che urlava: "Non ho fatto niente, niente". Era terrorizzato e gli ho gridato: "Chiamo i carabinieri!". È scappato, è salito sull'auto e ha cercato di venirmi addosso. A quel punto gli ho tirato un sasso sul vetro e l'ho bloccato». I carabinieri, pochi minuti dopo, lo hanno arrestato. P. ci ha riflettuto su qualche ora, quindi ha scritto una lettera e l'ha fatta pubblicare ieri su «Il Tirreno»: «Caro ladro, dopo qualche ora di detenzione e magari qualche giorno agli arresti domiciliari, ti invito a passare al cantiere. Porta con te un tagliaerba e io ti prometto che ti farò tagliare il prato per 8 euro l'ora e se hai una compagna porta anche lei, ci sono 50 appartamenti da pulire. Ti offrirò un bicchiere di vino e cercherò di convincerti a scegliere vie meno complicate per esistere. Ti aspetto, l'indirizzo tanto lo sai».
La risposta del ladro non si è fatta attendere: Marcello M. quando ha saputo dell'offerta era felice: «Siete sicuri? L'accetto a braccia aperte» ha detto.

(adattato da http://firenze.repubblica.it)

3 Rispondete alle domande.

1 In quale situazione si sono conosciuti il signor Marcello e il signor Paolo?

....

....

2 Com'è finito l'incontro tra i due uomini?

....

....

3 Perché il signor Marcello ha deciso di rubare?

....

....

4 Che cosa ha fatto il signor Paolo poco dopo l'incontro con il signor Marcello e perché?

....

....

5 Come ha reagito il signor Marcello e perché?

....

....

ASCOLTARE

1 **Discutete insieme: secondo voi Internet come e quanto ha cambiato il mondo della stampa e la professione del giornalista?**

2 **Ascoltate l'intervista a Beppe Severgnini, un noto giornalista italiano, e rispondete alle domande.**

1. Come considerano il rapporto tra giornalisti e lettori alcuni colleghi di Severgnini?
   ....
2. Perché altri colleghi giornalisti hanno paura di Internet?
   ....
3. Che cosa fa Severgnini per trovare informazioni?
   ....
4. Com'è cambiato il suo rapporto con i quotidiani?
   ....
5. In che modo i lettori aiutano il giornalista?
   ....

3 **E voi che tipo di lettori siete? Lettori-commentatori o lettori tradizionali?**

SCRIVERE

1 **Riassumete in poche righe l'articolo che avete letto alla pagina precedente. Non dimenticate di fornire le seguenti informazioni.**

1. I protagonisti dell'accaduto.
2. Il luogo.
3. Il fatto.
4. Perché il fatto è accaduto.
5. Quali conseguenze ha avuto.

PARLARE

1 **Leggete i fumetti e pensate a che cosa dire per completarli.**

2 **Sulla base delle vostre riflessioni, parlate di voi e del vostro rapporto con i giornali e l'informazione.**

Per saperne di più

1 **Abbinate le descrizioni ai nomi dei giornali.**

1 [A] È il principale quotidiano economico italiano, il punto di riferimento per l'informazione economico-finanziaria.
2 [ ] Secondo quotidiano italiano per numero di copie vendute (ha una tiratura di circa 600 000 copie al giorno), è stato fondato nel 1976.
3 [ ] È l'unica rivista dedicata esclusivamente al turismo sul territorio italiano.
4 [ ] È un mensile di cucina ricco di informazioni e consigli per preparare pranzi e cene perfetti.
5 [ ] È un settimanale femminile dedicato alle donne. Fornisce informazioni aggiornate su attualità, cultura e costume, approfondendo i problemi della coppia, della famiglia e dei figli.
6 [ ] È un famosissimo settimanale di enigmistica con parole crociate, quiz, indovinelli, rebus... e le ultime novità come il sudoku.
7 [ ] È uno dei giornali storici della città emiliana. La sua fondazione risale al 1700. Oggi è uno dei quotidiani più venduti di Parma e provincia.
8 [ ] È la principale rivista dedicata al mondo delle auto e dei motori. Con uscita mensile, contiene rubriche, schede, recensioni di tutti gli ultimi modelli di auto e un dettagliato listino prezzi.
9 [ ] Fondata nel 1896, è oggi il primo quotidiano sportivo italiano.

A Il Sole 24 ORE
B La Settimana Enigmistica
C La Cucina Italiana — dal 1929 il mensile di gastronomia con la cucina in redazione
D la Repubblica
E Donna Moderna — il settimanale che ti facilita la vita
F Gazzetta di Parma
G La Gazzetta dello Sport — Tutto il rosa della vita
H Bell'Italia
I Quattroruote

2 **E nel vostro Paese? Quali sono i giornali più famosi? Scrivete qualche esempio per ciascuno dei seguenti tipi di giornali e riviste.**

1 un quotidiano nazionale: ....
2 un quotidiano locale: ....
3 un quotidiano economico: ....
4 una rivista di attualità: ....
5 una rivista di turismo: ....

Un luogo

3 Leggete il testo e indicate se le affermazioni sottostanti sono vere o false.

Via Solferino 28, Milano

Il «Corriere della Sera» è uno storico quotidiano italiano. Fondato nel 1876, si è trasferito nel 1904 nella sua storica sede di via Solferino 28 a Milano, in un palazzo creato sul modello della sede del «Times» di Londra. Nel 1984 anche la redazione della «Gazzetta dello Sport», il "giornale rosa", si è trasferita nello stesso luogo.

Il palazzo rappresenta uno dei luoghi simbolo dell'Italia moderna. Il «Corriere della Sera» infatti è uno dei quotidiani d'Italia più venduti ed è la testata italiana più conosciuta nel mondo. La sua sede è aperta alle visite: una guida accompagna i visitatori e racconta come funziona il lavoro di redazione.

		V	F
1	A Milano, in via Solferino, c'è la sede del «Corriere della Sera».	☐	☐
2	Il «Corriere della Sera» ha sempre occupato la stessa sede.	☐	☐
3	Il palazzo è simile a quello in cui ha sede un giornale inglese molto famoso.	☐	☐
4	La «Gazzetta dello Sport» ha sede in un palazzo accanto a quello del Corriere.	☐	☐
5	Il «Corriere della Sera» è il giornale italiano più conosciuto nel mondo.	☐	☐
6	È possibile visitare la sede del «Corriere» da soli.	☐	☐

4 E nel vostro Paese? Conoscete un luogo rappresentativo del giornalismo? Quale?

Un personaggio

5 Ricostruite la biografia di uno dei più grandi giornalisti italiani di tutti i tempi.

Enzo Biagi

☐ La sua carriera giornalistica inizia come cronista del «Resto del Carlino». Diventa professionista a 21 anni, età minima per entrare nell'Albo professionale.

☐ La passione per la scrittura nasce in lui fin da giovane e, ancora studente, crea con altri compagni una piccola rivista intitolata «Il Picchio», dedicata alla vita scolastica.

1 Enzo Biagi (1920-2007) è stato un grande giornalista, scrittore e conduttore televisivo. Figlio di una casalinga e di un operaio, all'età di 9 anni lascia con la famiglia il paesino natale della provincia di Bologna per trasferirsi nel capoluogo, dove in seguito frequenta l'Istituto tecnico.

☐ Si spegne nel 2007, all'età di 87 anni. Rimane di lui il ricordo di un grande giornalista, un uomo gentile e libero, che ha sempre raccontato la verità dei fatti senza dimenticare l'importanza di una scrittura elegante.

☐ Negli anni Sessanta arriva il successo: collabora come inviato con «La Stampa» di Torino, scrive per il «Corriere della Sera« e per il settimanale «L'Europeo»; realizza inoltre dei programmi di approfondimento giornalistico con la Rai. Negli anni successivi continua a collaborare con i giornali e le riviste più importanti d'Italia, intervista personaggi famosi, scrive libri e conduce trasmissioni come *Il Fatto*, un programma sui principali avvenimenti del giorno di cui Biagi è autore e conduttore.

6 E nel vostro Paese? Conoscete il nome di un giornalista famoso? Cercate informazioni e raccontate qualcosa della sua vita.

Un'opera

7 Leggete il testo e rispondete alle domande.

Il romanzo d'appendice è stato un genere letterario molto di moda tra la seconda metà dell'Ottocento e i primi decenni del Novecento. Si trattava di un romanzo che usciva su un quotidiano o una rivista, a puntate pubblicate generalmente la domenica.
I romanzi d'appendice italiani più conosciuti sono il ciclo di avventure del principe malese Sandokan, dello scrittore Emilio Salgari, e il famosissimo *Pinocchio* di Carlo Collodi. La prima puntata delle *Avventure di Pinocchio*, intitolata *Storia di un burattino*, è stata pubblicata il 7 luglio 1881 sul periodico per l'infanzia «Giornale per i bambini».

1 Che cos'è il romanzo d'appendice?
2 In quale periodo si è diffuso?
3 Chi è Sandokan?
4 Quando e dove è stata pubblicata la prima parte delle *Avventure di Pinocchio*?

GIORNALE PER I BAMBINI

ANNO I. - N. 2. — FERDINANDO MARTINI direttore — *Roma, 14 Luglio 1881.*

ABBONAMENTI. Un anno per l'Italia L. 12, per l'estero (Unione Postale) » 15. Un Numero separato Centesimi 25.

SI PUBBLICA OGNI GIOVEDÌ. DIREZIONE E AMMINISTRAZIONE Roma, Piazza Montecitorio N.° 130.

AVVERTENZE. Non si restituiscono i manoscritti. Dirigere lettere e vaglia all'Amministrazione del *Giornale per i Bambini*.

Sommario.
La Storia di un Burattino, *C. Collodi* - Un viaggetto per la casa, *Giuseppe Rigutini*. - La Principessina Nenuphar, *V. Vecchi*. - La Busta di Michele, *F. Martini*. - Sull'Erba, *Matilde Serao*. - I compagni della mia fanciullezza, *Sofia Albini* - Bambini girovaghi, *Ida Baccini* - Siamo sette (da Wordsworth), *E. Nencioni*. - Salto del cavallo - A chius'occhi. - Rebus. - Crittografie. - Giuoco chinese. - Laterculi angolari.

LA STORIA DI UN BURATTINO.(*)

III.

La casa di Geppetto era una stanzina terrena, che pigliava luce da un sottoscala. La mobilia non poteva essere più semplice: una seggiola cattiva, un letto poco buono e un tavolino tutto rovinato. Nella parete di fondo si vedeva un caminetto col fuoco acceso; ma il fuoco era dipinto, e accanto al fuoco c'era dipinta una pentola che bolliva allegramente e mandava fuori una nuvola di fumo che pareva fumo davvero.

Appena entrato in casa, Geppetto prese subito gli arnesi e si pose a intagliare e a fabbricare il suo burattino.

— Che nome gli metterò? — disse fra sè e sè — Lo voglio chiamar Pinocchio. Questo nome gli porterà fortuna. Ho conosciuto una famiglia intera di Pinocchi. Pinocchio il padre, Pinocchia la madre e Pinocchi i ragazzi, e tutti se la passavano bene. Il più ricco di loro chiedeva l'elemosina.

Quando ebbe trovato il nome al suo burattino, allora cominciò a lavorare a buono, e gli fece subito i capelli, poi la fronte, poi gli occhi.

Fatti gli occhi, si accorse che gli occhi si muovevano e che lo guardavano fisso fisso.

Geppetto, vedendosi guardare da quei due occhi di legno, se n'ebbe quasi per male, e disse con accento risentito:

— Occhiacci di legno, perchè mi guardate?

Nessuno rispose.

Allora, dopo gli occhi, gli fece il naso; ma il naso, appena fatto, cominciò a crescere, e cresci, cresci, cresci, diventò in pochi minuti un nasone che non finiva mai.

Il povero Geppetto si affaticava a ritagliarlo; ma più lo ritagliava e lo scorciva, e più quel naso impertinente diventava lungo!

Dopo il naso, gli fece la bocca.

La bocca non era ancora finita di fare, che cominciò subito a ridere e a canzonarlo.

— Smetti di ridere — disse Geppetto impermalito; ma fu come dire al muro.

— Smetti di ridere, ti ripeto! — urlò con voce minacciosa.

Allora la bocca smesse di ridere, ma cacciò fuori tutta la lingua.

Geppetto, per non guastare i fatti suoi, finse di non avvedersene, e continuò a lavorare.

Dopo la bocca, gli fece il mento, poi il collo, le spalle, lo stomaco, le braccia e le mani.

Appena finite le mani, Geppetto sentì portarsi via la parrucca dal capo. Si voltò in su, e che cosa vide? Vide la sua parrucca gialla in mano del burattino.

— Pinocchio, rendimi subito la mia parrucca!

E Pinocchio, invece di rendergli la parrucca se la messe in capo per sè, rimanendovi sotto mezzo affogato.

A quel garbo insolente e derisorio, Geppetto si fece triste e melanconico, come non era stato mai in vita sua: e voltandosi verso Pinocchio, gli disse:

— Birba d'un figliolo! Non sei ancora finito di fare, e già cominci a mancar di rispetto a tuo padre! ... ragazzo mio, male!

E si rasciugò una lacri...

Restavano ...

(*) Continuazione, vedi N. 1.

8 E nel vostro Paese? Conoscete dei romanzi che sono stati pubblicati a puntate sui giornali? Se sì, quali?

Un video

9 Collegatevi al sito www.loescher.it/studiareitaliano/. Guardate il video *L'edicolante* e svolgete le attività proposte.

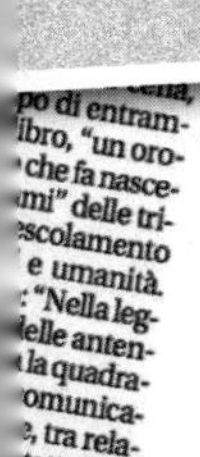

8 Penso che sia necessario!

In questa unità imparate a:

A esprimere opinioni, sentimenti e dubbi
B raccontare le esperienze di altre persone
C esprimere e difendere il vostro punto di vista

A

1 Osservate e abbinate le attività alle immagini.

1 [E] Mangiare cibo sano e fare sport.
2 [ ] Aiutare le persone sole, malate o in difficoltà.
3 [ ] Impegnarsi in organizzazioni di volontariato.
4 [ ] Trascorrere il tempo con le persone che amiamo.
5 [ ] Imparare altre lingue e conoscere culture diverse dalla nostra.
6 [ ] Viaggiare e scoprire il mondo.

B

C
D

E

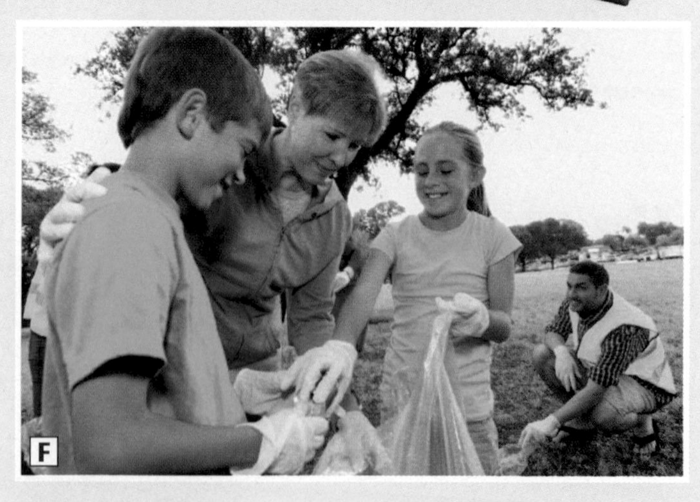
F

2 Quali attività preferite tra quelle elencate sopra? Perché? Quali altre attività vi interessano o vi rendono felici?

A CREDO CHE LA FELICITÀ SIA DENTRO DI NOI

1 Leggete le affermazioni: le condividete? Perché?

2 Leggete gli interventi nel forum. Con quale delle opinioni espresse siete maggiormente d'accordo? Perché?

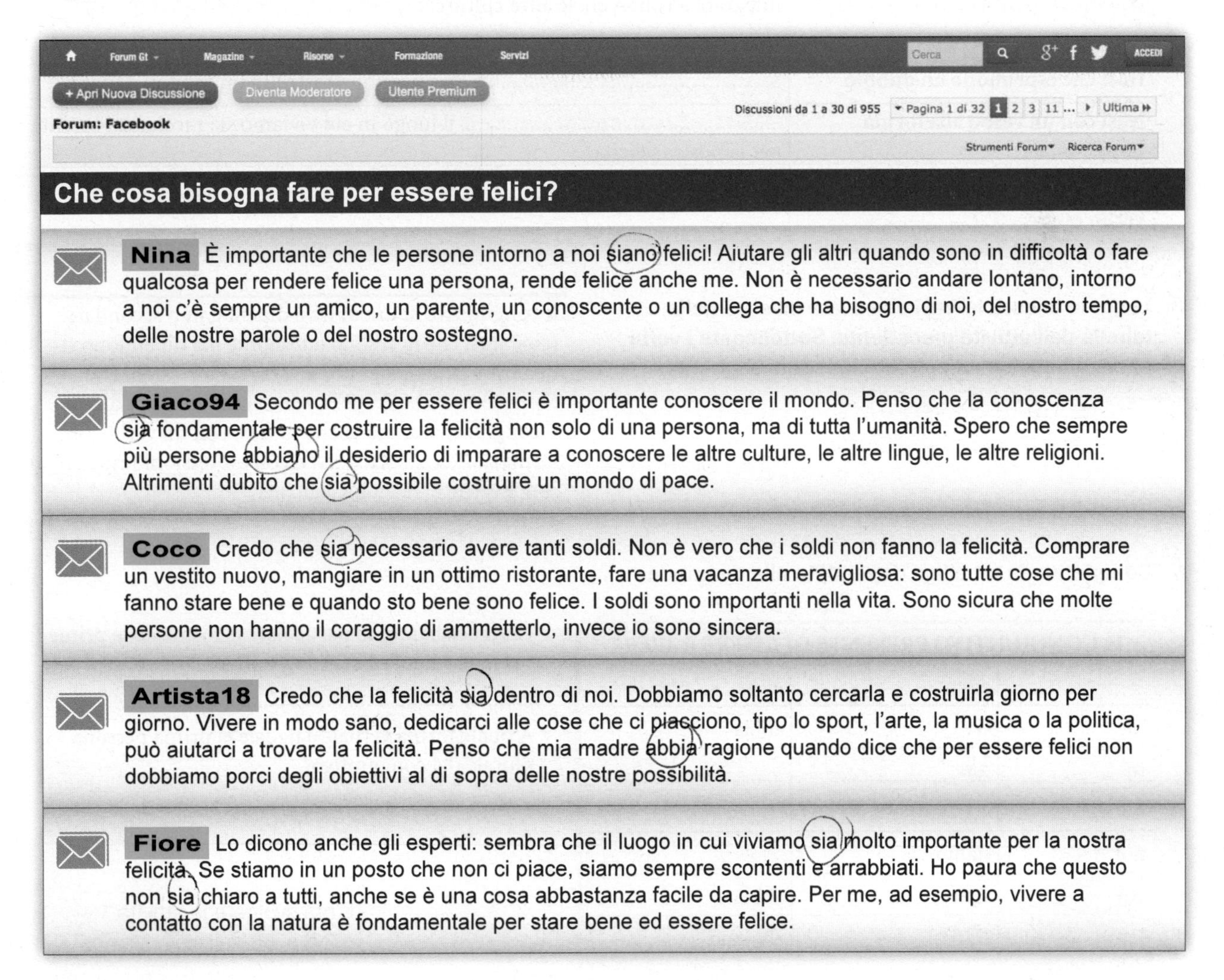

Forum Gt · Magazine · Risorse · Formazione · Servizi · Cerca · ACCEDI

+ Apri Nuova Discussione · Diventa Moderatore · Utente Premium

Forum: Facebook

Discussioni da 1 a 30 di 955 · Pagina 1 di 32 · 1 2 3 11 ... · Ultima

Strumenti Forum · Ricerca Forum

Che cosa bisogna fare per essere felici?

Nina È importante che le persone intorno a noi siano felici! Aiutare gli altri quando sono in difficoltà o fare qualcosa per rendere felice una persona, rende felice anche me. Non è necessario andare lontano, intorno a noi c'è sempre un amico, un parente, un conoscente o un collega che ha bisogno di noi, del nostro tempo, delle nostre parole o del nostro sostegno.

Giaco94 Secondo me per essere felici è importante conoscere il mondo. Penso che la conoscenza sia fondamentale per costruire la felicità non solo di una persona, ma di tutta l'umanità. Spero che sempre più persone abbiano il desiderio di imparare a conoscere le altre culture, le altre lingue, le altre religioni. Altrimenti dubito che sia possibile costruire un mondo di pace.

Coco Credo che sia necessario avere tanti soldi. Non è vero che i soldi non fanno la felicità. Comprare un vestito nuovo, mangiare in un ottimo ristorante, fare una vacanza meravigliosa: sono tutte cose che mi fanno stare bene e quando sto bene sono felice. I soldi sono importanti nella vita. Sono sicura che molte persone non hanno il coraggio di ammetterlo, invece io sono sincera.

Artista18 Credo che la felicità sia dentro di noi. Dobbiamo soltanto cercarla e costruirla giorno per giorno. Vivere in modo sano, dedicarci alle cose che ci piacciono, tipo lo sport, l'arte, la musica o la politica, può aiutarci a trovare la felicità. Penso che mia madre abbia ragione quando dice che per essere felici non dobbiamo porci degli obiettivi al di sopra delle nostre possibilità.

Fiore Lo dicono anche gli esperti: sembra che il luogo in cui viviamo sia molto importante per la nostra felicità. Se stiamo in un posto che non ci piace, siamo sempre scontenti e arrabbiati. Ho paura che questo non sia chiaro a tutti, anche se è una cosa abbastanza facile da capire. Per me, ad esempio, vivere a contatto con la natura è fondamentale per stare bene ed essere felice.

3 Abbinate il nome delle persone intervenute nel forum dell'attività precedente ai valori che ognuna di loro considera importanti per essere felici.

1 conoscenza ..Giaco 94..........
2 solidarietà ....
3 equilibrio personale ....
4 armonia con l'ambiente ....
5 ricchezza ....

4 Rileggete gli interventi dell'attività 2 e completate le frasi nella tabella.

ALCUNI USI DEL MODO CONGIUNTIVO	
frasi che esprimono un'opinione	Penso che.................... la conoscenza sia fondamentale per costruire la felicità. .... mia madre abbia ragione. .... sia necessario avere tanti soldi. .... la felicità sia dentro di noi.
frasi che esprimono un sentimento (speranza, paura ecc.)	.... sempre più persone abbiano il desiderio di imparare a conoscere le altre culture. .... questo non sia chiaro a tutti.
frasi che esprimono un dubbio	.... sia possibile costruire un mondo di pace.
frasi con un verbo alla forma impersonale	.... il luogo in cui viviamo sia molto importante per la nostra felicità.
espressioni impersonali con il verbo *essere*	.... le persone intorno a noi siano felici.

5 Leggete ancora le frasi che avete inserito nella tabella dell'attività precedente. Sottolineate i verbi al congiuntivo e completate la regola seguente.

Il congiuntivo si usa in frasi dipendenti o secondarie (cioè frasi che non sono autonome ma dipendono da una frase principale) dopo verbi o espressioni che esprimono ..un'opinione.., un sentimento, un dubbio.
Il congiuntivo si usa anche in frasi con un verbo alla forma .... o con espressioni impersonali con il verbo ....

6 Completate la tabella e rispondete alle domande.

IL CONGIUNTIVO PRESENTE DI *ESSERE* E *AVERE*		
	essere	*avere*
io	sia	abbia
tu	sia....................	....
lui/lei/Lei	....	....
noi	siamo	....
voi	siate	abbiate
loro	siano	abbiano

Che cosa hanno di particolare le forme delle prime tre persone singolari del congiuntivo?

....

A quale forma verbale è uguale la prima persona plurale del congiuntivo?

....

E ora svolgete le attività 1 e 2 a p. 60 dell'eserciziario.

7 Secondo voi che cosa è importante per essere felici? Leggete la lista, ampliatela e stabilite un ordine di importanza.

- [ ] conoscenza
- [ ] solidarietà
- [ ] equilibrio personale
- [ ] armonia con l'ambiente
- [ ] ricchezza
- [ ] ....
- [ ] ....
- [ ] ....

8 In gruppo.
Confrontate la lista dell'attività precedente con quella dei compagni e motivate le vostre opinioni.

B CREDO CHE SIA ANDATO IN AFRICA

1 Pensate a degli amici di cui non avete notizie da un po' di tempo. Chi sono? Perché avete perso i contatti con loro?

2 Ascoltate il dialogo e rispondete alle domande.

1. Chi è Leonardo?
   Un amico di Costantino e Dario.
2. Secondo Dario, dov'è andato Leonardo e con chi?
   ....
3. Che lavoro fa?
   ....
4. Chi è Enrica?
   ....
5. Secondo Costantino, perché Leonardo ha deciso di partire?
   ....
6. Secondo Dario, dove abita e che cosa fa Enrica?
   ....
7. Che cosa si augura Dario a proposito di Leonardo?
   ....
8. Perché vuole scrivergli?
   ....

3 Ascoltate ancora il dialogo e completate le frasi nella tabella e le regole sottostanti.

FRASI CON IL CONGIUNTIVO PRESENTE	FRASI CON IL CONGIUNTIVO PASSATO	FRASI IN CUI NON SI USA IL CONGIUNTIVO
Penso che ...lavori... in un centro di assistenza a bambini e malati. Spero che .... felice! Credo che .... la ricercatrice all'università. Immagino che Leo non .... nemmeno la notte pur di aiutare gli altri. Spero che .... la mia mail e mi .... presto.	Credo che .... in Africa. Mi pare che .... con Medici senza frontiere. Peccato che il loro matrimonio non ....! A volte penso che lui .... la decisione di partire proprio a causa della storia con Enrica. Io credo che lui .... sempre .... fare una cosa del genere. Pare che .... a vivere a Viterbo e si sia risposata.	.... che per lui la professione del medico .... sempre stata una vocazione. Comunque spero di .... a trovarlo.

Si usa il congiuntivo passato quando il verbo della frase secondaria si riferisce a un'azione precedente a quella del verbo della frase principale, come nella frase Credo che sia andato in Africa.

Non si usa il congiuntivo quando la frase principale non esprime un dubbio, un'opinione, un sentimento ecc. ma una certezza, come nella frase ....

Si usa l'infinito e non il congiuntivo quando i due verbi che compaiono nella frase principale e in quella secondaria hanno lo stesso soggetto, come nella frase ....

4 Completate la tabella con il congiuntivo presente dei verbi indicati.

IL CONGIUNTIVO PRESENTE DEI VERBI REGOLARI			
	lavorare	*leggere*	*dormire*
io	lavori	legga	dorma
tu	lavori	legga	dorma
lui/lei/Lei	....	....	....
noi	....	leggiamo	....
voi	lavoriate	leggiate	dormiate
loro	lavorino	leggano	dormano

5 Completate le forme del congiuntivo presente di alcuni verbi irregolari di uso frequente.

1 *fare*: faccia, faccia, ..., ..., facciate, facciano.
2 *dare*: dia, ..., ..., ..., diate, diano.
3 *andare*: vada, ..., ..., ..., andiate, vadano.
4 *stare*: stia, ..., ..., ..., stiate, stiano.
5 *potere*: possa, ..., ..., ..., possiate, possano.
6 *dovere*: debba, ..., ..., ..., dobbiate, debbano.
7 *volere*: voglia, ..., ..., ..., vogliate, vogliano.

6 Osservate le foto: che cosa pensate delle persone raffigurate?

A

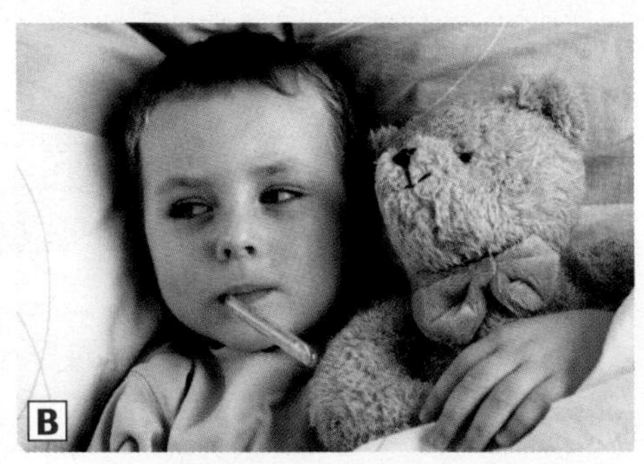
B

C

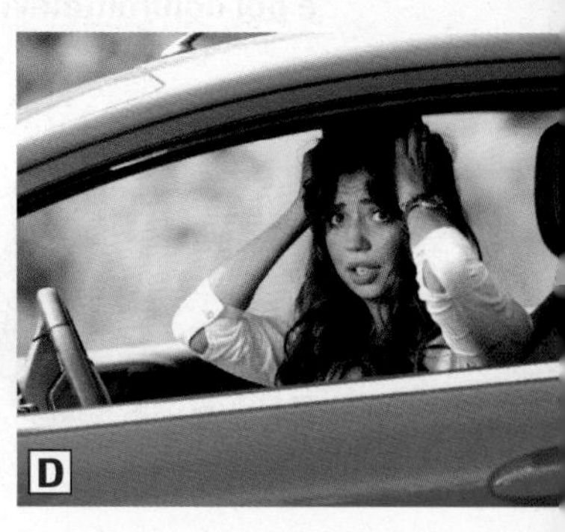
D

1 Penso che sia una persona simpatica. ....
2 Credo che abbia ....
3 Immagino che lavori ....
4 Mi sembra che stia ....
5 È possibile che voglia ....
6 Sono sicuro/a che può ....
7 Secondo me ha paura di ....
8 Spero che vada ....

E ora svolgete le attività 1 a p. 61 e 2 a p. 62 dell'eserciziario.

7 In coppia.
Riferite al vostro compagno che cosa pensate delle persone raffigurate nelle foto dell'attività precedente e ascoltate le sue opinioni a proposito.

Penso che sia una persona simpatica.

Hai ragione! Anch'io penso che sia simpatico.

Credo che abbia 40 anni.

Ti sbagli! Secondo me è più giovane.

8 Completate la tabella con il congiuntivo passato dei verbi indicati.

IL CONGIUNTIVO PASSATO		
	partire	*prendere*
io	sia partito	abbia preso
tu	.... partito	....
lui/lei/Lei	sia	....
noi	siamo partiti	abbiamo preso
voi	....	....
loro	....	....

9 Osservate le foto: che cosa immaginate a proposito del passato dell'uomo raffigurato? Completate le frasi e poi confrontatevi con un compagno.

1 Penso che da giovane sia stato una persona attiva.
2 Credo che abbia avuto ...
3 Immagino che abbia lavorato ...
4 Mi sembra che sia stato ...
5 È possibile che abbia fatto ...
6 Sono sicuro/a che ha visto ...

E ora svolgete le attività 3 a p. 62 e 4 a p. 63 dell'eserciziario.

10 In gruppo.
Nell'attività 1 avete pensato a degli amici lontani di cui non avete notizie da tempo. Sceglietene uno e raccontate ai compagni:

1 che cosa pensate che faccia;
2 dove immaginate che sia;
3 che cosa credete che sia successo durante il periodo di tempo in cui non vi siete più sentiti.

SPERO CHE IL PROSSIMO ANNO VADA ANCORA MEGLIO

1 Abbinate i loghi delle associazioni ai testi.

1 ☐

2 ☐

3 ☐

A
Solo i cittadini comuni possono difendere il bene comune. Attiva il tuo potere. Aderisci alla nostra associazione. Il tuo semplice gesto ci permetterà di continuare nelle nostre attività di tutela e informazione gratuite, salvaguardando allo stesso tempo i tuoi diritti.

B
Essere un nostro volontario non vuol dire soltanto dare una risposta concreta alle tante richieste di aiuto che ci arrivano ogni giorno, ma significa anche far parte di un grande movimento.
Un movimento che con il massimo impegno lavora per difendere i diritti dei bambini e degli adolescenti e dare un senso al presente e al futuro di tutti.

C
Ogni giorno quasi 28mila medici, infermieri, amministratori e altri professionisti qualificati sono al lavoro per fornire assistenza sanitaria a chi ne ha bisogno. Collabora anche tu. Con uno sforzo minimo puoi aiutarci a costruire un mondo migliore.

2 Ascoltate la trasmissione radiofonica: secondo voi con quale delle associazioni dell'attività precedente collabora ciascuno dei tre volontari intervistati?

1 Giacomo: .... 2 Nadia: .... 3 Sara: ....

3 Ascoltate ancora e completate le informazioni sulle persone intervistate.

Giacomo

1 Si occupa di bambini.
2 Crede che ....
3 Collabora con ....
4 L'anno scorso ....
5 Spera che il prossimo anno ....

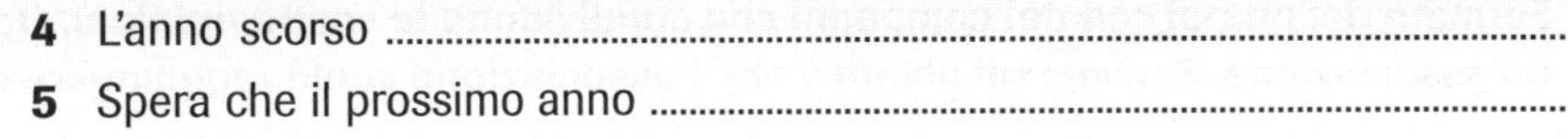

Nadia

1 Le interessa ....
2 Collabora con ....
3 Secondo lei nella nostra società ....
4 Crede che la cosa più importante ....
5 Pensa che ....
6 Si impegna a ....

Sara

1 Vive in ....
2 Si occupa di ....
3 Secondo lei le persone ....
4 Dove abita lei ....
5 Si augura che ....
6 Crede che ....

4 Riassumete in tre frasi il punto di vista di Giacomo, Nadia e Sara rispetto ad alcuni problemi sociali.

1 Dal punto di vista di Giacomo ...se aiutiamo i bambini...
2 Secondo Nadia ...
3 Per Sara ...

5 Quale delle attività svolte dalle persone intervistate considerate più importante o interessante? Perché?

6 Completate le seguenti frasi, tratte dall'intervista.

LA FORMA COMPARATIVA DEGLI AVVERBI *BENE* E *MALE*	
L'anno scorso è andata molto **bene**.	Spero che il prossimo anno vada ancora ....
Alcune cose vanno **male** nella nostra società.	Se non facciamo qualcosa, andrà sempre ....

E ora svolgete l'attività 2 a p. 64 dell'eserciziario.

7 In gruppo.
Secondo il vostro punto di vista, quali sono le cose che vanno male nella nostra società? Che cosa invece va bene? Che cosa potrebbe andare peggio o meglio? Che cosa possiamo fare noi per migliorare la società? Discutete insieme e poi riferite alla classe.

Progettiamolo INSIEME

1 Quali sono, secondo voi, le cose da fare per essere più felici come individui? Quali attività possono migliorare il mondo?
Formate dei gruppi con dei compagni che condividono le vostre opinioni. Ogni gruppo decide di creare un'associazione. Scrivete gli obiettivi che l'associazione vuole raggiungere e il programma per realizzarli.

PRONUNCIA E GRAFIA

1 Abbinate le affermazioni della colonna di sinistra agli esempi della colonna di destra.

La lettera maiuscola si usa sempre all'inizio di una frase e nei seguenti casi:

1 [h] dopo un punto fermo.
2 [ ] dopo un punto esclamativo.
3 [ ] dopo un punto interrogativo.
4 [ ] per indicare la forma di cortesia.
5 [ ] con i nomi di persona.
6 [ ] con i titoli di libri, canzoni, articoli ecc.
7 [ ] con i nomi che indicano un continente, una nazione, luoghi geografici in genere.
8 [ ] con i nomi di strade, piazze, edifici ecc.
9 [ ] con i nomi di gruppi, associazioni, movimenti, organizzazioni ecc.
10 [ ] con i nomi delle festività.
11 [ ] con i nomi di secoli.

a Ti ricordi quando l'abbiamo conosciuto? Quella sera...
b Credo che sia andato in Africa.
c Nel Novecento un italiano ha vinto il premio Nobel per la pace.
d La sede della nostra associazione è in via Tritone.
e Mi pare che sia partito con Medici senza frontiere.
f Organizziamo il pranzo di Natale.
g Signora, Le posso fare una domanda?
h Credo che la felicità sia dentro di noi. Dobbiamo soltanto cercarla e costruirla giorno per giorno.
i Adoro la canzone *La felicità.*
l Non conosco Leonardo.
m Che coraggio! Spero che sia felice!

2 Ascoltate Leonardo che legge l'email ricevuta da Dario e inserite le lettere maiuscole dove necessario.

..C..aro .....eonardo,
.....ome stai? ....ono passati ....ue anni da quando sei partito e devo dire che ci siamo sentiti veramente poco. ....a qualche ....ettimana ho in mente di scriverti e finalmente oggi ho trovato un po' di ....empo per farlo. ....ove ti trovi esattamente? ....i pare di ricordare che eri andato in ....frica, ma magari nel frattempo ti sei spostato in ....ustralia o in ....rgentina. ....he vita emozionante! ....avori con ....edici senza frontiere? ....oco fa è venuto ....ostantino e abbiamo parlato di te e dei vecchi tempi. ....ui adesso abita in via ....ppia e non ci vediamo molto ....pesso. ....ualche volta ci incontriamo in università, oppure viene a trovarmi e allora ci aggiorniamo su quello che è ....uccesso. ....n ....ealtà siamo molto occupati, io con i miei esperimenti di laboratorio, ...ui invece con i suoi libri. ....e ha scritto uno sulla ricerca della ....elicità. ....i intitola *....a felicità è dentro di noi.* ....o ha presentato in una ....ibreria del ....entro qualche giorno prima di ....asqua. ....ono andato alla ....resentazione e l'ho trovata molto ....nteressante. ....on ci crederai, ma c'era anche ....nrica. ....e lo racconto perché ormai vi siete lasciati da tanto tempo e immagino che sia tutto passato. ....erò mi sembra che abbia sofferto anche ....ei per la vostra separazione. ....desso fa la ....icercatrice e si sta occupando di alcuni ....ittori umbri del ....inquecento. ....a torniamo a noi. ....ome ti dicevo, in questi ultimi ....empi, mi sei venuto in ....ente in tante occasioni e per ....uesto ho pensato che potrei venirti a trovare. ....e ti fa piacere e se dove sei c'è un ....etto anche per me, potrei fare un salto dalle tue ....arti.
....crivimi presto e fammi sapere.
....n caro saluto,
....ario

LA GRAMMATICA IN TABELLE

IL CONGIUNTIVO PRESENTE DI *ESSERE* E *AVERE*		
	essere	*avere*
io	sia	abbia
tu	sia	abbia
lui/lei/Lei	sia	abbia
noi	siamo	abbiamo
voi	siate	abbiate
loro	siano	abbiano

IL CONGIUNTIVO PRESENTE DEI VERBI REGOLARI			
	lavorare	*leggere*	*dormire*
io	lavori	legga	dorma
tu	lavori	legga	dorma
lui/lei/Lei	lavori	legga	dorma
noi	lavoriamo	leggiamo	dormiamo
voi	lavoriate	leggiate	dormiate
loro	lavorino	leggano	dormano

IL CONGIUNTIVO PRESENTE DI ALCUNI VERBI IRREGOLARI	
fare	faccia, faccia, faccia, facciamo, facciate, facciano
dare	dia, dia, dia, diamo, diate, diano
andare	vada, vada, vada, andiamo, andiate, vadano
stare	stia, stia, stia, stiamo, stiate, stiano
potere	possa, possa, possa, possiamo, possiate, possano
dovere	debba, debba, debba, dobbiamo, dobbiate, debbano
volere	voglia, voglia, voglia, vogliamo, vogliate, vogliano

IL CONGIUNTIVO PASSATO		
	partire	*prendere*
io	sia partito	abbia preso
tu	sia partito	abbia preso
lui/lei/Lei	sia partito	abbia preso
noi	siamo partiti	abbiamo preso
voi	siate partiti	abbiate preso
loro	siano partiti	abbiano preso

ALCUNI USI DEL MODO CONGIUNTIVO	
frasi che esprimono un'opinione	Penso che la conoscenza sia fondamentale per costruire la felicità. Penso che mia madre abbia ragione. Credo che sia necessario avere tanti soldi. Credo che la felicità sia dentro di noi.
frasi che esprimono un sentimento (speranza, paura ecc.)	Spero che sempre più persone abbiano il desiderio di imparare a conoscere le altre culture. Ho paura che questo non sia chiaro a tutti.
frasi che esprimono un dubbio	Dubito che sia possibile costruire un mondo di pace.
frasi con un verbo alla forma impersonale	Sembra che il luogo in cui viviamo sia molto importante per la nostra felicità.
espressioni impersonali con il verbo essere	È importante che le persone intorno a noi siano felici.

FRASI IN CUI NON SI USA IL CONGIUNTIVO	
la frase principale non esprime un dubbio, un'opinione, un sentimento ecc. ma una certezza	**quando i due verbi che compaiono nella frase principale e in quella secondaria hanno lo stesso soggetto**
Sono sicuro che per lui la professione del medico è sempre stata una vocazione.	Comunque spero di andare a trovarlo presto.

LA FORMA COMPARATIVA DEGLI AVVERBI *BENE* E *MALE*	
L'anno scorso è andata molto **bene**.	Spero che il prossimo anno vada ancora **meglio**.
Alcune cose vanno **male** nella nostra società.	Se non facciamo qualcosa, andrà sempre **peggio**.

LE FUNZIONI COMUNICATIVE

- **Esprimere un'opinione**
  Penso che la conoscenza sia fondamentale per costruire la felicità.
  Credo che la felicità sia dentro di noi.
  Secondo me per essere felici è importante conoscere il mondo.
  Per me, ad esempio, vivere a contatto con la natura è fondamentale per stare bene ed essere felice.
- **Esprimere una speranza**
  Spero che sempre più persone abbiano il desiderio di imparare a conoscere le altre culture.
- **Esprimere una paura**
  Ho paura che questo non sia chiaro a tutti.
- **Esprimere un dubbio**
  Dubito che sia possibile costruire un mondo di pace.
- **Esprimere accordo**
  Hai ragione!
- **Esprimere disaccordo**
  Ti sbagli!
- **Esprimere e difendere il proprio punto di vista**
  Se aiutiamo i bambini a vivere bene, possiamo sperare che il futuro sia migliore per tutti.
- *Sono convinto che dobbiamo aiutare i più piccoli e i giovani a crescere senza paura, nella gioia e nella serenità.*

IL LESSICO

■ **Le persone intorno a noi**
un amico, un parente, un conoscente, un collega, i cittadini, gli altri, l'umanità, i bambini, i sani, i malati, i ricchi, i poveri, i fortunati, gli sfortunati

■ **Alcuni valori e principi morali**
la pace, la conoscenza, la solidarietà, l'equilibrio personale, l'armonia, il coraggio, il bene comune, la tutela dei diritti

■ **Le parole del volontariato**
il volontario, il volontariato, il centro di assistenza, le organizzazioni umanitarie, l'associazione, il movimento, il gesto, l'impegno, l'assistenza sanitaria, la raccolta di fondi, il contributo, il progetto, il valore, il sostegno, la vocazione, l'intenzione, il desiderio

■ **Alcuni verbi del volontariato**
difendere, costruire, aderire, attivare, informare, contribuire, collaborare, occuparsi di, interessarsi di, impegnarsi

■ **Alcune cattive azioni verso gli altri**
sfruttare, ingannare, danneggiare, prendere in giro

■ **Alcune organizzazioni di volontariato**
Medici senza frontiere, Cittadinanza attiva, Telefono azzurro

■ **Alcuni verbi per esprimere opinioni, insicurezze, speranze, paure**
pensare, credere, immaginare, dubitare, sembrare, augurarsi, sperare, aver paura

LEGGERE

1 Osservate le immagini: secondo voi, per gli italiani che cosa è importante per essere felici?

2 Leggete l'articolo: le opinioni che avete espresso nell'attività precedente sono confermate? In generale, gli italiani sono felici?

La felicità degli italiani al tempo di Twitter: i soldi non contano, un raggio di sole sì!

I soldi fanno la felicità o ci basta un raggio di sole? Siamo più felici il venerdì o la domenica? Voices from the Blogs (VfB) ha analizzato circa 12 milioni di tweet raccolti giornalmente sulle 110 province italiane (con una media di 125 000 post al giorno) allo scopo di cercare di capire cosa rende gli italiani più o meno felici. Felicità e rabbia sono infatti due sentimenti che passano molto bene attraverso la comunicazione breve dei 140 caratteri di un tweet.
Almeno in inverno, chi vive al Nord è più felice, ma solo quando fa molto freddo. Quando fa caldo invece, abitare al Nord, al Centro o al Sud non fa molta differenza. Tra i giorni della settimana, il mercoledì è un giorno triste, tanto quanto il lunedì. Al contrario, da venerdì siamo tutti più contenti, fino a quando non arriva la domenica. E i soldi? I soldi (specie al Centro-sud) non comprano la felicità. Ma l'andamento dell'economia è importante. Avere tante imprese nella propria città è importante per essere più felici! Tra le zone mediamente più felici, la prima è la Sardegna (soprattutto la parte sud-occidentale). Tra le grandi città, bene Torino e Bologna, Milano e Firenze a metà classifica, mentre a Napoli, Roma e Palermo la felicità si fa desiderare. Nel complesso gli italiani sono felici... a metà! La felicità media in tutto il periodo considerato è infatti pari al 53,4%, il che vuol dire che ogni due italiani solo (poco più di) uno è felice (e quello che rimane è decisamente arrabbiato...).

(da http://voicesfromtheblogs.com)

3 **Quale relazione c'è tra il livello di felicità degli italiani e i fattori analizzati nel sondaggio? Completate la tabella con le informazioni tratte dal testo dell'attività precedente.**

felicità e tempo atmosferico	felicità e giorni della settimana	felicità e soldi/ economia	felicità e aree geografiche
....	....	....	....
....	....	....	....
....	....	....	....
....	....	....	....
....	....	....	....

ASCOLTARE

1 **Secondo voi quanto è importante la felicità in amore?**

2 **Osservate le immagini. Secondo voi che cosa è successo alla ragazza?**

3 **Cercate in Internet la canzone di Simona Molinari *La felicità*. Ascoltatela e verificate se le vostre ipotesi sono giuste.**

4 **La ragazza ha sbagliato per gelosia e ora vorrebbe tornare indietro. Pensate che sia possibile tornare indietro in amore? E nella vita?**

SCRIVERE

1 **Immaginate di partecipare al forum dell'attività A2. Rispondete anche voi alla domanda: "Che cosa bisogna fare per essere felici?". Raccontate per che cosa vi sentite felici e perchè.**

PARLARE

1 **Pensate al livello di felicità nel vostro Paese e dite che relazione c'è tra:**

1 felicità e tempo atmosferico;
2 felicità e giorni della settimana;
3 felicità e soldi/economia;
4 felicità e aree geografiche.

Per saperne di più

1 Leggete il testo e rispondete alle domande.

Nel nostro Paese sono più di un milione i volontari attivi con continuità in enti e associazioni, mentre sono più di quattro milioni quelli che fanno volontariato in modo individuale e a seconda della loro disponibilità di tempo. Tra le fasce d'età maggiormente impegnate in attività di volontariato c'è quella dei ragazzi tra i 18 e i 19 anni, con le ragazze in numero superiore ai maschi. Quanto alla distribuzione geografica, il Nord (con il 30% di persone attive) supera il Centro e il Sud.
Il volontariato è attivo non soltanto nelle aree tradizionali della salute e dell'assistenza sociale. Molti sono infatti gli italiani che si occupano di protezione civile, tutela dell'ambiente, patrimonio storico-artistico e difesa dei diritti civili.

1. Quante persone si occupano di volontariato in Italia?
3. Chi si dedica maggiormente al volontariato?
4. In quale area del Paese ci sono più volontari?
5. Quali attività svolgono?

2 E nel vostro Paese? Ci sono molte persone che si occupano di volontariato? Quali attività svolgono?

Un luogo

3 Leggete il testo e scegliete il titolo adatto tra quelli elencati.

A La raccolta fondi di Natale

B Il pranzo di Natale dei ricchi

C Il pranzo di Natale dei poveri

....

In quasi tutte le città italiane, ogni anno a Natale, le associazioni di volontariato organizzano dei grandi pranzi per le persone povere, sole, spesso senza casa e senza famiglia. I volontari si occupano della cucina e servono da mangiare e tutti insieme celebrano una delle feste più sentite nel nostro Paese.

4 E nel vostro Paese? C'è un giorno in cui le persone sentono la necessità di fare qualcosa per gli altri? Quale? Che cosa si organizza?

Un personaggio

5 Leggete il testo e rispondete alle domande sottostanti.

Ernesto Teodoro Moneta

Ernesto Teodoro Moneta è nato a Milano nel 1833 da una famiglia ricca e nobile. Durante la gioventù ha combattuto con Giuseppe Garibaldi per la liberazione e riunificazione dell'Italia, poi nel 1866 ha deciso di interrompere la sua carriera militare e ha iniziato a scrivere alcuni articoli contro la guerra. Poco dopo è passato dall'attività di giornalista a quella di diffusore di idee pacifiste.
Per il suo contributo alla creazione di un movimento pacifista internazionale, nel 1907 ha ricevuto il famoso premio Nobel per la pace.
Dopo la sua morte, avvenuta nel 1918, il Comune di Milano gli ha dedicato una statua nei giardini pubblici di Porta Venezia con una targa in cui è scritto: «Ernesto Teodoro Moneta: garibaldino, pensatore, pubblicista, apostolo della pace fra libere genti». È l'unico italiano ad aver ricevuto il premio Nobel per la pace.

1 Chi è Ernesto Teodoro Moneta?
2 Quando ha vissuto?
3 Che cosa ha fatto nella vita?
4 Dove possiamo vedere la statua a lui dedicata?

6 E nel vostro Paese? Quali sono i personaggi famosi che si sono dedicati ad attività di difesa della pace o ad altre attività di volontariato? Sceglietene uno e raccontate: chi è? Quando ha vissuto? Che cosa ha fatto nella vita?

Un'opera

7 Leggete una frase di Ernesto Teodoro Moneta e cercate di interpretare il suo significato.

Forse non è lontano il giorno in cui tutti i popoli, dimenticando gli antichi rancori, si riuniranno sotto la bandiera della fraternità universale e [...] coltiveranno tra loro relazioni assolutamente pacifiche, quali il commercio e le attività industriali, [...]. Noi aspettiamo quel giorno.

8 E nel vostro Paese? Conoscete frasi famose o poesie, libri, opere ispirate al desiderio di un mondo pacifico?

Un video

9 Collegatevi al sito www.loescher.it/studiareitaliano/. Guardate il video *La città delle donne* e svolgete le attività proposte.

Unità 5-8

Facciamo il punto

Comprensione orale

1 Ascoltate i testi e rispondete alle domande.

1 Che cosa propone Giulia a Michele?
- **a** Di guardare un DVD.
- **b** Di guardare un film sulla Rai.
- **c** Di andare a dormire.

2 Con quali rifiuti bisogna buttare i bicchieri di plastica?
- **a** Con la plastica.
- **b** Con gli imballaggi.
- **c** Con i rifiuti non differenziati.

3 Che cosa legge Giovanna?
- **a** Un quotidiano.
- **b** Una rivista per donne.
- **c** Un periodico che parla di viaggi e motori.

4 Perché Laura è andata a vivere a Genova?
- **a** Perché voleva vivere in una città di mare.
- **b** Per amore.
- **c** Per motivi di lavoro.

PUNTEGGIO: 1 PUNTO PER OGNI ITEM CORRETTO | **PUNTEGGIO** .... /4

CD 43 MP3 **2 Ascoltate i testi e segnate l'alternativa corretta.**

1 La donna
- **a** da bambina guardava la TV con i suoi genitori.
- **b** in passato amava molto la TV.
- **c** ha una grande passione per i cartoni animati.

2 Il ragazzo
- **a** è interessato alle questioni ambientali.
- **b** va sempre a piedi.
- **c** fa poco per salvare la natura.

3 Il ladro
- **a** non è riuscito a entrare nella banca.
- **b** è diventato amico del padrone di casa.
- **c** si è fatto male.

4 L'uomo
- **a** vorrebbe avere di più di quello che ha.
- **b** è contento di quello che ha.
- **c** ama il successo.

PUNTEGGIO: 1 PUNTO PER OGNI ITEM CORRETTO | **PUNTEGGIO** .... /4

CD 44 MP3 **3 Ascoltate due volte il testo e indicate quali affermazioni sono presenti.**

1 In commercio ci sono molte opere d'arte non originali.
2 Vendere copie di quadri d'autore non è contro la legge.
3 Le opere d'arte false costano poco.
4 Quasi tutti gli italiani hanno in casa delle copie di opere di grandi pittori.
5 Molti personaggi dello spettacolo possiedono quadri falsi.
6 Uno dei più grandi falsari del mondo è francese.
7 Secondo Dondè il mercato delle opere d'arte al momento è in crisi.
8 Dondè pensa che sia impossibile riconoscere un quadro originale da una copia.
9 I musei ritengono illegale il lavoro di Dondè.
10 Dondè non è mai stato denunciato.
11 Dondè è amico di molti personaggi dello spettacolo.
12 La legge italiana non proibisce la realizzazione di copie di quadri d'autore.
13 Le copie devono avere un disegno leggermente diverso dall'originale.
14 È legale commerciare un falso se le dimensioni sono diverse dall'originale.
15 Dopo 70 anni dalla morte di un artista è possibile copiare le sue opere.

PUNTEGGIO: 1 PUNTO PER OGNI ITEM CORRETTO | **PUNTEGGIO** .... /15

4 Ascoltate due volte il testo e indicate quali affermazioni sono presenti.

1 I giovani passano tutto il loro tempo libero in Internet.
2 Molti ragazzi preferiscono navigare in rete piuttosto che guardare la TV.
3 Il numero di anziani che usa Internet è aumentato.
4 In Europa le persone navigano in Internet per quasi 12 ore a settimana.
5 Alcuni europei invece arrivano a più di 16 ore a settimana.
6 In Italia quasi tutti utilizzano siti di social networking almeno una volta a settimana.
7 Ai primi due posti tra le attività on-line ci sono la ricerca di informazioni e l'utilizzo della posta elettronica.

PUNTEGGIO: 1 PUNTO PER OGNI ITEM CORRETTO — PUNTEGGIO .... /7

PUNTEGGIO TOTALE DELLA PROVA DI COMPRENSIONE ORALE — TOTALE .... /30

Comprensione scritta

1 Leggete i testi e segnate l'alternativa corretta.

1

RAI 1
21.10 *Notte prima degli esami*, commedia 2006, con Nicolas Vaporidis
23.10 *Porta a porta*, dibattito, con Bruno Vespa
0.55 TG1 Notte

Il testo dà informazioni
a sui programmi di una TV privata.
b sui programmi televisivi del pomeriggio.
c sulle trasmissioni serali del primo canale nazionale.

2

Sono nato a Roma il 27 dicembre 1967, sono sposato con Beatrice e ho due figli, Valerio e Fabio. Sono un giornalista, conduco *Ballarò* in onda su Rai Tre dal 2002, scrivo e pubblico saggi sulla società italiana. Ho sempre sognato di fare il mestiere che faccio.

Il testo racconta
a la vita di un attore.
b la vita di un conduttore di programmi TV.
c la vita di un giornalista che scrive su un famoso quotidiano.

3

Domenica 12 maggio torna la Giornata nazionale della bicicletta, giunta alla quarta edizione e diventata in poco tempo una tradizione in tutto il Paese. Un'iniziativa voluta dal Ministero dell'Ambiente, e fissata ogni anno per la seconda domenica di maggio; un appuntamento simbolico per sottolineare come sia possibile muoversi rispettando l'ambiente.

Il testo informa su
a una gara sportiva di biciclette.
b una gita in bicicletta per persone che vogliono visitare diversi paesi.
c una giornata in cui si invitano i cittadini a usare la bicicletta per dimostrare che ci si può muovere senza inquinare.

4

L'Italia produce 12 milioni di tonnellate l'anno di rifiuti di carta e cartone, circa il 50% del totale dei rifiuti. Per produrre una tonnellata di carta, si abbattono 15 alberi e si consumano 400 000 litri di acqua. Il riciclaggio di carta consente di risparmiare risorse ambientali e di ridurre i costi di smaltimento. Buttare la carta in discarica è, dunque, uno spreco. Riviste, fotocopie, moduli, giornali, contenitori per alimenti in cartone, se riciclati, possono dar vita a nuova carta!

Il testo invita a
a impegnarsi per riciclare la carta.
b non consumare carta.
c usare tanta carta.

5

Edicola 2000
La tua guida rapida ed efficace ai quotidiani italiani e internazionali. Puoi trovare i link ai principali quotidiani nazionali e locali, sportivi ed economici. Inoltre, trovi i riferimenti ai siti delle agenzie di stampa e a numerose riviste, suddivise per categorie.

Il testo è
- **a** la pubblicità di un sito che fornisce link a giornali diversi.
- **b** una lista di collegamenti ai quotidiani stranieri.
- **c** un breve articolo di un giornale italiano.

6

Esiste una rete criminale legata al calcioscommesse che copre tutta Europa e che vede 380 partite truccate, di cui almeno due in Champions League. È quanto è emerso da una lunga indagine condotta nell'ultimo anno e mezzo dall'agenzia anticrimine dell'Unione Europea.

Il testo è
- **a** un articolo di politica.
- **b** un articolo di cultura.
- **c** un articolo di cronaca.

7

Giuseppe Magli è un giovane ingegnere di Napoli che ha deciso di fare un'esperienza di volontariato internazionale con Humana. Dopo sei mesi di formazione, è partito per lo Zambia, dove, collaborando con i responsabili dei progetti locali, ha il compito di fare informazione per la prevenzione delle malattie più diffuse, tra cui l'Aids. Riportiamo qui di seguito alcuni passi tratti dalle sue lettere.
«Siamo stati a visitare alcune scuole... »

Il testo è
- **a** la lettera di un ingegnere di Napoli.
- **b** la biografia di un uomo che vive in Asia.
- **c** l'introduzione alle lettere di un volontario.

PUNTEGGIO: 1 PUNTO PER OGNI ITEM CORRETTO — PUNTEGGIO .... /7

2 Leggete il testo e indicate quali tra le affermazioni nella pagina seguente sono presenti.

Bergamo / Dalla provincia — ACCEDI | SEGUICI SU — Cerca — MILANO | CAMBIA

La domenica è bestiale

La primavera vista dal parco faunistico

Il Parco delle Cornelle di Valbrembo offre molte sorprese. Con la primavera qui arrivano i cuccioli di diverse specie. «L'ultimo nato ha due giorni, è un bue dei Watussi», spiega Nadia Benedetti, indicando il centro di uno dei recinti che si affacciano sull'ingresso dell'oasi. Il più giovane è quindi un bue. Il più anziano? «Una tartaruga delle Seychelles che oggi ha 120 anni». Si chiama Giulio, pesa quasi 300 chili ed è uno dei fiori all'occhiello dell'oasi fondata nel 1981 da Angelo Benedetti, il padre di Nadia. Il parco è molto grande, ha una superficie di 120 km^2 e partecipa a cinque progetti internazionali di studio e collaborazione sulle tipologie faunistiche a rischio. «La stagione ancora fredda sta rallentando le nascite – spiega la titolare –, ma i nostri ospiti ora hanno cominciato ad aumentare».
Sono 120 le specie ospitate alle Cornelle, fra cui il gruppo di giraffe più numeroso d'Europa. Qui arrivano anche animali esotici che i proprietari non vogliono più e quindi finiscono dispersi sul territorio (non senza problemi). L'anno scorso, in una settimana, sono state consegnate alle Cornelle ben 400 tartarughe sudamericane, "buttate" dai padroni. Fra gli altri ospiti d'emergenza, il pitone che qualche tempo fa era fuggito da una casa e passeggiava per la città di Treviglio. Naturalmente gli abitanti erano molto impauriti. Questi ospiti vengono segnalati ai visitatori, con la speranza che certe cose non accadano più.

1 Nel parco ci sono molte specie vegetali.
2 Quando arriva la primavera, nel parco nascono molti animali.
3 L'ultimo animale nato è un bue dei Watussi.
4 L'animale più vecchio ha più di 100 anni.
5 Giulio vive nel parco dal 1981.
6 Nadia è la figlia del fondatore del parco.
7 Nel parco è possibile vedere tutti gli animali presenti in Europa.
8 Alcune persone abbandonano i loro animali esotici.
9 Alcuni animali esotici in libertà creano dei problemi.
10 Il pitone di Treviglio ora si trova nel parco.

PUNTEGGIO: 1 PUNTO PER OGNI ITEM CORRETTO | **PUNTEGGIO** .... /10

3 Completate le frasi scegliendo la parola opportuna tra quelle proposte.

1 Hai visto l'ultima .... di *Un medico in famiglia* ieri sera?
a serie **b** puntata **c** fine **d** pezzo

2 Giorgio guarda i programmi TV via Internet perché non ha un ....
a telecomando **b** televisore **c** televisione **d** computer

3 Ieri sera è andato in onda un programma .... da Fabio Fazio.
a guidato **b** detto **c** condotto **d** mandato

4 I giovani oggi sono molto più sensibili alla .... dell'ambiente.
a sicurezza **b** ecologia **c** freschezza **d** tutela

5 In casa ho molti contenitori per la raccolta ....
a diversa **b** differenziata **c** differente **d** diversificata

6 Ieri abbiamo fatto una gita bellissima in un .... naturale del Trentino.
a campo **b** monte **c** parco **d** fiume

7 «La Repubblica» è uno dei .... più letti d'Italia.
a mensili **b** riviste **c** quotidiani **d** libri

8 Mi piace essere informato su tutto e leggo due o tre .... al giorno.
a giornali **b** titoli **c** pagine **d** scritti

9 C'è stato un .... di quadri famosi in un museo di Firenze.
a fatto **b** furto **c** indagine **d** crimine

10 Laura pensa che aiutare gli altri sia ....
a importante **b** felice **c** massimo **d** ricco

PUNTEGGIO: 1 PUNTO PER OGNI ITEM CORRETTO | **PUNTEGGIO** .... /10

4 Completate il testo scegliendo la parola opportuna tra quelle proposte.

ROMA – Le voci di Malika Ayane e quella di Ilaria D'Amico per combattere la (1) .... nel mondo. Due (2) ...., una cantante e una giornalista, unite nella campagna "Per un futuro senza fame" di Oxfam Italia. Da oggi al 2 giugno (3) ...., tramite SMS solidale o rete (4) ...., al 45505 si potranno donare 2 (5) .... I fondi raccolti saranno destinati a (6) .... le condizioni di vita di donne che vivono in estrema povertà.
«Ho (7) .... zone di campagna in Paesi molto poveri e ho incontrato donne coraggiose e piene di (8) .... – racconta Malika Ayane – Oxfam Italia dà loro la possibilità di trasformare in realtà i loro sogni».
(adattato da www.repubblica.it)

	a	b	c
1	fame	voglia	mancanza
2	giornaliste	donne	uomini
3	futuro	prossimo	scorso
4	fissa	stabile	ferma
5	euro	soldi	monete
6	peggiorare	continuare	migliorare
7	viaggiato	trovato	visitato
8	assenza	speranza	collaborazione

PUNTEGGIO: 1 PUNTO PER OGNI ITEM CORRETTO — PUNTEGGIO .... /8

5 Completate le frasi coniugando i verbi tra parentesi al modo e al tempo opportuni.

1. Vengo a vedere la partita a casa tua: ce l'(*avere*) .... la parabola?
2. Secondo me non (*bastare*) .... ridurre il consumo di elettricità.
3. Che cosa (*stare*) .... facendo Michele in questo momento?
4. Dopo che (*leggere*) .... questo articolo, potrò rispondere alle tue domande.
5. Spero che Luca (*essere*) .... felice.

PUNTEGGIO: 1 PUNTO PER OGNI ITEM CORRETTO — PUNTEGGIO .... /5

PUNTEGGIO TOTALE DELLA PROVA DI COMPRENSIONE SCRITTA — TOTALE .... /40

Produzione scritta

1 Avete deciso di partecipare a un sondaggio sulle abitudini televisive. Rispondete alle domande del questionario.

Nome: ....
Cognome: ....
Ti piace guardare la TV? Perché? ....
....
Quante ore al giorno guardi la TV? In quali momenti della giornata? ....
Quali sono i tuoi programmi preferiti? ....
....
Quali programmi non sopporti? ....
....
Quali tipi di programmi vorresti che ci fossero di più in TV? ....
Ci sono dei personaggi della TV che ti piacciono o che ti stanno molto antipatici? Quali? ....
....
Guardi mai dei programmi TV via Internet? Quali?
....
Immagina di poter lavorare in TV: che cosa ti piacerebbe fare? ....
....

PUNTEGGIO: DA 0 A 5 PUNTI — PUNTEGGIO .... /5

2 Scrivete un annuncio.

Avete deciso di organizzare una vendita di beneficenza. Volete raccogliere dei soldi per sostenere un centro per bambini poveri in Ghana, dove vostra sorella si è trasferita da due anni e presta servizio volontario come infermiera. Avete bisogno dell'aiuto di amici e conoscenti per raccogliere gli oggetti che non usano più, per poi venderli.
Nell'annuncio presentate brevemente la vostra iniziativa, esprimete la vostra opinione riguardo alla scelta di vostra sorella, spiegate quali oggetti possono essere utili per la vendita, indicate dove e quanto portarli e come mettersi in contatto con voi.
(100 parole circa)

PUNTEGGIO: DA 0 A 15 PUNTI — PUNTEGGIO .... /15

3 Scrivete un'email.

Avete deciso di andare a fare volontariato per un anno in un Paese lontano. Prima di partire, però, volete fare una festa con i vostri amici. Scrivetegli un'email seguendo questo schema.
- Raccontate della vostra decisione.
- Spiegate perché avete preso questa decisione.
- Esprimete il vostro desiderio di festeggiare con loro prima di partire.
- Invitateli alla festa.
- Dategli le informazioni necessarie per partecipare.

PUNTEGGIO: DA 0 A 20 PUNTI — PUNTEGGIO .... /20

PUNTEGGIO TOTALE DELLA PROVA DI PRODUZIONE SCRITTA — TOTALE .... /40

Produzione orale

1 Parlate di una persona importante nella vostra vita: raccontate chi è, dove abita, che cosa fa, che tipo è, quali esperienze avete fatto insieme e com'è il vostro rapporto adesso.

PUNTEGGIO: DA 0 A 20 PUNTI — PUNTEGGIO .... /20

2 Scegliete uno dei seguenti argomenti e raccontate.

a Le vostre abitudini televisive.
b Il vostro rapporto con i giornali.
c Il vostro rapporto con la natura e l'ambiente.

PUNTEGGIO: DA 0 A 20 PUNTI — PUNTEGGIO .... /20

PUNTEGGIO TOTALE DELLA PROVA DI PRODUZIONE ORALE — TOTALE .... /40

PUNTEGGIO TOTALE DEL TEST — TOTALE .... /150

Eserciziario

Indice

1 Che tipo sei?

A SONO UN TIPO SOCIEVOLE

1 Secondo te che tipi sono? Scrivi almeno 5 aggettivi per ogni personaggio.

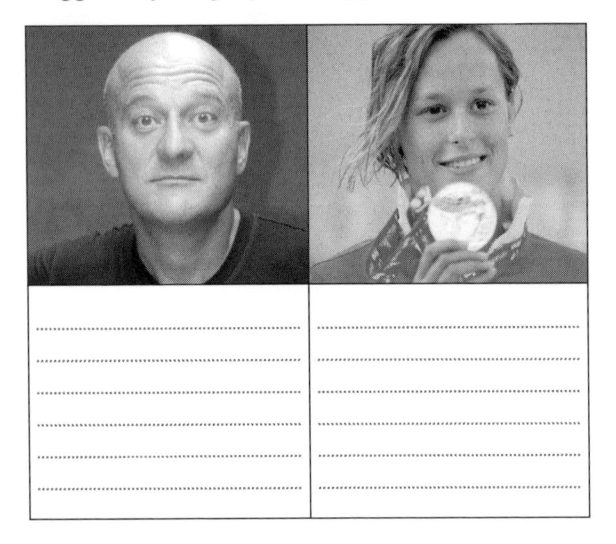

MP3 02 **2 Ascolta il dialogo e scrivi sul quaderno più informazioni possibili a proposito dei due personaggi. Poi confrontale con le ipotesi dell'attività precedente.**

MP3 02 **3 Ascolta ancora e completa la tabella con gli aggettivi che senti.**

Claudio Bisio	Federica Pellegrini
calvo	

4 Completa le frasi con gli aggettivi elencati. Attenzione alla concordanza (maschile, femminile, singolare e plurale).

divertente romantico estroverso socievole brutto coraggioso attivo pessimista ~~simpatico~~ gentile

1 All'inizio quei ragazzi mi sembravano antipatici; adesso, invece, li trovo davvero simpatici .

2 Io sono riservato; la mia ragazza, invece, è una persona .... Beh, gli opposti si attraggono!

3 Non voglio un ragazzo freddo e distaccato! A me piacciono gli uomini ....

4 Scusa, ma Marco è davvero noioso... Come fai a dire che è una persona ....?

5 L'oroscopo dice che i nati sotto il segno del Capricorno sono persone solitarie; non sono d'accordo, io sono molto ....

6 Per te Giulio è bello? Scusa, ma io lo trovo veramente ....

7 ● Ieri sera a te Carla è sembrata scortese?
● Guarda, con me è sempre stata ....

8 Secondo me Mara non è per niente paurosa. Più volte ha dimostrato di essere una ragazza ....

9 Sai, Fabia sembra ottimista, ma in realtà è una persona molto ....

10 Secondo me Raffaella non è pigra, anzi, è una persona piuttosto ....

5 Metti le tessere nell'ordine corretto per ricostruire la seguente parola.

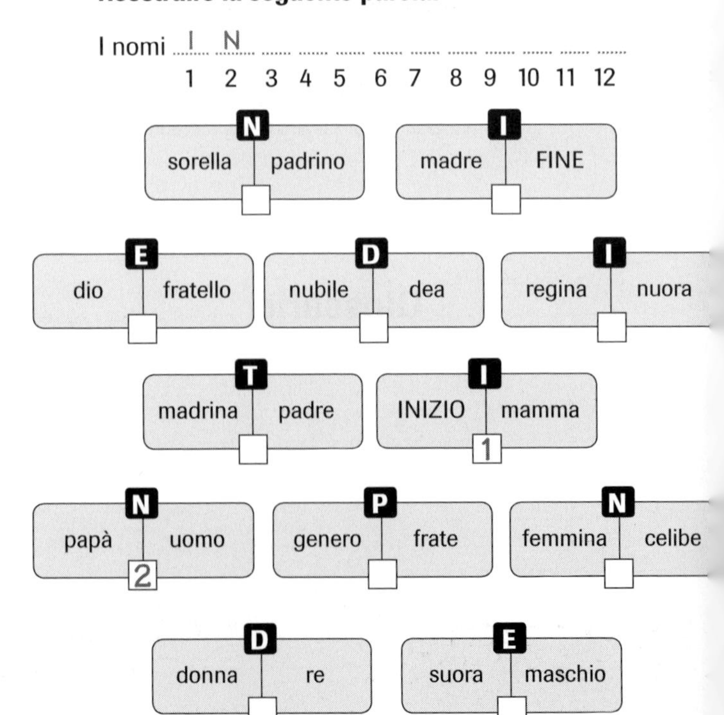

6 Osserva con attenzione le seguenti frasi, sottolinea le parole che hanno un doppio plurale e prova a formare le coppie di nomi sovrabbondanti, come nell'esempio.

1 Lo scheletro umano è formato da più di 200 ossa.
2 I muri delle case moderne sono spesso molto sottili... si sente tutto quello che dicono i vicini!
3 Non bisogna mai dare gli ossi di coniglio al cane, potrebbe farsi male.
4 Anche la lince, il puma e il ghepardo fanno le fusa.
5 Massimo ha le braccia completamente piene di tatuaggi.
6 Lucca è una delle città italiane con le mura meglio conservate.
7 La "croce greca" ha i due bracci della stessa lunghezza.
8 Tra Roma e Tokyo ci sono 8 fusi orari di differenza.

1 ossa / ossi ....
2 ....
3 ....
4 ....

7 Sottolinea la forma corretta per completare le frasi.

1 Il gatto fa *i fusi / le fusa*.
2 Stefania è andata dall'estetista e si è fatta allungare *le ciglia / i cigli.*
3 Ho nuotato troppo! Adesso mi fanno male *le braccia / i bracci.*
4 Quando ho l'influenza mi fanno male *gli ossi / le ossa.*
5 Il gatto dorme sempre *sulle braccia / sui bracci* della poltrona.
6 *Le mura / i muri* che circondano la città sono molto antiche.

8 Leggi attentamente il testo e sottolinea tutte le parole invariabili.

Quando ero ragazzo, nella mia piccola città, c'era un solo cinema, un solo bar (che chiamavamo "caffè"), poche auto, poche moto. Ma tutti avevamo una radio... e una bici. Libertà ne avevamo poche, forse solo quella di lavorare.
Poi c'è stato il boom economico. La mia città è diventata grande e si è unita alle altre città vicine. Sono aumentati i bar (i "caffè" non esistevano più), i cinema, le auto, le moto... solo le bici sono diminuite. Le radio sono entrate nelle auto, e le case si sono riempite di televisori. Dopo alcuni anni, nei negozi sono arrivati i primi computer. Ora tutti abbiamo un computer, ma è arrivata la crisi. I bar chiudono, i cinema anche... speriamo non chiudano anche la libertà.

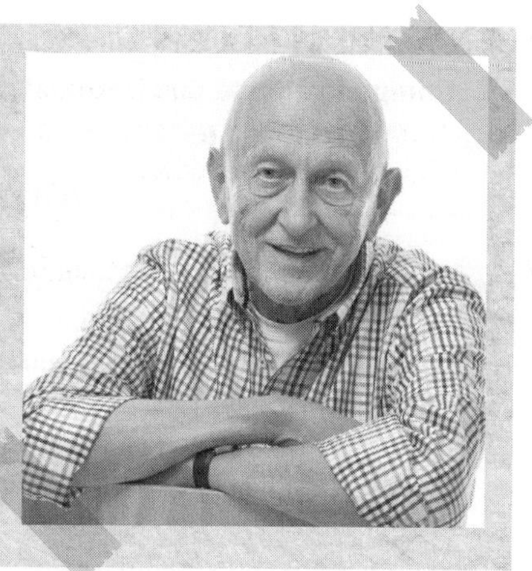

9 Osserva le parole sottolineate nell'attività precedente e scrivi nella tabella quelle che fanno parte degli insiemi indicati.

parole di origine straniera	parole con l'accento sull'ultima lettera
bar	....
....	....
....	....
....	....

10 Conosci altre parole italiane di origine straniera o che hanno l'accento sull'ultima lettera? Se sì, scrivile negli insiemi dell'attività precedente.

11 Forma 12 frasi come nell'esempio. Sono possibili più soluzioni.

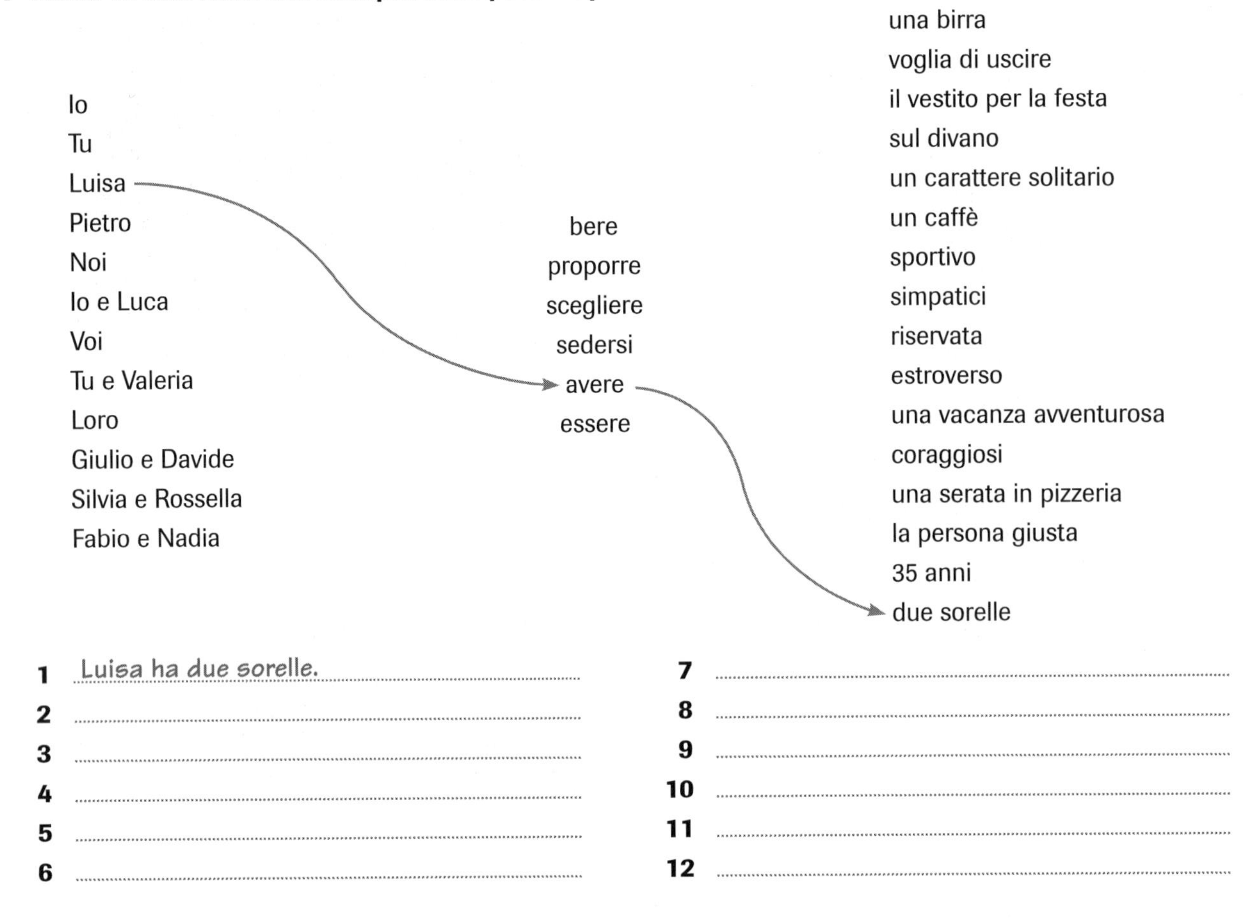

1 Luisa ha due sorelle.
2 ....
3 ....
4 ....
5 ....
6 ....
7 ....
8 ....
9 ....
10 ....
11 ....
12 ....

12 Completa il testo con i verbi al presente.

Donne manager e mariti casalinghi

Dietro ogni donna manager (*esserci*) (1) c'è spesso un marito casalingo. Ma da dove (*venire*) (2) .... questa affermazione? Secondo alcune ricerche il numero degli uomini casalinghi (*essere*) (3) .... in aumento; ormai da diversi anni gli uomini (*scegliere*) (4) .... la "vita casalinga" per permettere alle loro mogli di fare carriera.
Ma che tipo è l'uomo casalingo? Sicuramente una persona coraggiosa e dinamica, (*avere*) (5) .... una cultura medio-alta e, dopo anni di studio e di lavoro, (*scegliere*) (6) .... le mura domestiche, (*preferire*) (7) .... la casa all'ufficio. (*occuparsi*) (8) .... della famiglia, della casa, (*fare*) (9) .... la spesa, (*cucinare*) (10) ...., (*passare*) (11) .... molto tempo con i figli e (*proporre*) (12) .... sempre qualcosa di nuovo per il fine settimana. Ma cosa (*piacere*) (13) .... all'uomo casalingo? Come a tutti gli uomini, anche a lui (*piacere*) (14) .... i libri, lo sport, uscire con gli amici, ma allo stesso tempo vive una vita diversa dagli altri. Sicuramente l'uomo casalingo non (*morire*) (15) .... dalla voglia di tornare a lavorare in un ufficio, (*rispettare*) (16) .... molto il lavoro della moglie e (*volere*) (17) .... che lei si dedichi alla carriera. Non è però il tipo che (*dire*) (18) .... sempre di sì, né alla moglie né ai figli.
E invece la donna manager? È una donna forte, decisa, curiosa, che ha buone capacità organizzative e decisionali. (*riuscire*) (19) .... ad adattarsi alle diverse situazioni lavorative e (*tenere*) (20) .... molto alla carriera. Alla donna manager (*piacere*) (21) .... questa posizione di potere, ma quando rientra a casa (*fare*) (22) .... la mamma e la moglie.
Negli Stati Uniti le donne ricoprono il 51% delle posizioni manageriali, (*guadagnare*) (23) .... più dei mariti e (*sapere*) (24) .... che la loro carriera dipende anche dalla scelta del partner. E in Italia? Nel nostro Paese solo il 18% delle donne (*occupare*) (25) .... una posizione di potere.
E che cosa (*dire*) (26) .... i loro figli? È proprio questo quello che (*volere*) (27) ....? Sicuramente per loro è importante avere almeno uno dei due genitori a casa.

B PIACERE DI CONOSCERLA

1 Completa i fumetti: che cosa dicono le persone?

2 Trasforma il dialogo da informale a formale.

Edoardo:	Ciao Sandro.
Sandro:	Ciao Edoardo.
Edoardo:	Come stai?
Sandro:	Bene grazie, e tu?
Edoardo:	Abbastanza bene, grazie. Ti posso presentare Anna? È una mia collega.
Sandro:	Ciao Anna, piacere di conoscerti.
Anna:	Ciao, piacere.

Dottor E. Salvemini:	Buongiorno Signor Boccioni.
Signor S. Boccioni:	....
Dottor E. Salvemini:	....
Signor S. Boccioni:	....
Dottor E. Salvemini:	....
Signor S. Boccioni:	....
Dott.ssa A. Giannelli:	....

3 Completa le frasi con il pronome corretto.

1. Ciao Clara, piacere di conoscer...ti...!
2. Dottoressa Renzi, ... presento la nostra nuova assistente.
3. ● Ciao Lara, ... posso presentare John?
   ● Piacere di conoscer.......!
4. Prego signora Navi, ... accomodi pure!
5. Signora, in cosa posso esser....... utile?
6. Marco, che piacere riveder.......!
7. ● Ingegner Dini, piacere di conoscer.......!
   ● Piacere mio!
8. Ciao Fabio, che piacere! Accomoda....... pure!
9. ● Avvocato, posso presentar....... la signora Guidi?
   ● Piacere di conoscer......., signora!
10. Ciao Mario, ... presento mio fratello!

4 Sottolinea i pronomi diretti, indiretti o riflessivi corretti per completare le frasi.

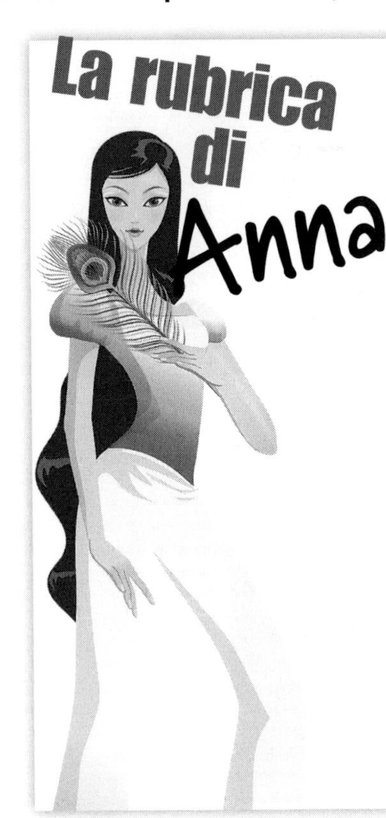

Cara Anna,
Le / *Lo* / *La* scrivo per chieder*Gli* / *La* / *Le* un consiglio. Ho 25 anni e ho un problema con la mia migliore amica. *Ci* / *Vi* / *Le* conosciamo da quando eravamo piccole, io *la* / *le* / *mi* ho sempre raccontato tutti i miei segreti e lei *si* / *la* / *le* è sempre fidata di me. È una persona allegra, ottimista e molto socievole, ma ultimamente non riesco più a veder*la* / *le* / *ci* molto spesso. Lei *si* / *le* / *mi* dice sempre che è molto impegnata con il lavoro, io *le* / *la* / *gli* rispondo che "per le amiche il tempo si trova sempre". *Le* / *La* / *Si* voglio molto bene e non vorrei perder*ci* / *le* / *la*: siamo cresciute insieme, *ci* / *si* / *vi* siamo divertite molto e adesso non *si* / *ci* / *vi* vediamo quasi più. *Mi* / *Si* / *Ti* trovo bene con molte altre amiche, ma lei è la mia amica del cuore e adesso non capisco cosa *la* / *le* / *si* stia succedendo. Cosa *la* / *mi* / *si* consiglia di fare?
Katia L.

Cara Katia,
mi / *ti* / *la* ringrazio per la tua lettera. Non *la* / *si* / *ti* preoccupare, sai, a volte, le amicizie attraversano momenti difficili. Potresti propor*le* / *la* / *lo* di passare una serata fuori o di trascorrere un fine settimana insieme. Invita*le* / *la* / *gli* a casa tua, incontrate*la* / *vi* / *si* con altri amici e vedrai che dopo un po' tutto tornerà come prima. Sicuramente anche lei *vi* / *si* / *ti* vuole bene, ma in questo momento è troppo impegnata per dimostrar*ci* / *ti* / *si* il suo affetto.
Anna

C NEL 2012 HO CORSO LA MIA PRIMA MARATONA

1 Osserva le immagini e racconta la storia di Mariella.

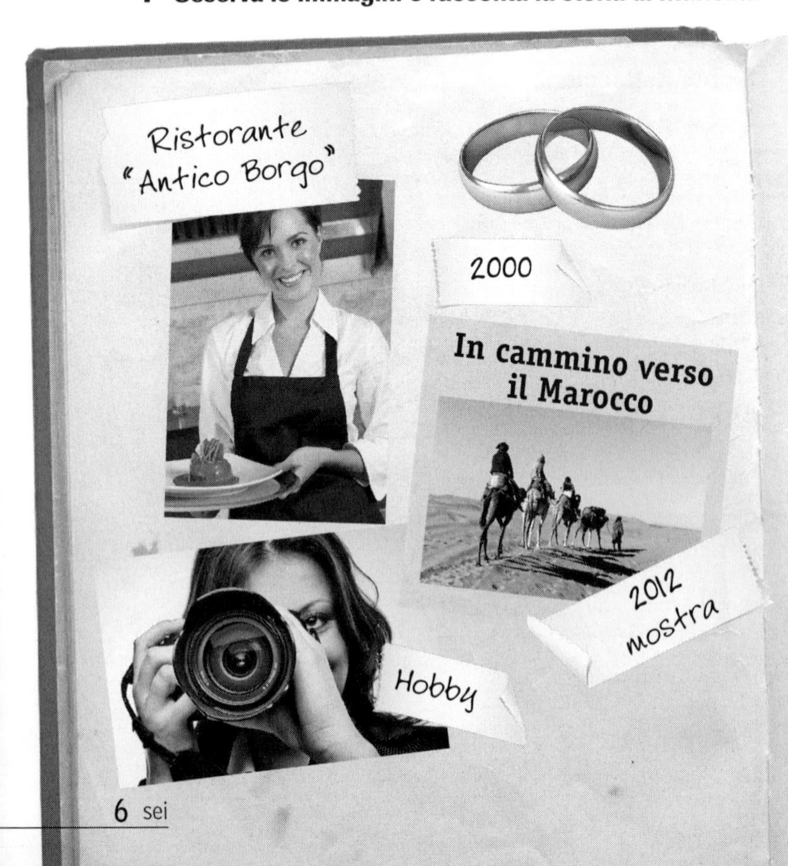

Mi chiamo Mariella ....
Nel 2000 ....
....
Nel 2009 ....
Il mio hobby ....
....
Nel luglio 2012 ....
....

2 Abbina ogni infinito al suo participio passato, come nell'esempio.

aprire | chiudere | ~~accendere~~ | stato | ~~acceso~~ | conosciuto | nato | smesso | morire | fare | chiedere | correre | decidere | iscriversi | vinto | essere | convincere | rimasto | spento | dire | venuto | scelto | venire | aperto | perso | conoscersi | perdere | chiuso | rimanere | scegliere | smettere | fatto | nascere | spegnere | deciso | chiesto | morto | iscritto | detto | convinto | vincere | corso

accendere - acceso
.... - ....

3 Completa la storia con i verbi al passato prossimo.

Una dolce storia

Mi chiamo Elena, ho 38 anni, sono sposata e (*lavorare*) (1) ho lavorato per 15 anni in un ufficio. Il mio lavoro mi (*piacere*) (2) .... sempre ...., ma dopo tanti anni passati con i clienti e con i colleghi, avevo bisogno di cambiare. Così nel 2007, stanca e annoiata, (*decidere*) (3) .... di frequentare un corso per pasticcieri. (*iscriversi*) (4) .... e, già dopo una settimana, (*accorgersi*) (5) .... che preparare le torte mi faceva sentire bene. Sei mesi dopo (*smettere*) (6) .... di lavorare full-time, in quanto avevo bisogno di tempo per preparare e vendere le torte.
Io e la mia attuale "collega di torte" (*conoscersi*) (7) .... due anni fa durante un corso sulla pasta di zucchero. Subito dopo (*noi/decidere*) (8) .... di mettere su un piccolo laboratorio di torte per compleanni e altre ricorrenze. Sia io che la mia collega (*lasciare*) (9) .... i nostri lavori da impiegate e (*iniziare*) (10) .... a ricevere diversi ordini di torte per ogni occasione.
E poi qualcosa (*cambiare*) (11) .... le nostre vite... Beh, un giorno (*venire*) (12) .... nel nostro laboratorio un giornalista; ci (*fare*) (13) .... un'intervista da pubblicare sul giornale locale. Dopo una lunga chiacchierata, (*convincere*) (14) .... me e la mia collega a partecipare alla gara nazionale di torte. E così (*noi/prepararsi*) (15) .... subito .... per la gara: (*noi/rimanere*) (16) .... a lungo chiuse nel nostro laboratorio per trovare un'idea per la torta da presentare alla gara. Ancora adesso non riesco a crederci, quel giorno (*noi/vincere*) (17) .... la gara nazionale di torte e così dopo pochi mesi (*noi/aprire*) (18) .... una pasticceria specializzata in torte alla pasta di zucchero che ora sono famose in tutta la regione.
Insomma la nostra vita (*cambiare*) (19) .... grazie a una torta!

PERCHÉ HAI DECISO DI STUDIARE L'ITALIANO?

1 Abbina i titoli ai paragrafi corrispondenti.

Otto semplici consigli per imparare una lingua straniera

1. [D] Leggi le riviste in rete
2. [ ] Compra dei libri
3. [ ] Ascolta delle canzoni
4. [ ] Non aver paura di commettere degli errori
5. [ ] Guarda dei film
6. [ ] Scarica dei podcast
7. [ ] Trova un insegnante privato
8. [ ] Trova un amico di penna

A Cerca di trovare dei filmati brevi e divertenti nella lingua che vuoi imparare, con o senza sottotitoli. Non sarà possibile per tutte le lingue... ma esiste YouTube!

B Trova i testi delle canzoni nella lingua che vuoi imparare. Cerca di memorizzare le parole e canta! Questo ti aiuterà tantissimo a ricordare le nuove espressioni, ma anche la grammatica e la pronuncia.

C Leggi dei romanzi scritti nella lingua che vuoi imparare. Compra un buon dizionario e scrivi le parole che non conosci mentre leggi. Il tuo vocabolario diventerà ogni giorno più ricco.

D Leggi un breve articolo al giorno. Puoi anche stamparlo e leggerlo prima di andare a letto.

E Il metodo più efficace, ma anche il più costoso, per imparare una lingua è trovare un insegnante madrelingua per fare conversazione.

F Sbagliare fa parte del gioco! Non devi aver paura di sbagliare. Se aspetti di conoscere perfettamente una lingua per provare a parlarla, non parlerai mai!

G Li trovi in ogni lingua e su ogni argomento. Cercali nella lingua che vuoi imparare e inizia a scaricare dalla rete. Tuffati a capofitto non solo nella lingua, ma anche nella cultura.

H Scambiare ogni giorno qualche messaggio o email con un amico madrelingua ti aiuta a tenere allenata la lingua che vuoi imparare.

(adattato da www.iwanttospeak.net)

MP3 03 **2 Ascolta una prima volta senza scrivere. Poi ascolta ancora e prendi appunti completando la mappa mentale.**

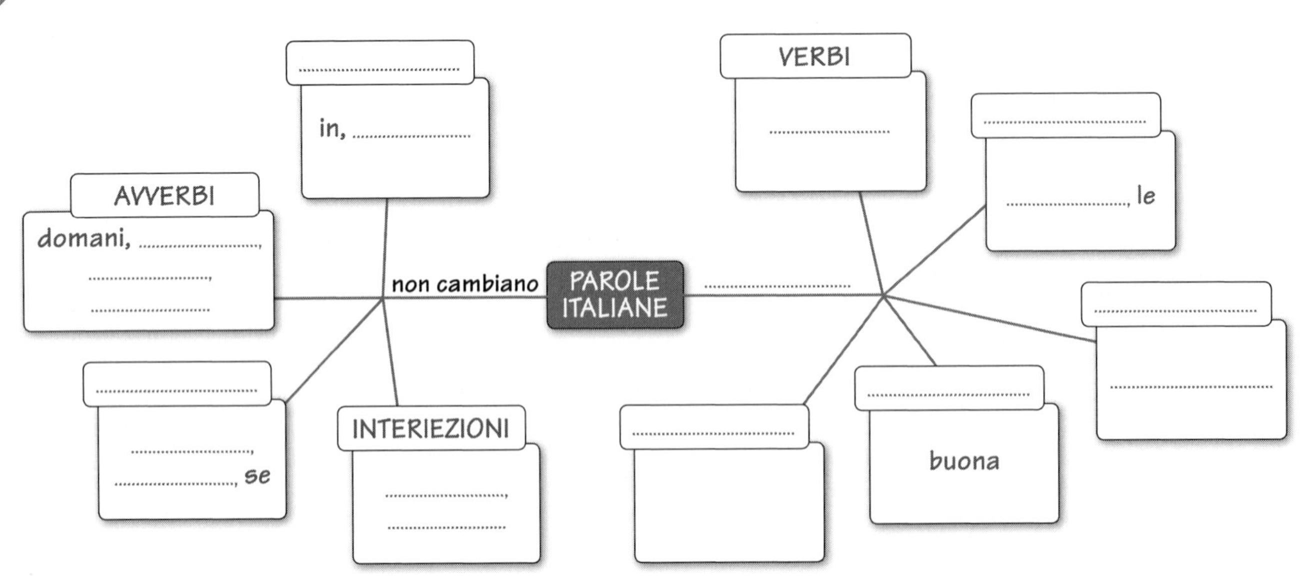

PRONUNCIA E GRAFIA

1 Sottolinea la forma corretta per completare le frasi.

1 Filippo, *com/com'* è cambiata la tua vita?
2 Oggi non esco, ho *mal/male* di testa.
3 Buongiorno *signor/signore* Neri, come sta?
4 Roberto è simpatico ed è anche un *bel/bello* ragazzo.
5 *Qual/Qual'* è la tua musica preferita?
6 ● Giulia, hai letto l'ultimo libro di Gramellini?
● No, non *l/l'* ho ancora letto.
7 Stasera esco con *un'/un* amica. Perché non vieni anche tu?
8 I vestiti sono *nell/nell'* armadio.

2 Martin è uno straniero che scrive molto bene in italiano. In questa email, però, ha fatto 6 piccoli errori. Riesci a trovarli?

Invia Chat Allega Rubrica Font Colori Registra bozza

Gentile Dottoressa Marini,
come L'avevo già scritto, la settimana prossima, io e due miei colleghi, la Signor Margarete Planzer e il Dottore Patrick Dirnberger, saremo a Vicenza per affari. Le vorrei presentare il nostro nuovo catalogo.
Se Le fa piacere, possiamo passare da Lei in ufficio mercoledì mattina. Nel pomeriggio, purtroppo, abbiamo già un'appuntamento con un'altro cliente. Può farmi sapere qual'è l'ora in cui possiamo passare?
Cordiali saluti,
Martin Restle

IL MIO PORTFOLIO

■ **So descrivere le persone e il loro carattere:**
È giovane, molto elegante, ...
....
....

■ **So presentare le persone in situazioni formali e informali:**
....
....
....

■ **So raccontare un'esperienza particolare:**
....
....
....

■ **So parlare della mia esperienza di studio della lingua italiana:**
....
....

■ **Conosco le parole per descrivere una persona:**
giovane, elegante, ...
....
....

■ **Conosco le seguenti professioni:**
....
....

■ **Conosco i seguenti hobby:**
....
....
....
....

■ **Conosco le parole dello studio e della grammatica:**
....
....
....
....

LEGGERE

1 Leggi con attenzione il testo e rispondi alle domande.

Parlare una o più lingue straniere è oggi fondamentale per inserirsi nel mondo del lavoro. L'inglese, soprattutto in settori come il turismo o il commercio internazionale, spesso non basta. La domanda quindi è: oltre all'inglese, quali sono le lingue straniere che un italiano dovrebbe conoscere per trovare più facilmente lavoro? Naturalmente tutte le lingue straniere possono essere utili, e ci possono essere motivi molto diversi per imparare una lingua. Se però decidiamo di studiare una lingua per motivi di lavoro, allora dobbiamo cercare di analizzare con razionalità le diverse possibilità. Possiamo usare tre criteri per scegliere le lingue più utili per un italiano.
1 La sua diffusione nel mondo.
2 L'interesse dal punto di vista economico-politico.
3 La vicinanza geografica.

La classifica delle 10 lingue più parlate da madrelingua nel mondo comprende il cinese, lo spagnolo, l'inglese, l'arabo, l'hindi, il bengali, il portoghese, il russo, il giapponese e il tedesco.
Ma vediamo alcune tra le lingue più utili da imparare per gli italiani.

Il francese
La lingua francese è sicuramente tra le 15 lingue più parlate nel mondo. Oltre che in Francia, è parlata in ben 60 Paesi tra cui Canada, Belgio, Svizzera, Algeria, Senegal... È, inoltre, una delle lingue ufficiali dell'Unione Europea e ha una grande importanza nelle istituzioni internazionali. Per gli italiani, conoscere il francese può essere un grande vantaggio: la Francia, oltre a essere un Paese confinante, è il secondo importatore di prodotti italiani. Allo stesso tempo, la Francia è il secondo Paese di provenienza delle "nostre" merci estere. Esistono, quindi, migliaia di aziende italiane che lavorano con la Francia e viceversa.

Il tedesco
La Germania è il nostro primo partner commerciale: rappresenta il maggiore cliente di "made in Italy" e il 15% delle nostre importazioni è di produzione tedesca. Inoltre non bisogna dimenticare i numerosi scambi con le vicine Austria e Svizzera. Il tedesco è parlato da circa 90 milioni di persone nel mondo ed è la lingua madre più diffusa in Europa.

Lo spagnolo
Lo parlano 329 milioni di nativi in 44 Paesi. La Spagna è geograficamente vicina all'Italia ed è al quarto posto per quel che riguarda le nostre esportazioni. Spagnolo e italiano sono lingue sorelle e per molti aspetti simili, ma un madrelingua italiano deve ugualmente dedicarsi con attenzione e volontà allo studio della lingua spagnola per poter raggiungere un buon livello di competenza linguistica.

Il cinese
Geograficamente la Cina è molto lontana dall'Italia, ma, al momento attuale, è terza nella classifica delle nostre importazioni e ottava in quella delle esportazioni. Il cinese è, inoltre, la lingua più parlata al mondo per numero di madrelingua. Purtroppo è una lingua molto difficile per gli italiani, ma, anche per questo, iniziare presto a studiarla può aiutare i giovani a trovare lavoro.

Molto utili per un italiano possono essere anche il russo, l'arabo, il giapponese e il portoghese.

1 La lingua più parlata (da madrelingua) al mondo è
a l'inglese.
b il cinese.
c lo spagnolo.

2 Il maggiore partner economico dell'Italia è
a la Germania.
b la Francia.
c la Cina.

3 Tra queste cinque lingue, la più difficile da studiare per un italiano è
a il francese.
b il tedesco.
c il cinese.

4 Tra queste cinque lingue, la più simile all'italiano è
a il francese.
b il tedesco.
c lo spagnolo.

5 La lingua più parlata (da madrelingua) in Europa è
a il francese.
b il tedesco.
c lo spagnolo.

6 Il Paese al secondo posto per le esportazioni italiane è
a la Germania.
b la Francia.
c la Spagna.

7 Il Paese al terzo posto per le importazioni in Italia è
a la Cina.
b la Spagna.
c la Germania.

8 Oltre che in Germania, il tedesco è parlato in
a Austria e Spagna.
b Svizzera e Spagna.
c Austria e Svizzera.

ASCOLTARE

04 **1 Ascolta l'intervista alla vincitrice del campionato regionale di arrampicata e indica quali vignette corrispondono al dialogo.**

SCRIVERE

1 Rispondi alle domande.

1 Come ti chiami? ....
2 Che tipo sei? ....
3 Qual è il tuo hobby? ....
4 Come si chiama il tuo migliore amico / la tua migliore amica? ....
5 Dove e quando vi siete conosciuti/e? ....
6 Che tipo è? ....
7 Qual è il suo hobby? ....

2 Scrivi un breve testo con le informazioni dell'attività precedente.

Mi chiamo...
....
....
....
....

PARLARE

1 *Speed date*, alla ricerca di un compagno di viaggio!

Vuoi partire per una destinazione esotica, ma nessuno dei tuoi amici è disposto a seguirti. Partecipi a uno *speed date* per trovare il/la tuo/a compagno/a di viaggio ideale. Hai 3 minuti di tempo per presentarti al tuo partner; prova a pensare a che cosa vorresti dire e prepara il tuo discorso, esercitandoti ad alta voce.
In classe, svolgi l'attività come segue. Siediti di fronte a un compagno. In 3 minuti ti presenti, poi, allo scadere del tempo, ascolti i 3 minuti di presentazione del tuo compagno. Ripeti la cosa con almeno altri 4 compagni.
Alla fine scegli la persona che sembra più simile a te. Se sarai corrisposto, partirete insieme! Poi spiega alla classe chi hai scelto e descrivilo.

2 Era un posto fantastico!

A È UN'ANTICHISSIMA CITTÀ UNIVERSITARIA

MP3 05 **1 Ascolta l'introduzione della guida turistica e abbina i nomi che senti alle immagini. Attenzione, ci sono 2 nomi in più.**

1 ☐ via Marconi
2 ☐ l'Etna
3 ☐ la Fontana dell'Elefante
4 ☐ la Riviera dei Ciclopi
5 ☐ la Cattedrale di Sant'Agata
6 ☐ il teatro Giuseppe Verdi

C

A

B

D

MP3 05 **2 Ascolta ancora l'introduzione e completa la scheda con le informazioni date dalla guida turistica.**

città ....
regione ....
abitanti ....
popolazioni presenti nel passato ....
....
attrazioni turistiche ....
....
altre caratteristiche importanti della città ....
....
specialità gastronomiche ....
....

B È CAMBIATA MOLTO E PURTROPPO NON IN MEGLIO

MP3 06 **1 Ascolta il racconto di Marisa e completa le frasi con la scelta giusta.**

1 Marisa ha frequentato le scuole medie a
- **a** Cuneo.
- **b** Fossano.
- **c** Torino.

2 Marisa ha frequentato una scuola superiore per diventare
- **a** infermiera.
- **b** chitarrista.
- **c** geometra.

3 Marisa, mentre frequentava le superiori,
- **a** studiava chitarra.
- **b** insegnava chitarra.
- **c** suonava la chitarra in un gruppo.

4 Quando studiava a Torino, Marisa
- **a** tornava appena poteva a Fossano.
- **b** amava la grande città.
- **c** lavorava in Croce Rossa.

5 Marisa ha conosciuto Paolo perché
- **a** lavoravano insieme in ospedale.
- **b** studiavano nella stessa scuola per infermieri.
- **c** frequentavano lo stesso corso di musica.

6 Secondo Marisa, Torino
- **a** è più bella oggi.
- **b** era più bella una volta.
- **c** non è mai stata bella.

MP3 06 **2 Ascolta ancora il racconto e controlla le tue risposte.**

3 Completa il racconto di Marisa con i verbi elencati.

ho fatto andavo mi sono diplomata
ho iniziato ho frequentato mi interessava
studiavo ~~sono nata~~

(1) *Sono nata* a Fossano, una cittadina in provincia di Cuneo.
Lì (2) .... le scuole elementari, le medie e le superiori. (3) .... come geometra nel 1985.
In realtà, quello che (4) .... a scuola, alle superiori dico, non (5) .... molto.
I miei veri interessi erano la musica – (6) .... a lezione di chitarra 3 volte alla settimana – e il servizio di volontariato in Croce Rossa, che (7) .... quando avevo 18 anni. Dopo il diploma, invece di cercarmi un lavoro o di iscrivermi ad Architettura, (8) .... l'esame per entrare nella scuola per infermieri.

4 Passato prossimo o imperfetto? Sottolinea il tempo corretto per completare le frasi.

L'esame l'ho dato a Torino e così (1) *mi sono trasferita / mi trasferivo* nella "metropoli" piemontese. All'inizio è stata dura. La città non (2) *mi è piaciuta / mi piaceva*, la trovavo rumorosa e caotica... appena (3) *ho potuto / potevo*, prendevo il treno e (4) *sono tornata / tornavo* a Fossano.
Poi però, dopo tre anni di scuola, ho subito trovato lavoro alle Molinette, l'ospedale più grande di Torino... e così (5) *sono rimasta / rimanevo* qui.
Ora sono felicissima! Io sono cambiata, amo tutto quello che mi può dare la grande città, ma anche Torino (6) *è cambiata / cambiava*. È molto più bella di una volta, molto più vivace, interessante... c'è una bella atmosfera. E poi, per chi, come me, ama la musica, è un posto fantastico, pieno di luoghi dove si può ascoltare musica dal vivo, o studiare uno strumento. È così che (7) *ho conosciuto / conoscevo* Paolo, il mio attuale compagno. Frequentavamo lo stesso corso di musica, (8) *ci è piaciuto / ci piaceva* suonare insieme... così (9) *abbiamo deciso / decidevamo* di andare a convivere.

MP3 06 **5 Ascolta ancora il racconto di Marisa e controlla le attività 3 e 4.**

6 Forma delle frasi usando il passato prossimo e/o l'imperfetto con le parole dei seguenti insiemi e scrivile sul quaderno.

nel 1980 dal 1980 al 1985 a Perugia
30 anni fa da giovane in passato
negli anni Cinquanta all'epoca nel 2005
fra il 2000 e il 2002 tanto tempo fa allora

la mia città l'università io
mia madre Luisa noi gli studenti Roma
la vita il mio paese la mia ragazza
il mio ragazzo i miei amici le città le persone

avere essere esserci frequentare abitare
vivere studiare lavorare innamorarsi
trasferirsi andare conoscere
visitare volere incontrare leggere

per strada in un'altra città
la mia futura moglie il mio futuro marito
all'estero a Palermo molti libri
all'università alla mensa universitaria difficile
tranquilla molti studenti alla stazione

7 Passato prossimo o imperfetto? Sottolinea il tempo corretto.

1. Mentre *studiavo / ho studiato*, Francesco *passava / è passato* da casa mia e mi *ha invitata / invitava* ad andare al cinema con lui.
2. Quando *sono stata / ero bambina*, non mi *è piaciuto / piaceva* fare ginnastica, *ho preferito / preferivo* suonare il pianoforte.
3. Quando *vivevo / ho vissuto* in Germania, *ho frequentato / frequentavo* tre corsi di tedesco.
4. Quando *ho conosciuto / conoscevo* mia moglie, *ero / sono stato* già all'università e lei *andava / è andata* ancora a scuola, *ha fatto / faceva* l'ultimo anno di liceo. *Ci sposavamo / Ci siamo sposati* quando *abbiamo finito / finivamo* di studiare.
5. Nella mia vita *ho fatto / facevo* quattro traslochi. Ogni volta *dovevo / ho dovuto* ricominciare da zero.
6. Mentre *studiavo / ho studiato, ho lavorato / lavoravo* per un anno come cameriera nel bar dell'università.
7. La mia città *è cambiata / cambiava* tantissimo: *è stata / era* così bella.
8. Negli anni Ottanta nelle università italiane *ci sono stati / c'erano* molti più studenti di adesso.

C L'ALTO ADIGE È UNA REGIONE INTERESSANTE

1 Sottolinea la forma corretta per completare il testo.

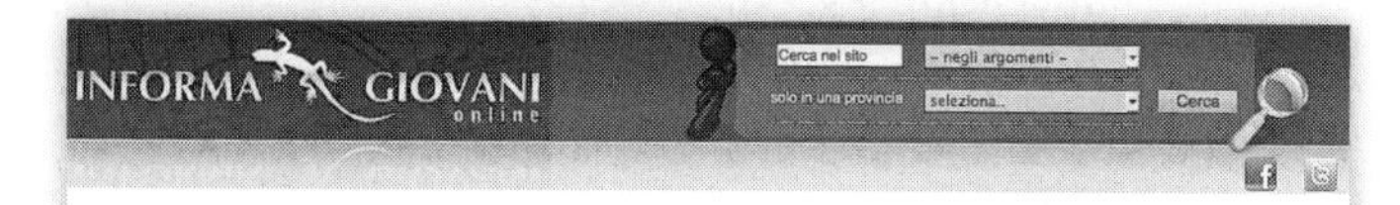

Vacanza senza auto? L'Emilia-Romagna è ai primi posti in classifica

Alcune proposte di viaggio per coloro che intendono evitare il traffico da "bollino rosso" e lo stress da parcheggio anche in vacanza.

Finalmente è arrivata l'estate. Per tutti coloro che non hanno ancora le idee chiare, questi giorni sono molto importanti per programmare le vacanze. Attenzione però non solo a scegliere la destinazione e il periodo, ma anche a pensare a come viaggiare.

Il mezzo più utilizzato dagli italiani per gli spostamenti è l'automobile. (1) *Prima di / Prima* partire ogni automobilista si informa sulla situazione del traffico, giorni e orari da evitare per la partenza, probabili percorsi alternativi.

Anche informagiovanionline vuole dare alcuni consigli su come partire in maniera intelligente.

La nostra proposta è: lasciare a casa (2) *– / l'*automobile. Diverse sono le opportunità (3) *in / nell'* Emilia Romagna per chi decide di non prendere l'automobile. Fino al prossimo dicembre, sarà attiva la convenzione tra il Gruppo Trenitalia e l'Associazione degli Albergatori di Riccione e di Rimini. A tutti coloro che sceglieranno di raggiungere (4) *con / con il* treno entrambe le località verrà rimborsato, parzialmente o interamente, il costo del biglietto. Per avere maggiori informazioni, consultare l'elenco degli alberghi e leggere il regolamento; si rimanda al sito "Al mare (5) *in / con* treno".

Poi, una volta arrivati in Riviera, i turisti potranno raggiungere facilmente qualsiasi luogo sul territorio (6) *con / con i* mezzi di trasporto pubblici o messi a disposizione dagli alberghi. Andare (7) *in / a* discoteca, ad esempio, è possibile (8) *con il / con* bus notturno Blue Line, che collega tutti i locali della Riviera con il centro città di Rimini, passando (9) *per / fra* Cattolica e Riccione. Per raggiungere invece i parchi divertimento (10) *fra / per* Cattolica e Ravenna, i turisti possono viaggiare (11) *con / con i* treni regionali o (12) *con gli / con* autobus di linea, frequenti e a basso costo.

(adattato da www.informagiovanionline.it)

2 «Mi ricordo la prima volta che ci sono stato...». Ma dove? Abbina le frasi alla città corrispondente.

1 [f] Mi ricordo la prima volta che ci sono stato. Volevo visitare gli Uffizi, ma erano chiusi, era il primo maggio.
2 [ ] Ti ricordi la prima volta che siamo stati a casa di Paolo? Dalla finestra si vedevano le gondole ferme lungo il canale.
3 [ ] Mi ricordo la prima volta che ci sono stato... era pazzesco, non avevo mai visto così tanta gente... era il giorno del Palio, ma io non lo sapevo.
4 [ ] Vi ricordate la prima volta che ci siamo stati in vacanza? Paolo voleva mangiare pizza tutti i giorni. «La pizza è nata qui, dobbiamo approfittarne», diceva...
5 [ ] I miei genitori si ricordano sempre della prima volta che sono stati al Festival. Era il 1966 e Domenico Modugno cantava *Dio come ti amo.*
6 [ ] Sandra si ricorda sempre della prima volta che c'è stata. Continuava a dire: «Ma io l'ho già visto!». Poi si è accorta che è rappresentato sulle monete da 1 centesimo.

a Sanremo
b Siena
c Napoli
d Venezia
e Castel del Monte
~~f~~ Firenze

3 Completa le frasi con l'articolo, se è necessario.

la Repubblica.it | Viaggi

Inserisci il testo per la ricerca | Cerca

Home | Pubblico | Economia&Finanza | Sport | Spettacoli | Cultura | Motori | Viaggi | Moda | Casa | Salute | Meteo | Lavoro | Annunci

Copertina | Weekend | Vacanze | Ristoranti | Case | Diari di viaggio | Eventi | Notiziario | Multimedia

Consigli di viaggio
Scegli una delle seguenti destinazioni e scopri i nostri consigli!

1 Se vuoi visitare ...l'... Europa del Nord, ecco i migliori itinerari!
2 Dove si trova .... Baktapur? Scopriamolo insieme!
3 Raggiungere .... Puglia in aereo da Milano, tutti i voli low cost.
4 Visitare .... Asia tra colori e natura.
5 .... Venezia, un tuffo nel passato.
6 Vuoi assaporare .... Sicilia? 10 località per gustare i meravigliosi piatti siciliani!
7 Ti piace .... Spagna? Scopri il suo fascino!
8 .... Portofino, in estate e in inverno.
9 Visitare .... Stati Uniti: da nord a sud, da est a ovest.
10 Vinci un biglietto last minute per .... Brasile! Scopri come!

4 Completa le frasi con le preposizioni elencate.

con in (X2) senza da (X2) per (X2) a ~~di~~

1 Prima ....di....... partire, informarsi sul traffico.
2 Raggiungere la Sicilia passando .... la Campania.
3 Sempre più gente preferisce partire .... il treno.
4 Vacanze .... macchina o .... treno? Consultate il nostro sito.
5 L'estate prossima .... Roma a Milano in sole 3 ore. Guarda le nostre offerte.
6 Ogni domenica .... Modena biciclette gratuite nel centro storico.
7 Vacanze .... stress? Lascia a casa l'auto e prendi il treno!
8 Per chi viene .... Bologna, per raggiungere Verona si consiglia di prendere l'autostrada A4 .... il Brennero.

D AVEVO GIÀ ABITATO A CAGLIARI

1 Completa le frasi con i verbi al trapassato prossimo. Poi abbina le domande alle risposte corrispondenti.

1 [f] Perché hai deciso di trasferirti in campagna?
2 [ ] Come mai hai comprato una macchina così piccola?
3 [ ] Come mai Paolo si è trasferito a Parma?
4 [ ] Dove hai studiato?
5 [ ] Perché sei arrivata in ufficio così presto? Sono solo le 8.
6 [ ] Ciao! Benvenuti a Roma! Ma come mai questo ritardo? Cosa vi è successo?

a In realtà ne (*vedere*) .... una molto più grande, ma poi ho pensato al traffico e al parcheggio e così ho preso questa.

b Niente di grave, scusa, ma (*prendere*) .... la strada per L'Aquila e solo dopo mezz'ora ci siamo resi conto di aver sbagliato uscita.

c A Siena. (*andare*) .... lì per la prima volta a 16 anni in vacanza con i miei. Mi era piaciuta così tanto che in seguito ho deciso di ritornarci per l'università.

d Perché quando frequentava l'università (*trovarsi*) .... bene lì e così ha deciso di ritornarci.

e Perché (*fissare*) .... un appuntamento con il dottor Ghini, ma ho appena ricevuto un suo messaggio: dice che arriverà qui non prima della 10!

f Già da bambina (*vivere*) avevo vissuto in collina con i miei zii, la natura mi è sempre piaciuta e così ho deciso di lasciare la città.

2 Sottolinea il verbo corretto (passato prossimo, imperfetto o trapassato prossimo) per completare l'email di Nadia.

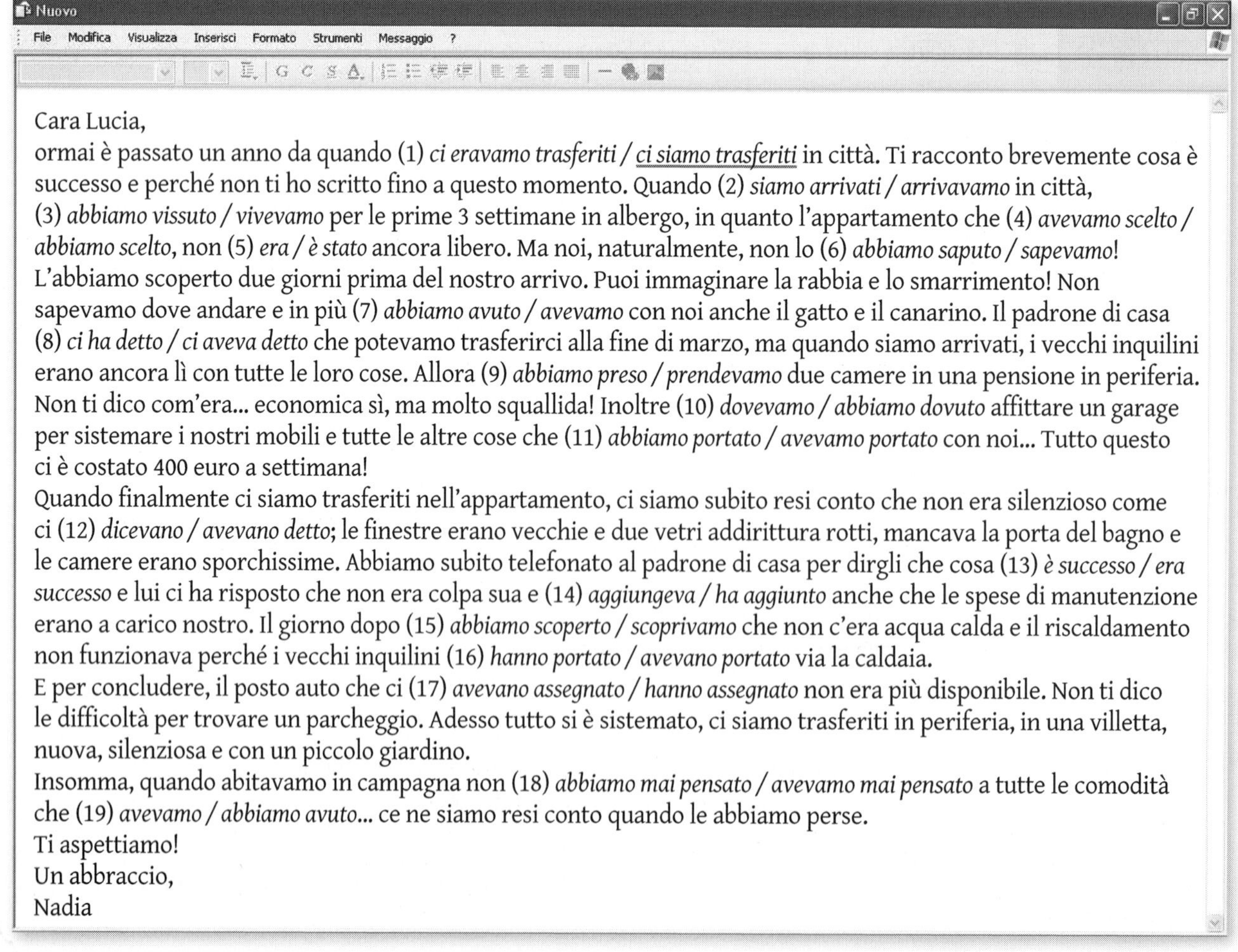

Nuovo

File Modifica Visualizza Inserisci Formato Strumenti Messaggio ?

Cara Lucia,
ormai è passato un anno da quando (1) *ci eravamo trasferiti / ci siamo trasferiti* in città. Ti racconto brevemente cosa è successo e perché non ti ho scritto fino a questo momento. Quando (2) *siamo arrivati / arrivavamo* in città, (3) *abbiamo vissuto / vivevamo* per le prime 3 settimane in albergo, in quanto l'appartamento che (4) *avevamo scelto / abbiamo scelto*, non (5) *era / è stato* ancora libero. Ma noi, naturalmente, non lo (6) *abbiamo saputo / sapevamo*! L'abbiamo scoperto due giorni prima del nostro arrivo. Puoi immaginare la rabbia e lo smarrimento! Non sapevamo dove andare e in più (7) *abbiamo avuto / avevamo* con noi anche il gatto e il canarino. Il padrone di casa (8) *ci ha detto / ci aveva detto* che potevamo trasferirci alla fine di marzo, ma quando siamo arrivati, i vecchi inquilini erano ancora lì con tutte le loro cose. Allora (9) *abbiamo preso / prendevamo* due camere in una pensione in periferia. Non ti dico com'era... economica sì, ma molto squallida! Inoltre (10) *dovevamo / abbiamo dovuto* affittare un garage per sistemare i nostri mobili e tutte le altre cose che (11) *abbiamo portato / avevamo portato* con noi... Tutto questo ci è costato 400 euro a settimana!
Quando finalmente ci siamo trasferiti nell'appartamento, ci siamo subito resi conto che non era silenzioso come ci (12) *dicevano / avevano detto*; le finestre erano vecchie e due vetri addirittura rotti, mancava la porta del bagno e le camere erano sporchissime. Abbiamo subito telefonato al padrone di casa per dirgli che cosa (13) *è successo / era successo* e lui ci ha risposto che non era colpa sua e (14) *aggiungeva / ha aggiunto* anche che le spese di manutenzione erano a carico nostro. Il giorno dopo (15) *abbiamo scoperto / scoprivamo* che non c'era acqua calda e il riscaldamento non funzionava perché i vecchi inquilini (16) *hanno portato / avevano portato* via la caldaia.
E per concludere, il posto auto che ci (17) *avevano assegnato / hanno assegnato* non era più disponibile. Non ti dico le difficoltà per trovare un parcheggio. Adesso tutto si è sistemato, ci siamo trasferiti in periferia, in una villetta, nuova, silenziosa e con un piccolo giardino.
Insomma, quando abitavamo in campagna non (18) *abbiamo mai pensato / avevamo mai pensato* a tutte le comodità che (19) *avevamo / abbiamo avuto*... ce ne siamo resi conto quando le abbiamo perse.
Ti aspettiamo!
Un abbraccio,
Nadia

PRONUNCIA E GRAFIA

1 Sottolinea l'interiezione corretta per completare i fumetti.

1 *Ah! / <u>Eh?</u> / Boh!* Come hai detto, scusa? Non capisco, parla più forte.

2 *Ah! / Eh? / Boh!* Non so, non lo conosco, non l'ho mai visto...

3 *Ah! / Eh? / Boh!* Sei tu... Mi ero spaventato, ho sentito un rumore...

4 *Ah! / Eh? / Boh,* 15 euro! Allora sì, lo compro... Avevo capito 50...

5 *Ah! / Eh? / Boh?* Cosa? Ma no, non è possibile... non può essere lui, Gianpaolo ha una macchina rossa...

6 Quanti anni ha? *Ah! / Eh? / Boh,* non so, ne avrà 45 o 50... più o meno...

IL MIO PORTFOLIO

- **So parlare di una città:**
  È un'antichissima città universitaria, ...
- **So parlare dei cambiamenti di una città:**
- **So raccontare la mia esperienza di vita cittadina:**
- **So parlare della vita in città:**
- **So esprimere opinioni a proposito della vita in città e in campagna:**
- **Conosco i punti cardinali:**
  il nord, ...
- **Conosco le parole che si riferiscono ai luoghi geografici:**
- **Conosco le attrazioni e i luoghi della città:**
- **Conosco le parole che si riferiscono ai mezzi pubblici:**

LEGGERE

1 Leggi il testo e rispondi alle domande.

CESENATICO TRA PASSATO E PRESENTE

Cesenatico è un Comune di circa 23 000 abitanti della Provincia di Forlì-Cesena. È un'importante centro turistico che si trova sul mare Adriatico tra Rimini e Ravenna.

Durante l'epoca romana, Cesenatico è un piccolissimo paese poco importante dal punto di vista economico.

L'attuale centro storico ha invece origine nel Medioevo, e più precisamente nell'anno 1302, quando la città di Cesena, per avere uno sbocco al mare per i suoi traffici commerciali, inizia a scavare il porto canale e costruisce un castello per difenderlo.

Nei due secoli successivi, il porto diventa di grande importanza strategica dal punto di vista commerciale e militare e all'inizio del Cinquecento il grande Leonardo da Vinci progetta modifiche e miglioramenti del porto stesso.

Solo nel 1827 Cesenatico ottiene l'autonomia da Cesena.

Durante l'Ottocento si sviluppa sempre di più la pesca e, alla fine del secolo, viene costruito il primo stabilimento balneare (un settore della spiaggia attrezzato con sedie a sdraio e ombrelloni): inizia lo sviluppo del turismo balneare. In pochi decenni Cesenatico diventa un'importante meta turistica, nascono i primi alberghi e si costruiscono le prime colonie per permettere ai bambini delle famiglie meno ricche di trascorrere qualche settimana al mare.

A partire dagli anni Settanta, Cesenatico cerca di allargare la propria offerta turistica, valorizzando la propria storia e cultura con la realizzazione di importanti opere: la piazza delle Conserve, il Museo della Marineria, Casa Moretti e i Giardini al Mare.

(adattato da http://web.comune.cesenatico.fc.it)

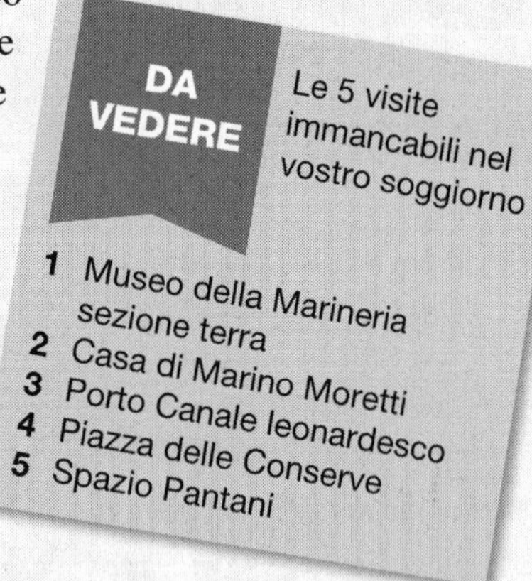

1 Dove si trova Cesenatico? ....

2 Quanti abitanti ha? ....

3 Quando è stato fondato il suo porto? ....

4 Perché questa cittadina è importante? ....

5 Che cosa si può visitare? ....

ASCOLTARE

1 **Cerca in Internet la canzone *Milano* di Alex Britti, ascoltala e segna le immagini corrispondenti alle parole che senti.**

Quali tra queste immagini rappresentano anche la tua città?

SCRIVERE

1 **Rispondi alle domande.**

1 Dove sei nato? ....

2 Hai sempre vissuto nella stessa città? ....

3 Dove si trova la tua città? ....

4 Com'è la tua città? ....

5 Dove hai studiato? ....

6 Preferisci la campagna o la città? Perché? ....

Ora usa le risposte che hai dato per scrivere un breve testo.

PARLARE

1 **Immagina di essere una guida turistica. Pensa a una città che ti piace molto e prepara un breve discorso per presentarla ai tuoi compagni. In classe fai la tua presentazione e ascolta quelle dei compagni.**

3 Io cercherei in Internet!

A AL POSTO TUO CERCHEREI INFORMAZIONI

1 Abbina le parole a sinistra con il significato corrispondente a destra.

1	[b] inserisci	**a**	ricerca più dettagliata
2	[ ] località	~~**b**~~	scrivi
3	[ ] ricerca avanzata	**c**	parola importante
4	[ ] parola chiave	**d**	campo lavorativo
5	[ ] area funzionale	**e**	luogo

2 Inserisci negli spazi le parole della prima colonna dell'attività precedente.

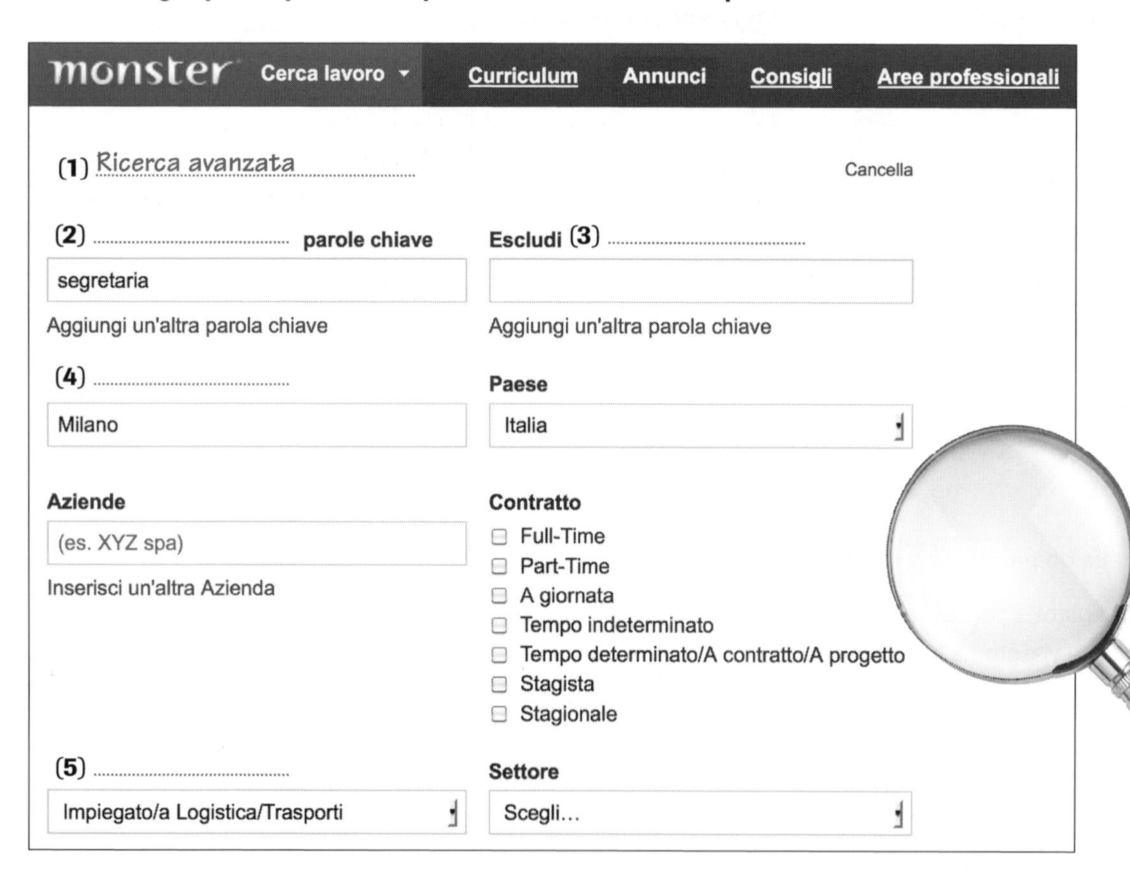

monster Cerca lavoro ▾ Curriculum Annunci Consigli Aree professionali

(1) Ricerca avanzata .... Cancella

(2) .... **parole chiave**

segretaria

Aggiungi un'altra parola chiave

Escludi (3) ....

Aggiungi un'altra parola chiave

(4) ....

Milano

Paese

Italia

Aziende

(es. XYZ spa)

Inserisci un'altra Azienda

Contratto

- [ ] Full-Time
- [ ] Part-Time
- [ ] A giornata
- [ ] Tempo indeterminato
- [ ] Tempo determinato/A contratto/A progetto
- [ ] Stagista
- [ ] Stagionale

(5) ....

Impiegato/a Logistica/Trasporti

Settore

Scegli...

3 Quali sono secondo te le parole chiave per la ricerca di lavoro?

....

....

....

4 Leggi le frasi e abbinale a ciò che esprimono.

1 [c] Buongiorno, ho un colloquio con il dottor Dini. Potrebbe dirmi dov'è il suo ufficio?
2 [ ] Ah, quanto mi piacerebbe avere un lavoro part-time! Non ne posso più di lavorare fino a tardi!
3 [ ] Carlo, mi daresti una mano a fare una ricerca in Internet? Sai, io non sono molto brava...
4 [ ] Ora che ha finito la scuola, Eleonora vorrebbe lavorare all'estero per un anno per migliorare il suo inglese.
5 [ ] Vuole vedere il documento? Beh, veramente non potrei farlo vedere ad altri, è materiale dell'ufficio...
6 [ ] Senti, al posto tuo, proverei a inviare il curriculum anche alle aziende in altre città e non solo a quelle di Firenze. Avresti più possibilità!
7 [ ] Secondo me dovresti accettare questo lavoro. So che è molto lontano da dove abiti, ma è un'ottima occasione professionale per te.
8 [ ] Mah, non saprei, non è proprio il mio settore... Io non ho molta esperienza nel marketing...

a desiderio
b consiglio
c richiesta gentile
d esprimere insicurezza

5 Forma 6 frasi come nell'esempio. Sono possibili più soluzioni.

Io	volere	dirmi dov'è la zona industriale
Tu	potere	studiare il cinese
Fabia	sapere	aiutarmi con il computer
Noi	preferire	inviare il CV all'ufficio delle risorse umane
Voi	cercare	volentieri in vacanza
Giulio e Davide	andare	andare in ferie

1 Fabia vorrebbe studiare il cinese.
2 ....
3 ....
4 ....
5 ....
6 ....

6 Leggi le interviste sottostanti e quelle nella pagina seguente fatte ad alcuni studenti di una scuola superiore di Napoli e coniuga i verbi al condizionale semplice.

- Sono Giulio, ho 16 anni e da grande (*volere*) (1) vorrei fare l'architetto.
- Perché (*volere*) (2) .... fare l'architetto?
- Perché in questo modo (*potere*) (3) .... progettare ponti e grattacieli e (*avere*) (4) .... la possibilità di vivere in una città grande e moderna.
- Dove ti (*piacere*) (5) .... vivere?
- A Singapore o a Dubai perché lì (*trovare*) (6) .... sicuramente ispirazione per i miei progetti.

- Sono Katia, ho 17 anni e da grande mi (*piacere*) (7) .... diventare medico di Pronto Soccorso.
- Perché proprio di Pronto Soccorso?
- Perché (*potere*) (8) .... salvare delle vite, aiutare la gente...
- Sì, ma è un lavoro estremamente impegnativo... (*dovere*) (9) .... prendere delle decisioni in pochi secondi.
- Sì, è vero, ma non (*essere*) (10) .... sola, con me ci (*essere*) (11) .... anche altri medici e infermieri.

- Io sono Marco e lui è il mio fratello gemello Luca. Lui da grande (*volere*) (12) .... diventare pilota di aerei di linea, a me, invece, (*piacere*) (13) .... insegnare storia all'università.
- E dove (*voi/volere*) (14) .... vivere?
- Io (*volere*) (15) .... vivere in Italia, magari a Roma o a Venezia, Luca invece (*vivere*) (16) .... volentieri all'estero... Una cosa è sicura: in questo modo non (*noi/vedersi*) (17) .... più tanto spesso e a me (*dispiacere*) (18) .... moltissimo... Ma cosa dobbiamo fare?

- Sono Valeria, ho 16 anni. Non so cosa farò da grande, so solo che non mi (*piacere*) (19) .... lavorare in un ufficio dalla mattina alla sera, (*volere*) (20) .... avere invece un lavoro dinamico. (*essere*) (21) .... bello lavorare nel settore dello spettacolo, a contatto con personaggi famosi oppure nella moda. Sicuramente in questo modo (*essere*) (22) .... impegnata anche durante i weekend, ma mi (*andare*) (23) .... comunque bene, tanto non penso di sposarmi e mettere su famiglia.

B NEGOZIO DI ABBIGLIAMENTO CERCA COMMESSA

1 Completa l'annuncio di lavoro con le parole elencate.

settore mansioni laurea requisiti ~~azienda~~
durata impiegato stipendio orario filiale sede

Si ricerca per importante (1) azienda del (2) .... farmaceutico
(3) .... ufficio amministrativo con esperienza;
(4) ....: fatturazione, recupero crediti, controllo contabilità, gestione rapporti con le banche;
(5) ....: diploma in ragioneria o (6) .... in Economia e commercio, conoscenza di almeno un programma di gestione contabilità, buona conoscenza della lingua tedesca;
(7) .... contratto: a tempo determinato con possibili proroghe;
(8) .... di lavoro: (9) .... di Trento;
(10) .... di lavoro: dalle 8.30 alle 17.30 (1 ora di pausa pranzo);
(11) .... base più incentivi.

Inviare CV con autorizzazione al trattamento dei dati personali a: filiale-trento@farma.it

MP3 07 **2 Ascolta la trasmissione radiofonica *Area di servizio* e completa le tabelle con le informazioni richieste.**

Area di servizio
Un pieno di informazioni su attualità e temi sociali

Azienda o ente	Università la Sapienza di Roma
Posizione o corso offerto	borsa di studio
Requisiti (titolo di studio, esperienze precedenti)	....
Età	....
Scadenza domanda	....
Sito web	....

Azienda o ente	....
Posizione offerta 1	....
Posizione offerta 2	....
Requisiti (titolo di studio, esperienze precedenti)	....
Scadenza domanda	....
Sito web	....

Area di servizio
Un pieno di informazioni su attualità e temi sociali

Azienda o ente	....
Posizione o corso offerto	....
Requisiti (titolo di studio, esperienze precedenti)	....
Scadenza domanda	....
Sito web	....

Azienda o ente	....
Posizione o corso offerto	....
Requisiti (titolo di studio, esperienze precedenti)	....
Scadenza domanda	....
Sito web	....

HO LAVORATO IN UN RISTORANTE DI ROMA

1 Osserva la ricetta del "buon impiegato amministrativo" e crea quella del "buon responsabile tempo libero di un hotel a 5 stelle" e quella del "buon architetto". Utilizza le espressioni elencate.

esperienza nel settore · capacità organizzative · conoscenze informatiche · flessibilità · dinamicità · pazienza con i clienti · creatività · doti comunicative · lingua inglese · lingua francese · precisione · responsabilità

La ricetta del buon impiegato amministrativo

Ingredienti:
- 500 g di esperienza
- 250 g di precisione
- 200 g di conoscenze informatiche
- 2 cucchiai di flessibilità
- 1 bustina di lingua inglese
- un pizzico di creatività
- dinamicità q.b.

La ricetta del buon architetto

Ingredienti:
- ....
- ....
- ....
- ....
- 2 cucchiai di ....
- 1 bustina di ....
- un pizzico di ....
- .... q.b.

La ricetta del buon responsabile del tempo libero

Ingredienti:
- ....
- ....
- ....
- ....
- 2 cucchiai di ....
- 1 bustina di ....
- un pizzico di ....
- .... q.b.

2 Mi sarebbe piaciuto...! Completa le frasi con i verbi al condizionale composto. Poi abbina le frasi di sinistra con quelle di destra.

1 [d] Mi sono sempre piaciuti i computer.
2 [ ] Adoro Bach e Mozart.
3 [ ] Mi è sempre piaciuta la ricerca.
4 [ ] Amo da sempre l'abbigliamento.
5 [ ] Ho sempre avuto una grande passione per i motori.
6 [ ] Ho sempre amato le lingue.
7 [ ] Mi interessano gli edifici e le costruzioni moderne.

a (*volere*) .... studiare medicina anziché giurisprudenza.
b (*volere*) .... diventare un architetto.
c (*fare*) .... volentieri il pilota di Formula 1.
~~d~~ (*lavorare*) Avrei lavorato volentieri nel campo dell'informatica.
e (*volere*) .... lavorare come interprete all'estero.
f Mi (*piacere*) .... lavorare nella moda.
g (*studiare*) .... volentieri musica e invece mi sono dedicato alle vendite.

3 Mi sarebbe piaciuto fare l'astronauta! Leggi le storie e indovina che mestiere fanno queste persone.

Mi sarebbe piaciuto fare l'astronauta, ma naturalmente è rimasto un sogno. Sono diventato invece uno ...., non l'avrei mai detto. Tutto è iniziato all'università, quando ho cominciato a scrivere per il giornale della facoltà, poi mi sono occupato della pagina della cultura di un quotidiano famoso e alla fine mi sono dedicato alla critica di opere teatrali. Ad oggi ho già pubblicato 2 romanzi e ne sto scrivendo un altro che uscirà il prossimo anno.

Avrei voluto fare la veterinaria, occuparmi degli animali feriti, lavorare all'aria aperta e dedicarmi anche alla ricerca. E invece, anche se è difficile crederlo, sono diventata un .... Purtroppo non è stata una mia scelta, ho seguito le orme di mio padre, che aveva già uno studio legale. Ora lavoro sempre al chiuso, sono tutti i giorni in un'aula di tribunale o nel mio studio, ho tanti clienti, ma non ho perso il mio amore per gli animali: il sabato e la domenica lavoro come volontaria per il canile della mia città.

Mi sarebbe piaciuto diventare un ballerino di danza classica, sono sempre stato un tipo atletico e ho sempre amato la danza. Ma i miei genitori mi dicevano che con la danza non si guadagna... e avevano ragione... Così mi sono laureato in Economia e commercio e adesso lavoro come .... in una filiale del centro. Mi occupo di prestiti, mutui e conti correnti; non è sempre facile avere a che fare con i clienti, il lavoro non è certo creativo, ma lo stipendio è piuttosto buono.

Avrei voluto fare l'insegnante, mi sarebbe piaciuto insegnare ai bambini e continuare a vivere nella mia città. E invece ho scelto una professione completamente diversa, sono sempre in giro per il mondo, vado spesso in zone di guerra, intervisto personaggi famosi e gente comune. A volte il mio mestiere è piuttosto difficile, ci sono cose che non vorrei né vedere né sentire, ma ormai ho scelto di comunicare a tutti quello che succede in alcuni angoli del mondo. Sono contenta di fare la ....

PRONUNCIA E GRAFIA

MP3 08 **1 Ascolta il dialogo e inserisci i segni di interpunzione negli spazi indicati.**

Guido: Ciao Silvia [,] come va [ ] È tanto tempo che non ti vedo [ ]
Silvia: Ciao Guido [ ] sono contenta di rivederti [ ] Sai che non vivo più qui [ ] Ho cambiato lavoro e anche città [ ] adesso lavoro come interprete a Londra [ ]
Guido: Ma dai [ ] scherzi [ ] Ma se mi dicevi sempre che non avresti mai lasciato Messina [ ]
Silvia: E invece [ ]
Guido: E come ti trovi [ ] Ti piace [ ]
Silvia: Beh [ ] è una città molto grande [ ] ma alla fine si vive bene [ ] ho già tanti amici e la sera c'è sempre qualcosa da fare [ ]
Guido: Beata te [ ] Anche a me piacerebbe cambiare aria [ ]
Silvia: Ma perché non cerchi anche tu lavoro a Londra [ ] So che nella mia azienda cercano altri interpreti [ ] Dai [ ] provaci [ ]
Guido: E perché no [ ]

IL MIO PORTFOLIO

- **So parlare della ricerca di lavoro:**
  Cerco lavoro, ...
- **So leggere e rispondere agli annunci di lavoro:**
  ....
- **So compilare un curriculum vitae e partecipare a un colloquio di lavoro:**
  ....
- **Conosco le parole utili per la ricerca di lavoro:**
  l'inserzione, ...
- **Conosco le parole del settore del lavoro:**
  ....
- **Conosco i requisiti per determinate professioni:**
  ....

LEGGERE

1 Leggi l'articolo e abbina le descrizioni del tipo di abbigliamento ai disegni. Poi indica se le affermazioni sono vere o false.

Come vestirsi per un colloquio di lavoro: i consigli dello stilista delle star

Un corso per imparare a vestirsi per fare bella figura ai colloqui. E qualche consiglio.
"L'abito non fa il monaco", ma aiuta a trovare lavoro. Lo cantavano i Roxette a fine anni '80 nella loro *Dressed for Success* e ne è convinto *Phillip Bloch*, uno degli stilisti più famosi di Hollywood.
L'idea è di insegnare alle signore che devono affrontare un colloquio a diventare più sicure di sé, perché il look e l'attenzione al dettaglio nel mondo del lavoro sono fattori essenziali. «Bisogna trovare qualcosa che stia bene e dia un'immagine positiva e sicura. Qui aiutiamo gratuitamente le donne a imparare a vestirsi in modo

appropriato e facciamo anche dei corsi di aggiornamento professionale», spiega lo stilista. Qualche consiglio di stile per un look da colloquio. Le donne che si presentano a un colloquio di lavoro dovrebbero evitare di indossare gonne troppo corte e scollature troppo accentuate. Meglio un abito sobrio e distinto, con tanto di giacca. Il trucco deve essere appena accennato, quasi impercettibile, mai troppo pesante o volgare.

1 Per un lavoro di ufficio
Tailleur, ma non troppo classico. Meglio scegliere tessuti giovani e morbidi (anche il jeans, perché no?), abbinati a una camicia in un tessuto o di un colore particolare. E soprattutto divertitevi con gli accessori: stivali o sneakers di pelle, una cintura insolita, una bella borsa grande o, perché no, una borsa a tracolla piatta, modello "postino". Insomma, mai dare un'immagine da "donna in carriera".

2 Per un lavoro nel settore dei media
Un bel tailleur diritto, decisamente nero, tipo "smoking", meglio se pantalone, per un look un po' maschile, ma, come sottogiacca, qualcosa di leggermente sexy. A completare il tutto: scarpe con un bel tacco e borsetta da portare a mano o sotto il braccio.

3 Per un lavoro nel settore creativo
Parola d'ordine: distinzione e stile informale. Dovrete dimostrare di avere uno stile preciso e riconoscibile, che vi renda "unici". Non dovete avere paura di fare quegli abbinamenti che osate di solito. Siete o no dei creativi? E allora createvi anche il look. Esprimete la vostra personalità attraverso colori e accessori.

4 Per un lavoro nel settore legale
Tailleur pantalone, ma casual, magari in lino, jeans o velluto (dipende dalla stagione), stivaletti o scarpe con tacco, anche in un colore un po' insolito, e una bella borsa shopping grande. Dovrete dare l'impressione di avere "il mondo in tasca" e sempre a portata di mano.

(adattato da www.dilei.it)

		V	F
1	Il giusto abbigliamento influenza positivamente il colloquio.	☑	☐
2	Al colloquio di lavoro è meglio presentarsi non truccate.	☐	☐
3	A ogni genere di lavoro corrisponde un diverso tipo di abbigliamento.	☐	☐
4	Per i colloqui di lavoro è vietato indossare il jeans.	☐	☐
5	È consigliato un abbigliamento informale, ma ricercato.	☐	☐

ASCOLTARE

MP3 09 **1 Ascolta e poi rispondi alle domande.**

	Marcello	Maria Giulia	Arminio	Nessuno	Tutti
1 Chi avrebbe voluto fare il calciatore?	✗				
2 Chi da bambino avrebbe voluto fare il lavoro che fa ora?					
3 Chi non vorrebbe cambiare lavoro?					
4 Chi avrebbe voluto fare lo skipper?					
5 Chi vorrebbe cambiare lavoro?					
6 Chi vorrebbe un lavoro più vicino a casa?					
7 Chi avrebbe voluto tradurre libri?					
8 Chi non potrebbe fare il suo lavoro senza la patente?					
9 Chi vorrebbe cenare sempre a casa?					
10 Chi vorrebbe vivere in Irlanda?					

SCRIVERE

1 Una tua amica, o un tuo amico, ha un importante colloquio di lavoro. Dai dei consigli sul modo di vestire usando il condizionale.

1 Per la posizione di animatore in un villaggio turistico.
2 Per la posizione di avvocato.
3 Per la posizione di insegnante.

1 Al posto tuo ....

....

....

2 Per il tuo colloquio di lavoro ....

....

....

3 ....

....

....

PARLARE

1 Intervista 4 persone adulte che conosci e chiedi loro:

1 che lavoro fanno;
2 che lavoro vorrebbero fare;
3 che lavoro avrebbero voluto fare da bambini.

Prendi appunti su un foglio e preparati a presentare i tuoi risultati oralmente alla classe.

2 Pensa a 4 lavori che non vorresti mai fare e prova a spiegare perché.

4 Diglielo con un fiore!

A CI SIAMO GUARDATI UN ATTIMO E...

1 Completa la chat con i verbi reciproci elencati.

baciarsi incontrarsi ~~vedersi~~ (x2) lasciarsi salutarsi conoscersi sentirsi abbracciarsi sposarsi

Sabrina è in vacanza con alcuni amici. Un giorno chatta con Monica e le racconta della storia d'amore fra Gina e Fabio.

Ciao Monica, ci sei? Dimmi di sì! Ti devo raccontare una cosa...

Eccomi! Come va? Vi state divertendo?

Sì, tantissimo! Senti questa... Gina e Fabio (1) *si vedono* spesso.

Ma dai! Dimmi tutto!

(2) .... tutte le sere vicino al bar del campeggio e (3) .... come due che appena (4) ....

Beh, ma forse non c'è niente fra loro...

Ma no! Quando rientro a casa, li vedo sempre davanti alla porta d'ingresso che (5) .... e (6) ....

Ma dai! Proprio Gina che dice sempre che a lei l'amore non interessa. E senti, e tu e Giulio, (7) .... ancora?

Sì, ma non come prima... e se (8) ....? Che cosa faccio poi?

Ma dai, scommetto che alla fine (9) ....!

Ma noi quando (10) .... di nuovo? Fammi sapere! Baci.

2 Completa la cartolina con i verbi reciproci elencati.

vedersi conoscersi incontrarsi innamorarsi

Ciao!
Vacanza indimenticabile!
Ho incontrato la mia anima gemella!
(1) .... mentre facevamo trekking.
(2) .... subito ....
Lui vive a Trento e fa il cameriere e a giugno
(3) .... a Padova.
Un abbraccio,
Vania
P.S. Noi quando (4) ....? Mi manchi!

Carla Gini
Via Garibaldi, 86
Bologna

B ME LO PORTA LA MATTINA DEL MATRIMONIO

1 Il regalo di nozze. Sottolinea i pronomi combinati corretti per completare il dialogo.

Anna: Ciao Elena, hai deciso cosa regalare a Roberto e a Vera per il loro matrimonio? Sai che non hanno fatto la lista nozze?
Elena: Sì, lo so, (1) *me la / me lo / te lo* ha detto ieri Katia. Ma che ne dici di un servizio di tazzine da caffè?
Anna: Mah, veramente (2) *gliela / ce le / glielo* regala Marisa. Che ne pensi invece delle coppette da gelato?
Elena: No, so che (3) *gliele / glieli / glielo* voleva regalare Fabia.
Anna: Fabia, ma perché, viene anche lei?
Elena: Sì, certo... Ma non (4) *te lo / me lo /ce li* avevano detto? So che ha già ricevuto l'invito.
Anna: Veramente non (5) *glielo / me lo / me li* aveva detto nessuno... Sai che non vado molto d'accordo con lei... anzi, a proposito dell'invito, sai che non (6) *me lo / te lo / me li* hanno ancora dato?
Elena: Ma davvero? Probabilmente (7) *te lo / glielo / me lo* spediranno per posta, o meglio, (8) *me la / ce lo / ve lo* spediranno, visto che l'invito è per te e per Fausto. Comunque torniamo al regalo. So che il televisore, (9) *glieli / glielo / gliela* regalano i cugini di Vera, la lavatrice, (10) *gliela / ce la/ glielo* prende Federico, e le posate, (11) *glieli / te le / gliele* regalano i colleghi.
Anna: Sai, quando ci siamo sposati io e Bruno, i piatti e i bicchieri non (12) *ce le / ve le / ce li* ha regalati nessuno perché avevamo dimenticato di metterli nella lista nozze.
Elena: E così (13) *ve li / me li / ve lo* siete comprati voi?
Anna: Sì, ma molto tempo dopo il matrimonio. E anche la lavatrice, alla fine (14) *ce le / ce l' / gliel'* ha comprata mia madre perché nessuno voleva (15) *regalargliela / regalarcela / regalarcele.*
Elena: Ma sai che ti dico? Per non sbagliare chiediamo ai futuri sposi che cosa vogliono.
Anna: Sì, sono d'accordo, (16) *ve lo / te lo / glielo* chiediamo domani!

2 La sposa stressata. Completa le frasi con i pronomi combinati corretti.

Il giorno prima del matrimonio, Sara, la sposa, è molto stressata e ha dimenticato tutto quello che è già stato organizzato per il suo matrimonio. Fortunatamente la sua amica che fa la *wedding planner* riesce a tranquillizzarla.

La sposa	La *wedding planner*
1 Chi mi chiama il parrucchiere?	Non ti preoccupare, ...te lo... chiamo io.
2 Chi mi fa le foto?	Non ti preoccupare, ... fa il fotografo.
3 Chi mi prepara il bouquet?	Non ti preoccupare, ... prepara il fioraio.
4 Chi ci porta i confetti al ristorante?	Non ti preoccupare, ... porta la mia assistente.
5 Chi mi porta l'abito da sposa a casa?	Non ti preoccupare, ... porta il sarto.
6 Chi porta le bomboniere ai miei genitori?	Non ti preoccupare, ... porta il negoziante.
7 Chi dice allo sposo che la macchina non è ancora pronta?	Non ti preoccupare, ... dice il meccanico.
8 Chi spedisce gli inviti ai miei colleghi?	Non ti preoccupare, ... ho già spediti io.
9 Chi mi prepara una camomilla?	Non ti preoccupare, ... preparo io e penserò a tutto io, tu pensa solo al tuo futuro marito!
10 E chi gli dice che lo amo?	Va bene... Solo per questa volta, ... dico io!

C LA CENA: OFFRIGLIELA!

MP3 10 **1 Ascolta più volte la rubrica del cuore e completa i dieci consigli dell'esperto.**

La rubrica del cuore

1 La cena: fagliela pagare tutte le volte che uscite insieme.
2 I baci: .... spesso.
3 I fiori: .... appassiti.
4 I regali: .... ma riciclati.
5 A Parigi, la città dell'amore: ...., ma solo in periferia.
6 Della tua famiglia: ...., ma non .... mai incontrare.
7 La tua ex: ....
8 Quando uscite insieme: .... con i tuoi problemi di lavoro.
9 Il suo cagnolino: .... a zero.
10 Le tue chiavi di casa: .... indietro.

2 Ecco le risposte dell'"amata". Sottolinea il pronome corretto per completare le frasi.

1 La cena: *pagatela / pagartela / la paga* da solo!
2 I baci: *dalla / dallo / dalli* pure alla tua ex!
3 I fiori appassiti: *li regali / regalala / regalali* sempre alla tua ex!
4 I regali riciclati: *portagliele / portale / portateli* a casa tua!
5 Parigi, la città dell'amore: *vacci / valla / ci vai* pure con i tuoi cari amici! (means there)
6 La tua famiglia: non *fammela / farsela / farmela* mai incontrare!
7 La tua ex: *salutamela / salutamelo / salutale* pure!
8 Quando usciamo insieme: *non mi annoia / non annoiarti / non annoiarmi* più con i tuoi problemi! Non mi interessano!
9 Il mio cagnolino: *ridarglielo / ridallo / ridammelo* così com'era! (puppy)
10 Le tua chiavi di casa: *riprenditele / riprendetevele / riprendigliele* pure!

3 Trasforma le frasi all'imperativo di cortesia.

Il marito smemorato.
Un giorno Pietro, il marito di Marisa, si sveglia e non ricorda più di essere sposato e così si rivolge a sua moglie usando la forma di cortesia.

1 Amore, la mano, dammela che ti aiuto.
Prego signora, la mano, me la dia che la aiuto.

2 Cara, i tuoi cagnolini, dammeli che li porto fuori.
Cara signora... me li dia

3 Amore mio, le nostre foto, mettile in salotto.
Gentile signora... le metta

4 Piccola, i tuoi problemi sono anche i miei: parlamene pure.
me ne parli

5 Tesoro mio, per il tuo compleanno, la barca, compratela pure.
la comprati

6 Amore, quando hai bisogno, chiamami pure a qualsiasi ora.
Mi chiami

7 Cara, le vacanze a tua madre, gliele pago io.
....

8 Tesoro, la tua auto, dammela che la porto dal meccanico.
Me la dia

imperativo
non + infinitive — ARE: tu -a! lei -i!
non + reg ending — ERE / IRE: -i! (informale) -a! (formale)

4 Completa il dialogo con i pronomi combinati elencati.

gliele (X2) me le ~~se lo~~ glielo (X2) me lo

- Dottore, oggi è il compleanno di Sua moglie? Non (1) se lo dimentichi, mi raccomando!
- O mio Dio! Ha ragione. Prima di tutto faccia una cosa: telefoni a Mario, il fioraio, ordini un mazzo di rose rosse, una dozzina direi. Passo poi io a pagargliele, (2) .... dica, mi raccomando.
- Gli dico che le consegnino a casa Sua?
- No, no, (3) .... faccia portare qui in ufficio, (4) .... dica: devono assolutamente portamele prima delle quattro.
  (più tardi)
- Dottore, le rose sono arrivate.
- Già, è vero, sono già le quattro... ma io non ce la faccio, ho ancora due appuntamenti. Signorina, mi faccia un piacere: prenda queste rose e le porti a mia moglie. Mi raccomando, (5) .... porti subito, mia moglie alle cinque deve uscire.
- Ma dottore... smetta di lavorare prima e (6) .... porti Lei!
- Dice?
- Ma certo! (7) .... lasci dire... per certe cose Lei è proprio un disastro!

D NON CE LA FACCIO PIÙ

1 Completa i fumetti con i verbi elencati.

sentirsela (x2) farcela avercela ~~andarsene~~ starsene

2 Forma 6 frasi come nell'esempio. Sono possibili più soluzioni.

Io		avercela	di dire a Giulio che non lo ama più
Tu		starsene	ad arrivare in tempo
Christine		farcela	con me
Io e Dario	(non)	sentirsela	a casa, siamo stanchi
Voi		andarsene	così presto? La festa è appena iniziata
Tu e Valeria			con tutti in questo periodo

1 *Io non ce la faccio ad arrivare in tempo.*
2 ....
3 ....
4 ....
5 ....
6 ....

PRONUNCIA E GRAFIA

1 Questa poesia d'amore è stata scritta più di 2000 anni fa da un poeta latino di nome Catullo. Naturalmente è stata scritta in latino, ma noi l'abbiamo tradotta in italiano.

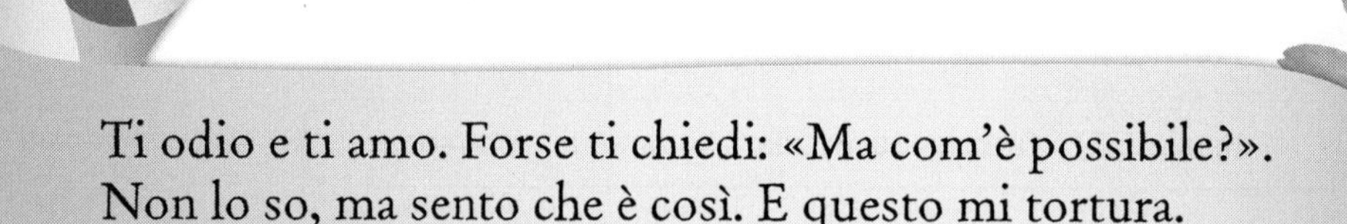

Ora prova a leggerla pronunciando come una sola parola le parole collegate dai trattini.

Ti_odio e_ti_amo. Forse ti_chiedi: «Ma_com'è_possibile?».
Non_lo_so, ma_sento che_è_così. E_questo mi_tortura.

Leggila più volte a voce alta e cerca di impararla a memoria.

2 Leggi il testo e inserisci la *d* eufonica dove, secondo te, è necessaria.

Paola vive a Ancona. Lavora come infermiera. Enrico vive a Empoli. Lavora come meccanico. Si amano.
E ecco allora che Enrico decide di cercare lavoro vicino a Ancona. Trova un posto in un'officina a Osimo, a alcuni chilometri da Ancona. Dopo poche settimane dal trasferimento di Enrico, Paola riceve una lettera. Hanno accettato la sua richiesta di trasferimento. Dopo due settimane deve iniziare a lavorare in un ospedale a Altopascio, vicino a Empoli. Ora Enrico vive a Ancona. Paola vive a Empoli. Paola e Enrico si amano ancora.

IL MIO PORTFOLIO

- So raccontare un incontro importante e l'inizio di una storia d'amore:
  Me lo ricordo, ...
- So organizzare un evento importante:
  ....
- So parlare di luoghi e appuntamenti romantici:
  ....
- So scambiare messaggi importanti con il partner:
  ....
- Conosco le parole per parlare d'amore:
  il primo appuntamento, ...
- Conosco le parole che riguardano il matrimonio:
  ....
- Conosco le parole per descrivere alcuni stati d'animo:
  ....

LEGGERE

1 Leggi il brano e indica se le affermazioni nella pagina seguente sono vere o false.

Le città italiane e di tutto il mondo invase da lucchetti

In Italia si dice che quando ti fischiano le orecchie significa che qualcuno sta parlando di te. Questo deve essere successo spesso, negli ultimi anni, allo scrittore Federico Moccia. Molti hanno parlato di lui, specialmente nei consigli comunali delle città. Diverse riunioni sono state fatte a Roma, a Firenze, a Venezia, ma anche a Londra e a Parigi, per decidere come risolvere il "problema dei lucchetti".

Tutto inizia nel 1992, quando lo scrittore Federico Moccia scrive il suo primo libro, *Tre metri sopra il cielo*, un romanzo che parla... d'amore. Il successo è enorme: il romanzo viene venduto in tutti i Paesi d'Europa, in Giappone e in Brasile. In Italia vende 1 800 000 copie. Il 12 marzo 2004 esce un film tratto dal romanzo con lo stesso titolo. Proprio dal film nasce il fenomeno del lucchetto degli innamorati di Ponte Milvio: in una delle scene più celebri, la coppia protagonista scrive i propri nomi su di un lucchetto, lo lega al Ponte Milvio di Roma e butta poi la chiave nel fiume Tevere, come simbolo e promessa di amore eterno. Da allora Ponte Milvio è diventato il luogo preferito dalle coppie di innamorati, che vi legano il proprio lucchetto e buttano la chiave nel fiume.

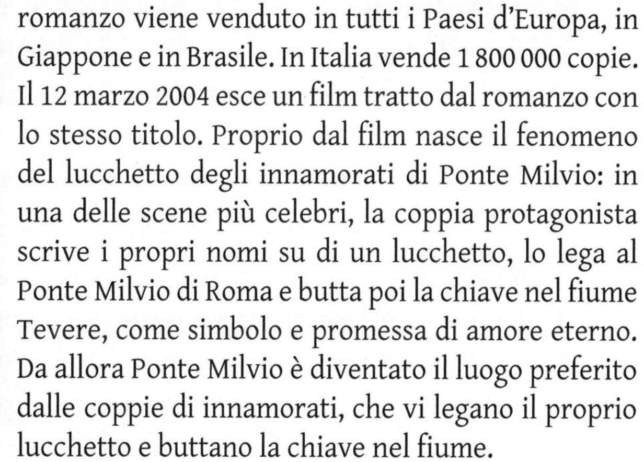

Da Roma la moda del lucchetto degli innamorati si è diffusa in tutta Italia (il Ponte Vecchio a Firenze, il Ponte di Rialto a Venezia...) e in molte altre parti del mondo, dalla Spagna alla Francia, dai ponti di Parigi fino a quello di Brooklyn.

Ora c'è una vera e propria battaglia tra le amministrazioni comunali, che cercano di eliminare i lucchetti, e gli innamorati che continuano a metterli... Chi vincerà? L'ordine pubblico o l'amore?

		V	F
1	Se ti fischiano le orecchie significa che qualcuno si è innamorato di te.	☐	☑
2	Il romanzo *Tre metri sopra il cielo* ha avuto subito un grandissimo successo.	☐	☐
3	In Italia il romanzo ha venduto più di un milione di copie.	☐	☐
4	Gli innamorati che legano un lucchetto a Ponte Milvio si giurano amore eterno.	☐	☐
5	Molti altri ponti italiani sono pieni di lucchetti.	☐	☐
6	La moda dei lucchetti piace alle amministrazioni comunali.	☐	☐
7	La moda dei lucchetti è un fenomeno soltanto italiano.	☐	☐

2 Fai una ricerca in Internet e prova a scoprire se anche nel tuo Paese di origine si è diffusa la moda dei lucchetti degli innamorati.

ASCOLTARE

MP3 11 **1 Ascolta l'intervista e metti in ordine i film indicando accanto a ogni titolo la sua posizione nella classifica di Rocco Bigazzi.**

A [1] *Casablanca*
B [ ] *In the mood for love*
C [ ] *Pretty woman*
D [ ] *Titanic*
E [ ] *Via col vento*

A

B

C

D

E

MP3 11 **2 Ascolta ancora l'intervista e indica se le affermazioni sono vere o false.**

		V	F
1	Rocco Bigazzi è un famoso regista di film d'amore.	☐	☑
2	*Casablanca* è il film che ha incassato di più, dopo *Avatar*.	☐	☐
3	*Pretty woman* viene trasmesso molto spesso dalla televisione italiana.	☐	☐
4	Il film d'amore preferito da Bigazzi è di un regista cinese.	☐	☐

SCRIVERE

1 **La mitologia greca è ricchissima di storie che parlano d'amore. Leggi la seguente, poi scegli uno dei personaggi mitologici elencati sotto, cerca informazioni in Internet e scrivine brevemente la storia.**

Pigmalione è uno scultore e, come tutti gli artisti, ama le proprie opere. Un giorno scolpisce una statua di avorio che rappresenta una donna bellissima. Così bella che Pigmalione si innamora di lei. La guarda in continuazione, la bacia, dorme persino accanto a lei. Un giorno decide di portarla al tempio di Afrodite, la dea della bellezza e dell'amore, per pregarla di dare vita alla sua amata. Afrodite è profondamente colpita dall'amore di quest'uomo per la sua donna, anche se è una donna "di avorio", e decide di aiutarlo. Sotto gli occhi di Pigmalione la sua amata inizia a muoversi lentamente, apre gli occhi, respira, prende vita...
Lo scultore e la sua statua si ameranno per sempre.

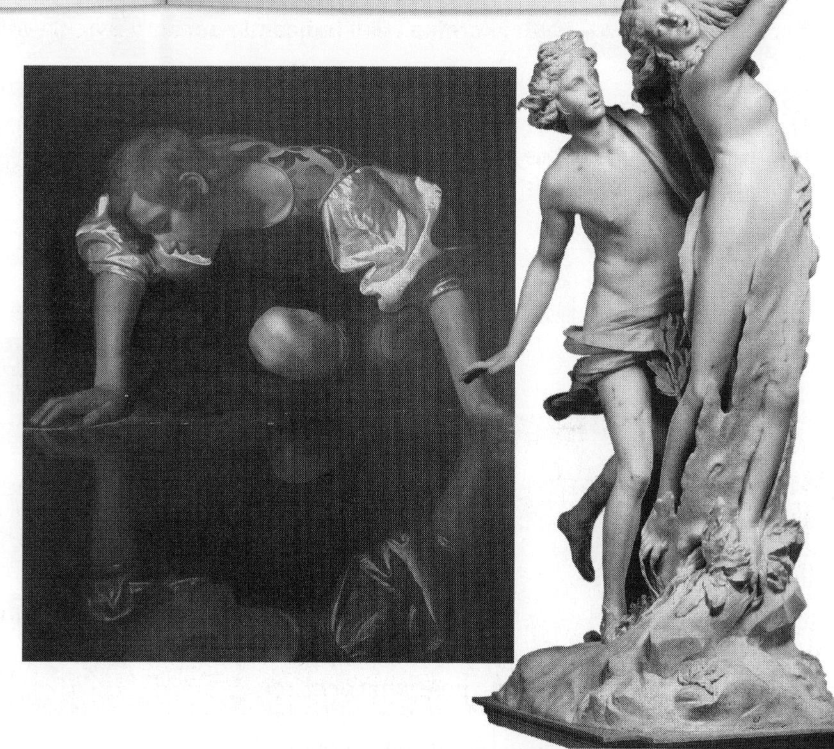

PARLARE

1 **Conosci i film di cui si parla nell'intervista che hai ascoltato a p. 34? Ne hai visto qualcuno? Quale è il tuo preferito? Prova a raccontarne la trama.**
Ti piacciono i film d'amore?
Qual è il tuo film d'amore preferito?
Prova a raccontarne la trama.

5 Che ne dite di guardare la TV?

A SKYPE CE L'HO ANCH'IO

1 Unisci con 4 fili del telefono di colore diverso i fumetti della colonna di sinistra a quelli corrispondenti della colonna di destra.

1

Ti va di guardare l'ultimo film di Tornatore a casa mia?

A
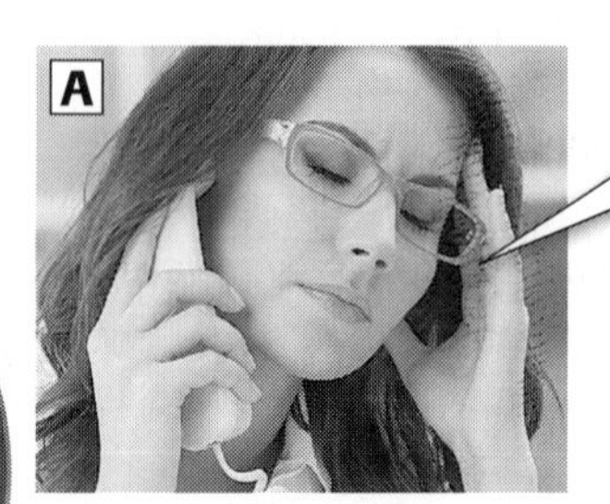

Mi dispiace, non possiamo. Io non sto bene, Mara, invece, lavora.

2
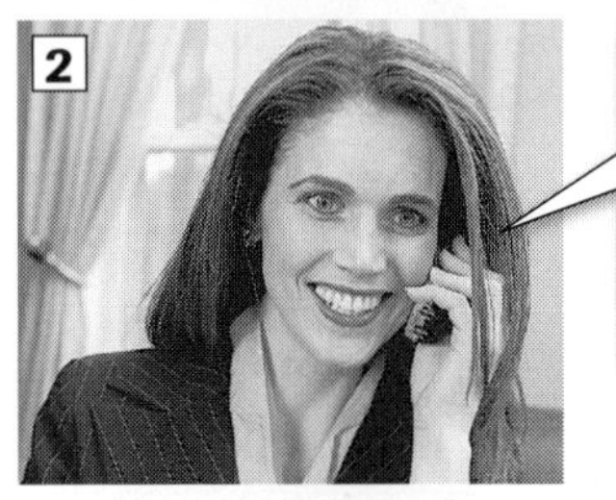

Guardiamo insieme *Che tempo che fa?* Dillo anche a tua sorella.

B

Purtroppo ancora non ce l'ho. E non ho Internet a casa...

3

Stasera c'è la finale di Coppa Italia. Sai dove la trasmettono?

C

Per me va bene. Vengo da te alle 8.

4

Dai, anche se siamo lontani possiamo sentirci con Skype. Tu ce l'hai un account?

D
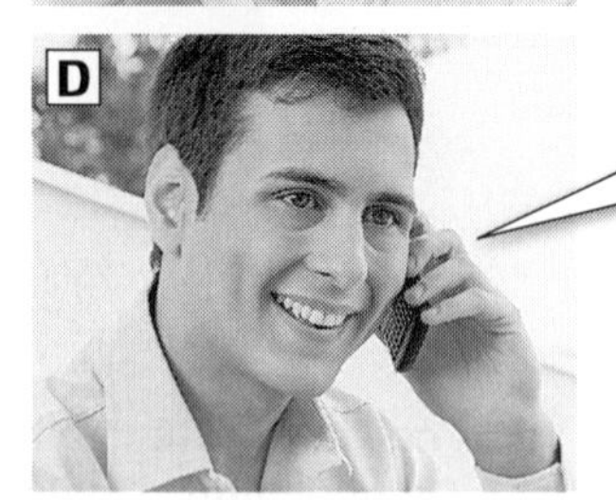

Sì, su un canale a pagamento... Tu ce l'hai l'abbonamento? Io no...

2 Completa i dialoghi con le espressioni elencate.

non posso | guardiamo | d'accordo | ~~ti va di guardarla~~ | va bene

- Carlo, stasera c'è la partita, (1) ti va di guardarla insieme?
- Per me (2) .... A che ora inizia?

- (3) .... *X Factor* domani sera?
- Mi dispiace molto, ma (4) ...., domani ho il corso di spagnolo.

- Allora vengo io da te?
- (5) ...., ti aspetto.

3 Completa il testo con le parole elencate.

~~TV~~ replica puntata digitale terrestre
prima serata programma
serie televisiva alta definizione

Sono cresciuta con la televisione

Mi chiamo Gemma, ho 38 anni e posso dire di essere cresciuta con la televisione.
Quando ero piccola i miei genitori lavoravano e io passavo molto tempo davanti alla (1) ....TV.... .
Negli anni '80 andavano di moda i cartoni animati giapponesi come *Candy Candy* e *Hello Spank*.
Mi piaceva guardare anche la (2) .... *Star Trek* e la sera, in (3) ...., alle 8.30, trasmettevano spesso film per famiglie. C'era anche un (4) .... di divulgazione scientifica, *Quark*, che esiste ancora oggi, ma si chiama in modo diverso. Non mi perdevo nemmeno una (5) .... Già allora esisteva la TV a pagamento, ma ce l'avevano in pochi. Adesso invece tutti hanno il (6) ...., molti sono abbonati a canali a pagamento e non riusciamo più a guardare un film se non è in (7) ....
E poi, prima si usava il videoregistratore per registrare le puntate che non riuscivamo a vedere, adesso, invece, non è più necessario, in quanto sulla TV a pagamento, dopo qualche ora o il giorno dopo, fanno sempre la (8) ....

4 Abbina le domande alle risposte corrispondenti.

1 [d] Hai il lettore DVD?
2 [ ] Hai i programmi sportivi a pagamento?
3 [ ] Avete la TV a pagamento?
4 [ ] Sai se Lisa ha un account Skype?
5 [ ] Avete le riviste dei programmi TV degli ultimi 2 mesi?
6 [ ] Scusa, hai le cuffie?

a No, mi dispiace non ce le ho.
b No, non ce l'abbiamo.
c Sì, ce le abbiamo tutte.
~~d~~ Sì, ce l'ho.
e Sì, ce li ho.
f No, non ce l'ha.

MP3 12 **5 Ascolta le domande e rispondi come nell'esempio.**

= sì
= no

A

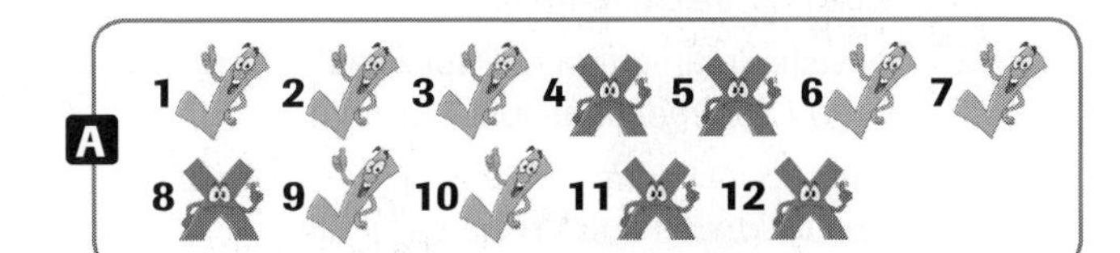

B

C

PASSO UN TERZO DELLA GIORNATA DAVANTI ALLA TV

1 Leggi gli aggettivi e forma gli avverbi corrispondenti.

1 vero veramente
2 elegante ....
3 normale ....
4 tranquillo ....
5 difficile ....
6 sicuro ....
7 particolare ....
8 semplice ....
9 probabile ....
10 facile ....

2 Aggettivo o avverbio? Sottolinea la forma corretta per completare le frasi.

1 Vai spesso al cinema? Beh, sì. *Normale* / *Normalmente* ci vado il mercoledì sera perché durante il fine settimana c'è troppa gente.
2 Sai, Luisa Ranieri è un'attrice davvero *elegante* / *elegantemente*.
3 Hai visto l'ultimo film di Pupi Avati? È *vero* / *veramente* bello! Guardalo!
4 Se non puoi venire per le 8, vieni *tranquillo* / *tranquillamente* dopo cena per il film.
5 Questo libro non è *facile* / *facilmente* da capire.
6 Giulia, ma sei *sicura* / *sicuramente* di quello che dici?
7 Questo programma è *particolare* / *particolarmente* interessante.
8 Mi dispiace, ma non possiamo venire. *Probabile* / *Probabilmente* domani andremo in montagna.
9 In questo documentario l'origine dell'universo è spiegata in modo *semplice* / *semplicemente*.
10 Mi dispiace, ma è *difficile* / *difficilmente* per me accompagnarvi a vedere la partita.

3 Sottolinea la parola corretta per completare le frasi.

1 Hai davvero una casa graziosa! Sembra proprio la *casetta* / *casaccia* delle bambole.
2 Non chiedermi di ieri sera... È stata proprio una *seratina* / *serataccia*! Niente è andato per il verso giusto!
3 Ma come è piccolo! Davvero comodo il tuo *computerone* / *computerino*!
4 Ieri sera non sei venuto, che peccato! Roma-Milan, che *partitona* / *partitina*!
5 Allora, stasera tu e Davide avete organizzato una bella *seratina* / *seratona* romantica, eh?
6 Filippo ha proprio un *caratterone* / *caratteraccio*... ecco perché non va d'accordo con nessuno.

4 Leggi il testo e sostituisci le espressioni in corsivo con quelle elencate.

una ciascuno   migliaia di
~~un terzo della giornata~~   una decina di

Sono Romina, ho 23 anni e adoro la tecnologia. Non potrei mai vivere senza. Infatti passo (1) (*8 ore al giorno*) un terzo della giornata davanti allo schermo: del computer, del tablet o della TV. Di TV, a casa mia ne abbiamo (2) (*una per me, una per mio fratello e una per mia sorella*) .... A me piace guardare film e serie TV come *CSI*, *Desperate Housewives*, *NCIS*; ormai fra tutti i telefilm penso di aver visto (3) (*2000 o 3000*) .... puntate. A volte con (4) (*circa 10*) .... amici ci incontriamo e guardiamo 3 o 4 puntate di seguito.

C È UNA TRASMISSIONE DIVERTENTE

1 Leggi l'articolo e inserisci gli aggettivi elencati nella posizione corretta.

~~italiane~~ ogni questi italiani gastronomici specializzati diversi diverso

MAMME, SCUOLE DI CUCINA

Gli italiani imparano a cucinare più da mamma (e dal web) che dalla TV. Lo dice un'indagine Doxa per l'Accademia italiana della cucina: nonostante l'abbondanza di corsi, *showcooking* e programmi TV, il 71% segue i consigli di mamme e nonne. Ma il 25% degli under 30 guarda al web.

Quella per la cucina è ormai una febbre a 360 gradi: nelle (1) .... città ..italiane.. ci sono sempre più corsi e dimostrazioni di cucina. Per non parlare dell'invasione televisiva e sul web: *masterchef* e aspiranti cuochi vengono trasmessi a (2) .... ora .... della giornata. Eppure pare che tutti (3) .... programmi .... servano davvero a poco. Gli italiani continuano infatti a imparare dalla mamma.

La mamma e la nonna
Il 71% delle donne e degli .... uomini (4) .... impara infatti a cucinare seguendo i consigli di mamme e nonne. Ricette e (5) .... consigli .... si trasmettono ancora con appunti scritti oppure direttamente a voce.

Il web e i libri
Solo una piccola percentuale degli italiani impara a cucinare pescando da Internet, cioè da blog o (6) .... siti .... Inoltre esistono (7) .... libri .... di cucina; infatti l'80% degli italiani ne possiede almeno uno.
Un (8) .... dato ...., invece, è quello che arriva dai più giovani: infatti il 25% dei ragazzi under 30 si rivolge ai siti di cucina.
(adattato da http://life.wired.it/news/food/2013/05/23/)

3 13 **2 Ascolta e rispondi alle domande del quiz. Poi attribuisci un punto per ogni risposta corretta: quanto sei esperto di TV?**

Quiz: esperti di TV

domanda	risposta	punteggio
1	a ~~b~~ c	
2	a b c	
3	a b c	
4	a b c	

domanda	risposta	punteggio
5	a b c	
6	a b c	
7	a b c	
8	a b c	

PRONUNCIA E GRAFIA

1 In italiano la *e* chiusa /e/ e la *e* aperta /ɛ/ si scrivono nello stesso modo, tranne quando la *e* fa parte dell'ultima sillaba accentata. In questo caso, se la *e* è chiusa, si scrive *é*, con l'accento acuto (basso a sinistra e alto a destra), come in *perché, poiché, sé, né* ecc. Se la *e* è aperta, si scrive *è*, con l'accento grave (alto a sinistra e basso a destra): *è* (verbo *essere*), caffè.
Leggi con attenzione il testo e correggi gli errori.

~~É~~ È il 15 novembre 1960. Moltissimi italiani analfabeti, che non sanno nè leggere né scrivere, si riuniscono a casa dei pochi che hanno un televisore in casa. Perchè?
Il televisore si accende e sullo schermo appare un signore elegante, dallo sguardo dolce e dalla voce gentile. É un maestro. Si chiama Alberto Manzi. Nello studio televisivo ci sono uomini e donne anziani, vestiti in modo semplice. Sono i suoi studenti. Sono tutti analfabeti, sono diventati adulti senza imparare a leggere e a scrivere, poichè da bambini dovevano lavorare e non potevano andare a scuola. Il maestro Manzi gli insegna le basi della scrittura e della lettura, mostrando fotografie, facendo vedere filmati, disegnando alla lavagna. Manzi concentra sempre l'attenzione sugli studenti e mai su di sè. Il programma, che si intitola *Non è mai troppo tardi*, ha un grandissimo successo e viene trasmesso dalla Rai per quasi 10 anni. Grazie a questa trasmissione centinaia di migliaia di italiani escono dall'analfabetismo. Speriamo che gli italiani non dimentichino mai il maestro Manzi, perché, per fare programmi veramente utili alla gente, non é mai troppo tardi!

MP3 14 **2 Ascolta e ripeti.**

A Parole con l'accento sulla e aperta /ɛ/.

1	studente	**7**	andrei
2	divertente	**8**	partirei
3	mittente	**9**	resterei
4	leggendo	**10**	pieno
5	dicendo	**11**	chiesa
6	scrivendo	**12**	chiede

B Parole con l'accento sulla *e* chiusa /e/.

1	andreste	**7**	inglese
2	partireste	**8**	cinese
3	restereste	**9**	giapponese
4	veramente	**10**	sentimento
5	facilmente	**11**	monumento
6	sicuramente	**12**	movimento

IL MIO PORTFOLIO

■ **So proporre un'attività:**
Che ne dite di guardare la TV stasera? ....
....
....

■ **So accettare o rifiutare un invito:**
....
....

■ **So parlare delle trasmissioni televisive:**
....
....
....

■ **So parlare delle mie abitudini televisive:**
....
....
....

■ **Conosco lt parole che riguardano la televisione:**
la puntata, ...
....

■ **Conosco le parole che riguardano la tecnologia:**
....
....
....

LEGGERE

1 Leggi attentamente il testo e indica se le affermazioni sono vere o false.

BAMBINI E TELEVISIONE

Il rapporto tra i bambini e la televisione è un tema molto discusso. Qual è il tempo massimo che i bambini dovrebbero trascorrere davanti al piccolo schermo? La TV può essere pericolosa per i più piccoli? È possibile fare un buon uso della televisione? Ecco alcuni consigli per un uso intelligente della televisione in famiglia.

A I bambini devono guardare solo programmi adatti alla loro età. Documentari, magari quelli sugli animali che tanto li appassionano, programmi educativi e cartoni animati. Evitate assolutamente di fargli vedere film dell'orrore o con scene di violenza: i bambini, soprattutto i più piccoli, non sono capaci di distinguere tra finzione e realtà. Se è necessario, non guardateli neanche voi.

B No al telecomando in mano ai bambini. Saltare da una trasmissione all'altra abitua il bambino ad avere un'attenzione breve e superficiale.

C Cercate di trovare il tempo per guardare la TV insieme ai vostri figli. Così gli potrete spiegare il significato di alcune azioni e li aiuterete ad avere un atteggiamento più attivo di fronte alle immagini e ai messaggi che arrivano dallo schermo.

D Il bambino, durante la visione della TV, deve stare seduto in modo corretto e la distanza dallo schermo deve essere di almeno 3 metri. Inoltre la stanza non deve essere completamente buia e l'audio non deve essere troppo alto.

E Non usate la TV come premio o come punizione.

F Niente TV al mattino prima di andare a scuola. Se possibile, il bambino deve fare una sana e nutriente colazione insieme a tutta la famiglia. Guardare la TV appena svegli porta via tempo e attenzione alla scuola e rende i bambini stanchi e poco motivati.

G Cercate di non fare addormentare i bambini davanti al televisore. Per favorire un riposo tranquillo deve passare un po' di tempo da quando si spegne la TV fino a quando si va a letto.

H Tenere il televisore acceso durante i pasti è un'abitudine molto negativa. I pasti devono essere un momento di vita familiare in cui si parla e si scambiano esperienze, opinioni, impressioni.

I Ricordate di spegnere la TV quando i bambini devono fare i compiti.

L Non usate assolutamente la TV come una specie di baby-sitter. Mettere i bambini davanti al teleschermo quando si è occupati è senz'altro comodo ed economico, ma può avere delle conseguenze molto negative.

		V	F
1	Il tempo che i bambini passano davanti alla TV è più importante del tipo di programma che guardano.	☐	☑
2	Lasciare il controllo del telecomando ai bambini gli insegna a scegliere in modo autonomo.	☐	☐
3	Bisogna cercare di non lasciare soli i bambini davanti alla TV.	☐	☐
4	Si sconsiglia di far vedere la TV ai bambini appena alzati.	☐	☐
5	I bambini devono guardare programmi destinati agli adulti per comprendere meglio la realtà.	☐	☐
6	Guardare la TV mentre si mangia è una buona abitudine perché offre l'occasione di scambiare opinioni ed esperienze.	☐	☐
7	Fare i compiti con la TV accesa aiuta a rilassarsi e quindi a concentrarsi meglio.	☐	☐

2 **Leggi ancora una volta i 10 consigli dell'attività precedente e mettili in ordine, dal più importante al meno importante, secondo la tua opinione.**

1°	2°	3°	4°	5°	6°	7°	8°	9°	10°

ASCOLTARE

MP3 15 **1** **Ascolta la trasmissione radiofonica e indica quali delle seguenti informazioni sono contenute nel testo e quali no.**

1 Il professor Lodiacono è un esperto di storia della lingua italiana.
2 La radio era meno attraente della televisione.
3 Gli italiani capivano più facilmente l'italiano della radio che quello della televisione.
4 La pronuncia degli *speakers* professionisti era basata sull'italiano parlato a Firenze, a Roma e nel Nord Italia.
5 I giornalisti che leggevano i telegiornali avevano frequentato dei corsi per imparare la pronuncia "standard".
6 Il programma televisivo *Campanile Sera* è stato trasmesso per più di 50 anni.
7 Nel 1976 sono nati altri canali televisivi oltre a quelli della Rai.
8 Le telenovelas sudamericane avevano i sottotitoli in italiano.
9 Oggi, in televisione, si sentono solo pronunce regionali.
10 Secondo il professor Lodiacono ancora oggi la televisione ha una funzione positiva sulla diffusione dell'italiano standard.

SCRIVERE

1 **Osserva le immagini, pensa a quali oggetti tecnologici non rinunceresti mai e al perché. Poi scrivi un testo di almeno 70 parole.**

Non rinuncerei mai a...

PARLARE

1 **Quali di questi programmi televisivi faresti e non faresti vedere a un bambino di 5 anni? E a uno di 12? Perché?**

6 Si può fare di più!

A BISOGNA STARE ATTENTI AL CONSUMO DELL'ACQUA

1 Completa i consigli dell'esperto con le espressioni elencate. Sono possibili più soluzioni.

~~bisogna~~ è vietato è meglio è sufficiente non basta

Non (1) bisogna sprecare l'acqua.

La mia regola in casa è: (2) .... tenere una temperatura superiore ai 19 °C.

In casa e in ufficio (3) .... usare lampadine a basso consumo energetico.

(4) .... non utilizzare una macchina a testa, ma viaggiare insieme ad altre persone.

Per aiutare un po' l'ambiente, (5) .... comprare prodotti a chilometro zero.

(6) .... spegnere gli elettrodomestici, (7) .... staccare anche la spina.

2 Forma 8 frasi come nell'esempio. Sono possibili più soluzioni.

Bisogna	andare a piedi o usare i mezzi pubblici
Non bisogna	comprare frutta e verdura dal contadino vicino a casa
È necessario	gettare prodotti chimici nei fiumi
Per risparmiare un po' di energia elettrica è sufficiente	accendere il riscaldamento in maggio
È meglio	spegnere le luci quando si esce dalla stanza
È vietato	consumare meno carta
Per inquinare meno basta	usare la lavastoviglie solo quando è piena
	ridurre il consumo di plastica

1 Bisogna consumare meno carta.
2 ....
3 ....
4 ....
5 ....
6 ....
7 ....
8 ....

OGGI FINALMENTE SI VA AL SUPERMERCATO CON IL CARRELLINO

1 Trasforma le parti in corsivo alla forma impersonale.

La crisi economica che ci fa risparmiare

Come e quando si risparmia?

Si risparmia se:

1. *tutti vanno* (1) ...si va... al lavoro con i mezzi pubblici.
2. *tutti escono* (2) .... a piedi quando è possibile.
3. *tutti fanno* (3) ...si fa... attenzione agli sprechi.
4. *tutti cercano* (4) ...si cerca... di pranzare e cenare a casa.
5. *tutti vivono* (5) ...si vive... con semplicità.
6. *tutti sono* (6) ...si è... più sensibili a ciò che ci circonda.
7. *tutti decidono* (7) ...si deciso... che così *tutti non possono* (8) ...non si può... andare avanti.
8. *tutti stanno* (9) .... in casa con una temperatura non al di sopra dei 21°C.
9. *tutti cambiano* (10) ...si cambia... un po' ogni giorno che passa.
10. *tutti vanno* (11) ...si va... dal contadino a comprare frutta e verdura.

Insomma seguendo questi consigli *tutti possono* (12) .... cambiare e soprattutto *tutti devono* (13) .... cambiare se vogliamo salvare il mondo.

E tu, sei d'accordo?

2 Forma delle frasi alla forma impersonale come nell'esempio e scrivile sul quaderno.

Con la bicicletta si inquina meno.

~~con la bicicletta~~ in campagna a casa con l'aereo nei fast-food in città in montagna nei mercati in estate nelle piccole città con il treno nei ristoranti slow-food nelle zone industriali con i prodotti a chilometro zero

~~inquinare~~ mangiare vivere cucinare stare potere dovere risparmiare vivere studiare lavorare fare la spesa andare passeggiare uscire spendere

~~meno~~ di più meglio a piedi peggio con i mezzi pubblici con il carrellino con le borse di stoffa con calma più a lungo bene in fretta male molto poco

3 Trasforma i verbi elencati nella forma impersonale e poi inseriscili nella tabella.

~~fare trekking~~ passeggiare fra gli alberi nuotare respirare meglio andare in mountain bike andare in barca uscire in macchina vivere in modo più frenetico passeggiare sulla spiaggia inquinare di più pescare andare in palestra giocare con la neve andare a teatro e al cinema sciare giocare a beach volley

città	mare	montagna
		Si fa trekking

MA QUI COME FUNZIONA LA RACCOLTA DIFFERENZIATA?

1 Riordina le battute del dialogo fra l'operatore del Servizio di Igiene Ambientale e Sandra.

- [1] **Operatore:** Buongiorno, Servizio di Igiene Ambientale.
- [ ] **Operatore:** Mi dica, prego.
- [ ] **Operatore:** Niente, è gratuito, basta la prenotazione.
- [ ] **Operatore:** Allora, queste cose appartengono alla categoria dei rifiuti ingombranti e per questo esiste un servizio a domicilio.
- [ ] **Operatore:** Può richiederli via mail o telefonicamente.
- [ ] **Operatore:** Deve chiamare il numero verde 800215501 e dovrà lasciare i rifiuti davanti alla porta di casa dalle 5 alle 8.

- [2] **Sandra:** Buongiorno, mi sono trasferita da poco in città e avrei bisogno di alcune informazioni per la raccolta differenziata.
- [ ] **Sandra:** Grazie mille!
- [ ] **Sandra:** Ah, quindi vengono a casa a ritirare tutto, vero? E come faccio a prenotare il servizio?
- [ ] **Sandra:** Benissimo grazie! Ah, scusi ancora, e quanto devo pagare per il servizio?
- [ ] **Sandra:** Come le ho appena detto, abbiamo da poco fatto il trasloco, ma ci sono due poltrone e un mobiletto di metallo che non si possono più utilizzare e non sappiamo dove buttarli.
- [ ] **Sandra:** Un'ultima domanda, dove posso prendere i sacchi colorati per la plastica, la carta e l'organico?

2 Completa il testo con le parole elencate.

usa e getta   sacco   ~~raccolta~~   residuo   avanzi   bottiglie   organico   scatole   lattine   buste

Per la (1) ...raccolta... differenziata ogni città ha delle regole diverse. Qui a Terni, ad esempio, per la carta e il cartone si usa il (2) .... trasparente azzurro, per l' (3) .... , invece, i sacchetti biodegradabili, per il vetro e i metalli si usa il sacco trasparente verde e per la plastica il sacco trasparente giallo. Infine, per il (4) .... si usa il sacco trasparente grigio.

carta e cartone	organico	vetro e metalli	plastica	residuo
Giornali, riviste, (5) .... di imballaggi in cartone, libri, quaderni, Tetrapak.	(6) .... di cibo, bucce di frutta, pane raffermo, bustine di tè, fondi di caffè, fiori recisi.	(7) .... di vetro, vetri rotti, (8) .... in alluminio, coperchi in metallo.	Bottiglie di acqua e bibite, flaconi per detersivo, (9) .... di plastica, contenitori in plastica per liquidi.	Bicchieri, piatti, forchette (10) ...., giocattoli, guanti monouso, ceramica, porcellana.

3 Trasforma il testo usando i pronomi relativi, come negli esempi.

Tutti parlano di inquinamento, di società dei consumi e di spreco. Io invece ho il problema opposto. Non riesco a buttare via nulla. Conservo tutto.
Tengo i vasetti dello yogurt. Con i vasetti dello yogurt potrei fare dei contenitori per vernici e colori.
(1) *Tengo i vasetti dello yogurt con cui potrei fare dei contenitori per vernici e colori.*
Tengo i lacci delle scarpe vecchie. I lacci delle scarpe vecchie possono sempre servire per legare qualcosa.
(2) *Tengo i lacci delle scarpe vecchie che possono sempre servire per legare qualcosa.*
Tengo i barattoli della marmellata. Potrei avere bisogno dei vasetti della marmellata per conservare gli avanzi nel frigo.
(3) ....
Tengo i giornali vecchi. Con i giornali vecchi potrei accendere il fuoco nel camino.
(4) ....
Tengo le vaschette di polistirolo del gelato. Nelle vaschette di polistirolo potrei mettere delle piante e dei fiori.
(5) ....
Tengo i vestiti vecchi. I vestiti vecchi quasi sicuramente torneranno di moda, prima o poi...
(6) ....
Tengo le scatole delle scarpe. Nelle scatole delle scarpe ci stanno un sacco di cose.
(7) ....
Tengo le scatole dei pomodori pelati. Con le scatole dei pelati si possono fare dei vasetti per coltivare il basilico sul balcone.
(8) ....
Tengo i vestiti vecchi e rovinati. Con i vestiti vecchi e rovinati si possono fare degli ottimi stracci per pulire la casa.
(9) ....
Tengo le vecchie fotocopie. Sulle vecchie fotocopie si possono ancora scrivere note e appunti.
(10) ....
L'unica cosa che non sono riuscito a tenere è mia moglie. Se n'è andata l'anno scorso. Mi ha detto che non voleva più vivere in una discarica. Veramente non me l'ha detto. Me lo ha scritto... dietro a un vecchio scontrino!

4 Leggi il decalogo dello sprecone e correggi le affermazioni sottolineate, come nell'esempio. Puoi usare le espressioni elencate.

è vietato bisogna è necessario è meglio si deve fare attenzione

	Il decalogo dello sprecone	Il decalogo dell'ecologista
1	Quando esci di casa, lascia tutte le luci accese così quando rientri ti sembrerà che la casa ti aspetti.	Bisogna spegnere tutte le luci.
2	Mentre ti lavi i denti, lascia scorrere l'acqua, tanto l'Italia è uno dei maggiori produttori.	
3	Se vivi in Europa, compra i prodotti che arrivano dagli Stati Uniti o dall'Australia. Con l'aereo ci mettono solo un giorno ad arrivare.	
4	Usa sempre la macchina, non prendere mai i mezzi pubblici perché spesso non sono puntuali.	
5	Lascia gli elettrodomestici in stand-by, così di notte potrai orientarti nel buio.	
6	Quando fai la spesa, non portarti le borse di cotone, potrai trovare quelle di plastica al supermercato.	
7	In inverno regola la temperatura del riscaldamento a 25 °C, così ti sembrerà di essere in estate.	
8	Quando fai la raccolta differenziata, metti pure le batterie nel sacco della plastica. Nessuno controllerà.	
9	Se hai un materasso vecchio, buttalo pure per strada. Qualcuno se lo prenderà.	
10	Metti pure nei sacchi della raccolta differenziata le bottiglie e i contenitori sporchi. Qualcuno li laverà.	

5 Fai il test e poi leggi il tuo profilo.

TEST CHE TIPO DI ECOLOGISTA SEI?

	SEMPRE	DI SOLITO	QUALCHE VOLTA	MAI
1 Spegni la luce quando non sei in camera.				
2 Mentre ti lavi i denti, chiudi il rubinetto.				
3 Ti sposti con i mezzi pubblici o a piedi.				
4 In inverno tieni la temperatura della casa al di sotto dei 21°C.				
5 Utilizzi lampadine a risparmio energetico.				
6 Quando fai la spesa, usi le borse di stoffa.				
7 Compri prodotti a chilometro zero.				
8 Fai la raccolta differenziata di tutti i rifiuti.				
9 Porti i farmaci scaduti nelle farmacie o nei punti ecologici attrezzati.				
10 Lavi i contenitori di vetro (bottiglie ecc.) prima di fare la raccolta differenziata.				

Punteggio: sempre: 3 punti – di solito: 2 punti – qualche volta: 1 punto – mai: 0 punti

Da 0 a 10 punti	Da 11 a 16 punti	Da 17 a 26 punti	Da 27 a 30 punti
SPRECONE MODELLO	ECOLOGISTA PART-TIME	BRAVO ECOLOGISTA	ECOLOGISTA MODELLO
Non ti rendi conto di quanto sia importante il contributo di ogni singola persona. Tutti i rifiuti che produci, un giorno, te li ritroverai sul tuo cammino.	Potresti fare di meglio e impegnarti di più. Con il tuo comportamento, non contribuisci a salvare il mondo; al contrario, la tua indifferenza è un passo in più verso la rovina dell'ambiente.	Il tema dell'ambiente ti è caro, fai la raccolta differenziata, credi nel risparmio energetico, ma non segui alla lettera le indicazioni sulla salvaguardia dell'ambiente, forse per mancanza di tempo.	Sei un ecologista modello, ami e rispetti la natura e l'ambiente che ti circonda. Sai che è importante salvaguardare l'ambiente per il bene delle generazioni future.

PRONUNCIA E GRAFIA

CD3 16 **1 Ascolta la filastrocca e riordina le immagini.**

CD3 16 **2 Ascolta ancora la filastrocca e scrivila.**

Vola in alto...

MP3 17 **3 Ascolta le parole che vengono sillabate. Scrivile e poi leggile a voce alta. Confronta la tua pronuncia con quella della registrazione.**

1 ....
2 ....
3 ....
4 ....
5 ....
6 ....

IL MIO PORTFOLIO

- So parlare della tutela dell'ambiente nella vita quotidiana:
  Bisogna stare attenti al consumo dell'acqua,
- So parlare del problema dei rifiuti:
- So parlare della raccolta differenziata:
- Conosco le parole per parlare di ambienti naturali:
  il parco,
- Conosco le parole che riguardano i materiali:
- Conosco le parole per parlare della raccolta differenziata:

LEGGERE

1 Leggi il testo e indica se le affermazioni sono vere o false.

Il Parco Nazionale del Gran Paradiso è tra i più antichi d'Italia ed è nato nel 1922.
Il Parco del Gran Paradiso si trova nelle Alpi, tra la Valle d'Aosta e il Piemonte, e la sua storia è legata alla protezione del suo animale simbolo: lo stambecco. Questo animale, un tempo molto diffuso su tutto l'arco alpino a quote elevate, oltre il limite del bosco, è stato cacciato in modo incontrollato per secoli. All'inizio del XIX secolo è ormai considerato estinto in tutta Europa, ma una colonia di circa 100 esemplari viene scoperta proprio nella zona del Gran Paradiso. Oggi l'animale è presente nel parco in circa 2500 unità. Il maschio adulto può pesare dai 90 ai 120 kg, mentre le corna possono arrivare anche a 1 metro di lunghezza. La femmina, più piccola, ha delle corna più lisce, lunghe appena 30 cm. I branchi sono composti da soli maschi oppure da femmine e cuccioli. I maschi anziani vivono isolati. Durante il periodo dell'amore (tra novembre e dicembre) gli stambecchi maschi si battono tra loro con potenti cornate. Lo stambecco ha in genere un carattere tranquillo e si lascia facilmente avvicinare dall'uomo.

		V	F
1	L'habitat naturale dello stambecco sono le Alpi.	☑	☐
2	Le corna dello stambecco sono lunghe al massimo 50 cm.	☐	☐
3	Lo stambecco ha rischiato l'estinzione a causa della caccia.	☐	☐
4	Per fortuna oggi lo stambecco non è più a rischio di estinzione.	☐	☐
5	Le femmine dello stambecco sono più piccole dei maschi.	☐	☐
6	Durante il periodo dell'amore i maschi dello stambecco si prendono a cornate con le femmine.	☐	☐
7	È facile avvicinarsi a uno stambecco.	☐	☐

ASCOLTARE

MP3 18 **1 L'Italia è conosciuta nel mondo soprattutto per le sue città d'arte: Venezia, Firenze, Roma, Napoli sono luoghi considerati da molti tra i più belli del mondo. Ma in Italia anche la natura è meravigliosa. Abbiamo chiesto a 5 grandi amanti della natura quali sono i luoghi naturali italiani che preferiscono. Ascolta le loro opinioni e prova a indovinare di quale luogo stanno parlando.**

A ☐

Le tre cime di Lavaredo

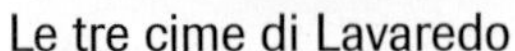

B ☐

L'isola di Stromboli

C ☐

Cala Luna

Le Langhe

Le crete senesi

SCRIVERE

1 Metti i seguenti ambienti in ordine, da quello che ti piace di più a quello che ti piace di meno. Poi scrivi un testo di circa 70 parole per spiegare le tue scelte.

- ☐ il bosco
- ☐ le montagne
- ☐ le isole
- ☐ il vulcano
- ☐ il lago
- ☐ il fiume
- ☐ il delta del fiume
- ☐ il mare
- ☐ le colline

PARLARE

1 Scegli 4 fotografie che rappresentano gli ambienti naturali del tuo Paese e preparati a descriverle ai tuoi compagni in classe.

7 Chi sarà stato?

A DOVE SARÀ SAMUELE?

1 Che tipo di giornale sarà? Fai delle ipotesi e scrivi delle frasi come nell'esempio.

~~1~~ LA STAMPA

2 

3 

4 

5 

6 

7 

8 CORRIERE DI SIENA

9 

10 GENTE MOTORI

1 La Stampa sarà un quotidiano nazionale.
2 ....
3 ....
4 ....
5 ....
6 ....
7 ....
8 ....
9 ....
10 ....

2 Inserisci le frasi elencate nella tabella in base al valore del futuro semplice, come nell'esempio.

A quest'ora Dario sarà già a casa.
~~Giulia diventerà una bravissima giornalista.~~
Domani i nostri clienti arriveranno alle 7 e ripartiranno alle 9.
Quando tornerai in Italia, vieni a trovarmi subito!
Hai chiamato Clara per il film di stasera? Magari vorrà venire anche lei.
Guarda quell'aereo! Ah, chissà dove andrà!
Il mese prossimo uscirà il nuovo libro di Camilleri.
Nico non è ancora arrivato. Probabilmente sarà ancora con i suoi colleghi.
Non trovo i miei occhiali! Saranno in ufficio!
Ma perché Katia non risponde? Forse starà dormendo!

parlare di azioni future	esprimere incertezza e fare supposizioni
Giulia diventerà una bravissima giornalista.	

3 **Ginetta è una signora anziana che vive da sola. Ogni giorno si siede davanti alla finestra con in braccio il suo gatto e osserva la gente che passa. Fai delle ipotesi su quello che succede fuori dalla finestra e scrivi 2 frasi per ogni personaggio usando le espressioni elencate, come nell'esempio.**

magari probabilmente chissà forse

1 *Probabilmente sarà una dog-sitter. Chissà perché avrà l'aria così spaventata.*

2 ....

....

3 ....

....

4 ....

....

5 ....

....

6 ....

....

IN ARRIVO UNA SFILATA DI STELLE E LA PRIMA SARÀ PANSTARRS

1 Completa le definizioni con le parole elencate.

quando giornalaio quotidiano quotidiano locale enigmistica rivista di cucina edicola cronaca ~~sottotitolo~~ giornalista

1. Fra il titolo e l'articolo c'è il sottotitolo .
2. Un giornale che esce ogni giorno si chiama ....
3. Una rivista che contiene cruciverba e giochi è una rivista di ....
4. Un giornale che esce tutti i giorni ma solo in una determinata città o regione è un ....
5. Una rivista che esce una volta alla settimana o al mese e che parla di "lasagne di pesce e tortino al cioccolato" è una ....
6. Il chiosco dove si vendono i giornali si chiama ....
7. Un articolo che parla dei fatti che accadono tutti i giorni è un articolo di ....
8. La persona che scrive gli articoli si chiama ....
9. La persona che vende i giornali si chiama ....
10. Negli articoli c'è sempre il "chi, come, dove e... ....".

2 Completa i sottotitoli degli articoli.

1

INCIDENTE SULL'AUTOSTRADA DEI FIORI
La strada non era bagnata, ma ....
....

2

LA CRISI DEI PICCOLI NEGOZI
I piccoli commercianti non riescono più né ....
....

3

ROMA – FIORENTINA FINISCE IN PAREGGIO
Dopo lo zero a zero di ieri sera a San Siro tra la Juventus e il Milan, anche
....

4

SE PERDO LE ELEZIONI LASCIO LA POLITICA
Il presidente del Partito Democratico ha dichiarato "O vinco le elezioni, o ....
....

5

INFLUENZA: ANZIANI E BAMBINI I PIÙ A RISCHIO
Gli esperti consigliano la vaccinazione sia ....
....
....

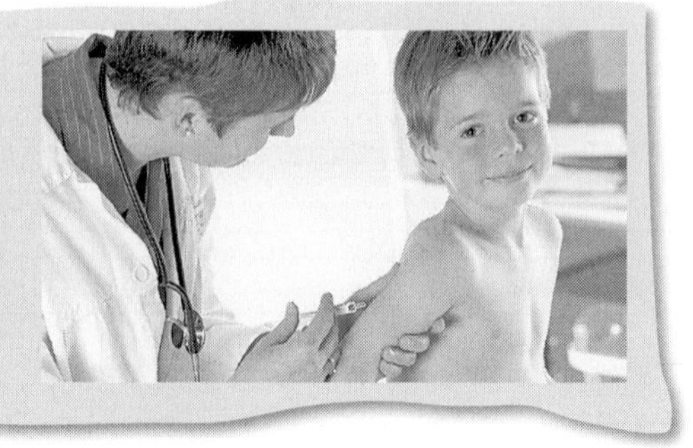

3 Completa il testo con le congiunzioni corrette scegliendo tra quelle elencate. Puoi utilizzarle più volte. Poi prova a formulare delle ipotesi: che cosa sarà successo?

e ma o sia né cioè anche

UN CASO MOLTO STRANO

Erano arrivati subito, (1) ...sia... la Polizia, (2) .... i Carabinieri. L'allarme era suonato, (3) .... i vicini dicevano di non aver sentito nulla. La porta era stata forzata e aperta, (4) .... nessuno aveva rubato niente. In casa non mancava nulla, (5) .... un quadro, (6) .... un gioiello, (7) .... un mobile di valore. Eppure i ladri avrebbero avuto tutto il tempo di prendere qualcosa: (8) .... il computer portatile, (9) .... la televisione, (10) .... la macchina fotografica. (11) .... il cane aveva continuato a dormire in giardino, tranquillo e beato.
Nulla era cambiato. A dire il vero qualcosa era cambiato. Prima, in garage c'era una moto (12) .... ora ce n'erano due. Uguali. (13) .... c'era una seconda moto uguale alla prima, (14) .... più pulita, con la vernice lucida, come nuova. Nessuno ci capiva nulla, (15) .... i proprietari, (16) .... la Polizia, (17) .... i Carabinieri.

C CHI SARÀ STATO?

1 Inserisci le frasi elencate nella tabella in base al valore del futuro anteriore, come nell'esempio.

~~Chi avrà aperto la porta?~~ Quando avranno scoperto il colpevole, ci sentiremo più tranquilli.
Ti raggiungerò, non appena avrò finito questo lavoro. Dove avranno nascosto i quadri rubati?
Il ladro avrà sicuramente avuto un complice!
Non appena la polizia avrà terminato le indagini, potranno riaprire il museo.
Chi sarà entrato qui? Guarda che disordine!
Quando avranno effettuato il sopralluogo, avranno le idee più chiare sull'accaduto.

azione precedente a un'altra espressa al futuro semplice	esprimere incertezza e fare supposizioni rispetto a un avvenimento passato
....	Chi avrà aperto la porta?
....	....
....	....
....	....
....	....
....	....
....	....
....	....

2 Completa gli articoli di cronaca con le espressioni elencate.

ladro   hanno effettuato   ~~Polizia~~   ha rubato   furto   indagini   sopralluogo

La (1) ...Polizia... di Bologna ha arrestato M.P., trentanovenne di Modena per (2) .... d'auto.
L'uomo, disoccupato e pregiudicato, ieri (3) .... un'auto all'interno di un garage di via Indipendenza.
I poliziotti (4) .... un (5) .... e non hanno trovato segni di scasso. Hanno predisposto una serie di posti di controllo lungo le principali vie della città.
Le (6) .... sono durate poco in quanto, dopo poche ore, hanno notato l'autovettura segnalata; si sono avvicinati all'auto e a bordo hanno trovato l'uomo che si era addormentato.
L'esperto (7) .... di auto è stato dichiarato in stato di arresto.

bottino   indagini   investigatori   soldi   identificare

ROMA Ieri sera due ladri a volto coperto sono entrati in un supermercato di via Manzoni e hanno ordinato ai cassieri di mettere tutti i (8) .... in un sacchetto. Non soddisfatto, uno dei due complici, ha preso un'altra busta e ha iniziato a fare la spesa. Alla fine, nella confusione del supermercato, i due hanno dimenticato la busta con il (9) .... e sono fuggiti solo con la busta della spesa.
Il furto è stato così strano che non ci sono state (10) .... successive. Fino ad oggi gli (11) .... non sono riusciti a (12) .... i due inesperti ladri.

3 Che cosa avranno visto o fatto? Osserva le seguenti immagini e fa' delle supposizioni. Usa il futuro anteriore.

1

....
....

2

....
....

3

....
....

4

....
....

5

....
....

6
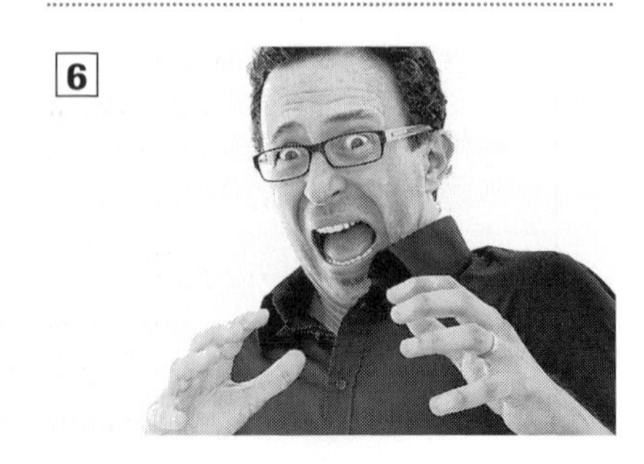
....
....

4 Alla scuola di polizia alcuni poliziotti stanno seguendo un corso di formazione. L'ispettore di polizia dà alcuni ordini fondamentali ai nuovi poliziotti. Coniuga i verbi al futuro semplice e al futuro anteriore per completare le frasi.

Codice 10-55, furto.

1 (*voi/entrare*) ...Entrerete... nell'appartamento solo dopo che i vostri colleghi (*gridare*) ...avranno gridato... «Aprite, polizia!».
2 In caso di furto in un appartamento, non (*voi/toccare*) .... niente fino a quando la scientifica non (*analizzare*) .... tutta l'area.
3 (*voi/fare*) .... le fotografie solo quando tutti (*uscire*) .... dall'appartamento.
4 (*voi/rimanere*) .... sul luogo del furto fino a quando il commissario non (*terminare*) .... il sopralluogo.
5 (*voi/chiedere*) .... ai testimoni di rimanere a vostra disposizione fino a quando voi non (*chiudere*) .... il caso.
6 (*voi/scrivere*) .... il rapporto solo quando (*voi/raccogliere*) .... tutte le prove.
7 (*voi/tornare*) .... a casa solo quando il vostro turno (*finire*) ....

PRONUNCIA E GRAFIA

1 Sottolinea la forma corretta per completare il testo.

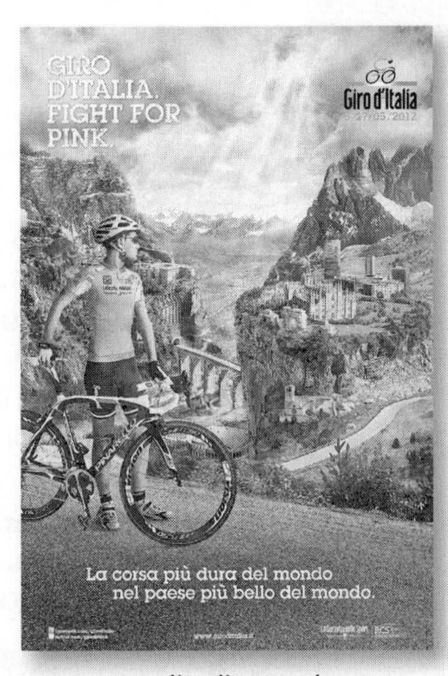

Molte cose sono rosa

In Italia le cose rosa più famose sono un giornale e una maglia

(1) Se / *Sé* provate a entrare in un bar la mattina per fare colazione, molto probabilmente troverete, tra i giornali lasciati sui tavolini per i clienti, dei fogli colorati di rosa, con scritte sopra parole come *goal, classifica, campionato, finale*... (2) *E / È* la «Gazzetta dello Sport», il quotidiano sportivo italiano più venduto: se (3) *ne / né* stampano mezzo milione di copie al giorno. Il giornale è pubblicato (4) *dà / da* più di cento anni: nasce infatti nel 1896, lo stesso anno delle prime Olimpiadi moderne. All'inizio viene stampato su carta verde, poi gialla, poi bianca... poi, finalmente, il 2 gennaio 1899 diventa rosa. Nel 1909 (5) *la / là* Gazzetta organizza il primo Giro d'Italia ciclistico, ma solo nel 1931 (6) *sì / si* decide di aiutare il pubblico a riconoscere il leader della classifica a punti con una maglia di un colore particolare... rosa naturalmente! Arrivare con la maglia rosa alla fine dell'ultima tappa significa vincere il Giro, cosa che è successa, per ben 5 volte, a Fausto Coppi, forse il più grande ciclista italiano di tutti i tempi.

IL MIO PORTFOLIO

- **So parlare di giornali e riviste e delle mie abitudini rispetto alla stampa:**
  lo leggo un po' di tutto, ...
  ....
  ....
- **So riconoscere le diverse rubriche di un giornale:**
  ....
  ....
- **So leggere e raccontare un articolo di cronaca:**
  ....
  ....
- **Conosco le parole che riguardano i giornali:**
  il quotidiano nazionale, ...
  ....
  ....
- **Conosco le rubriche del giornale e le parole della cronaca nera:**
  ....
  ....
- **Conosco le parole per fare delle supposizioni:**
  ....
  ....

LEGGERE

1 Ricostruisci la pagina della versione on-line per smartphone del quotidiano «La Stampa». Abbina a ciascun titolo il sottotitolo corretto.

1 [c] Meteo: allarme, al Nord arrivano temporali brevi ma violenti
2 [ ] Aosta, donna trovata morta in strada. I Carabinieri: «È stato un suicidio»
3 [ ] Pesaro, presi i killer dell'imprenditore
4 [ ] Vacanze, metà degli italiani le passerà a casa
5 [ ] Molise, precipita un aereo turistico. Un morto e un ferito grave
6 [ ] Brescia, paura per un bimbo tedesco scomparso e ritrovato dopo alcune ore
7 [ ] Incontro tra il papa Francesco e Napolitano: «L'Italia superi le divisioni»
8 [ ] Atterraggio di emergenza all'aeroporto di Fiumicino. Un passeggero: «Ho avuto tanta paura»
9 [ ] Sposati da 63 anni, uniti fino alla fine. Muoiono a pochi minuti di distanza
10 [ ] Esplode l'appartamento per una fuga di gas. Tragedia a Nettuno, due feriti gravi

a Circa 25 minuti di colloquio. Il pontefice: credenti e non credenti devono collaborare
b Solo uno su cinque ha già deciso dove andrà
~~**c**~~ Situazione instabile fino a lunedì. Da martedì esplode l'estate
d I carabinieri hanno fermato due persone per l'omicidio di A.F.
e Un giovane di 20 anni e una ragazza di 19 trasportati in codice rosso all'ospedale Sant'Eugenio di Roma
f Il piccolo si trovava in vacanza con la famiglia sul lago di Garda. I Carabinieri: «Sta bene»
g L'aereo era in servizio sulla linea Bucarest-Fiumicino: due persone rimaste ferite
h Il ritrovamento all'alba. La pensionata aveva 65 anni
i La storia commovente di una coppia di anziani toscani. Chi li ha conosciuti: «Vivevano in simbiosi»
l L'incidente vicino a Campochiaro. Dopo l'impatto col suolo il velivolo ha preso fuoco

ASCOLTARE

MP3 19 **1 Ascolta più volte il giornale radio e completa la tabella.**

chi	cosa	dove	quando	sezione (spettacolo, attualità, economia ecc.)
i cittadini				

SCRIVERE

1 Pensa alla tua vita e dividila in 6 periodi di lunghezza uguale. Per ogni periodo trova la "notizia" più importante e scrivine il titolo e il sottotitolo. Scegli poi 2 notizie e sviluppale in 2 articoli di almeno 100 parole ciascuno.

....

....

....

....

....

....

....

....

....

....

PARLARE

1 Scegli 2 dei seguenti fatti di cronaca, cerca di memorizzare tutti i particolari e preparati a rispondere alle domande di un tuo compagno/giornalista. Scegli poi altri 2 fatti e pensa alle domande da fare a un tuo compagno/testimone.

Martedì scorso, un uomo di 79 anni è stato fermato mentre cercava di rubare uno skateboard in un negozio di articoli sportivi del centro di Padova.

Domenica pomeriggio, durante la finale del torneo di tennis "Città di Urbino", uno dei giocatori ha involontariamente colpito con la pallina un uccello che volava sopra il campo. L'uccello sembrava morto, ma si è ripreso dopo alcuni minuti.

Grande successo per la prima data del tour italiano dei UoccoUa, gruppo Punk svedese che utilizza solo strumenti ad arco (viole, violini, violoncelli e contrabbassi).
Gli spettatori, giovani e meno giovani, hanno raggiunto l'isola d'Elba fin dalle prime ore di sabato mattina.

Torniamo bambini. A Napoli, sabato 17 febbraio, inaugurazione di un ristorante assolutamente originale: si possono infatti gustare solo pappe, zuppe e omogeneizzati accompagnati da biberon di latte, con o senza biscotti... naturalmente seduti su enormi "seggioloni".

8 Penso che sia necessario!

A CREDO CHE LA FELICITÀ SIA DENTRO DI NOI

1 Completa il dialogo con i verbi al congiuntivo presente.

Paolo: Ciao Silvia!

Silvia: Ciao Paolo.

Paolo: Allora, cosa ne pensi del il signor Gallo? Come ti sembra?

Silvia: Beh, penso che (1) (*essere*) ....sia.... una persona seria e interessante; sembra che (2) (*essere*) .... sicuro di sé e che (3) (*avere*) .... molta esperienza nel settore.

Paolo: Sì, sembra anche a me. Credo che (4) (*avere*) .... anche delle doti comunicative ed è proprio quello che serve per le nostre attività. E che cosa mi dici degli altri due candidati invece?

Silvia: Penso che (5) (*essere*) .... altrettanto bravi, ma dubito che (6) (*avere*) .... la stessa motivazione del signor Gallo. Sai, lui è giovane, è preparato ed è disposto a viaggiare. Gli altri, invece, hanno, sì, molta esperienza, ma ho paura che non (7) (*avere*) .... intenzione di andare in Paesi lontani, se necessario.

Paolo: Sì, credo che tu (8) (*avere*) .... ragione. Penso che il signor Gallo (9) (*essere*) .... il nostro collaboratore ideale. Credo che gli altri due, con la loro esperienza, (10) (*avere*) .... la possibilità di impegnarsi comunque in attività che si svolgono esclusivamente nelle loro città.

2 Forma 10 frasi come nell'esempio. Sono possibili più soluzioni.

Credo che	tu		una persona davvero paziente
Penso che	Paola		delle brave persone
Ho paura che	Mario		ragione
Spero che	il treno		35 anni
Dubito che	Giulio	essere	fretta
Sembra che	mia madre	avere	un buon lavoro
È importante che	tutti		in ritardo
	i tuoi amici		in ufficio
			una possibilità per essere felici
			in orario

1 Credo che Mario sia in ufficio.

2 ....

3 ....

4 ....

5 ....

6 ....

7 ....

8 ....

9 ....

10 ....

3 Forma delle frasi con le espressioni dei seguenti insiemi e scrivile sul quaderno. Sono possibili più soluzioni.

secondo me — penso che — per me invece — credo che — pare che — dubito che — ho paura che — è importante che

i soldi non facciano la felicità — è importante avere tanti amici — la solidarietà sia fondamentale — sia necessaria la ricchezza interiore — la ricchezza è tutto — tu abbia ragione — non abbiano un equilibrio personale — la salute è la cosa più importante

B CREDO CHE SIA ANDATO IN AFRICA

1 Completa il dialogo con i verbi al congiuntivo presente.

Giovanni: Ciao Luisa, hai controllato la lista degli invitati per la festa a sorpresa di Raffaele?
Luisa: Sì, certo.
Giovanni: Allora dimmi, Veronica viene?
Luisa: Penso che (1) (*andare*) ...vada... dai suoi genitori in campagna.
Giovanni: Filippo e Giada?
Luisa: Sì, credo che (2) (*potere*) .... venire, ma (3) (*dovere*) .... portare anche la suocera di lei.
Giovanni: E Luigi, credi che (4) (*potere*) .... venire o pensi che (5) (*tornare*) .... a Genova dal padre?
Luisa: Non so, spero che (6) (*leggere*).................... il mio messaggio e che mi (7) (*rispondere*) .... al più presto.
Giovanni: Capisco... E i signori Franchi?
Luisa: Dubito che (8) (*fare*) .... in tempo. So che giovedì mattina partecipano al matrimonio della nipote. Comunque aspetto una loro risposta, spero che me la (9) (*dare*) .... entro domani.
Giovanni: Va bene, scrivo "in attesa di risposta". E la cugina di Veronica?
Luisa: Beh, pare che sabato lei e sua sorella (10) (*andare*) .... dalla madre a Caserta. Sembra che non (11) (*stare*) .... molto bene...
Giovanni: Ma chi, la cugina di Veronica?
Luisa: Ma nooo, sua mamma!
Giovanni: Ah, mi dispiace. E Monica?
Luisa: Monica, Monica... vediamo un po'... Non mi ha ancora risposto, ma immagino che giovedì (12) (*lavorare*) .... fino a tardi.
Giovanni: E Stefania e suo marito?
Luisa: Ho paura che non (13) (*stare*) .... più insieme... Credo che lui non (14) (*abitare*) .... più con lei e che (15) (*volere*) .... chiedere il divorzio.
Giovanni: Ma davvero? Non lo sapevo! E Stefania?
Luisa: Beh, immagino che non (16) (*avere*) .... molta voglia di partecipare a una festa e credo che giovedì (17) (*dovere*) .... rimanere a casa con i bambini.
Giovanni: Dai... ma non verrà nessuno... Pensi che la sorella di Stefania (18) (*potere*) .... venire?
Luisa: Non so, spero che lei e il marito mi (19) (*dare*) .... una risposta entro stasera, ma ho paura che (20) (*dovere*) .... andare da Stefania per aiutarla con i bambini.
Giovanni: Però così è un disastro, non viene quasi nessuno, così rischiamo di trovarci io, te e Raffaele.
Luisa: Ehm... veramente... tu e Raffaele... io, non osavo dirtelo, non posso venire.
Giovanni: Ma scherzi?! Guarda che Raffaele tra un mese riparte per l'Africa... e chissà quando lo rivedremo!

2 Cosa pensi che sia? Osserva le immagini e fai delle ipotesi.

Credo che...

Immagino che...

Penso che...

1 ....
2 ....
3 ....
4 ....
5 ....
6 ....

3 Coniuga i verbi al congiuntivo passato. Poi abbina le frasi corrispondenti.

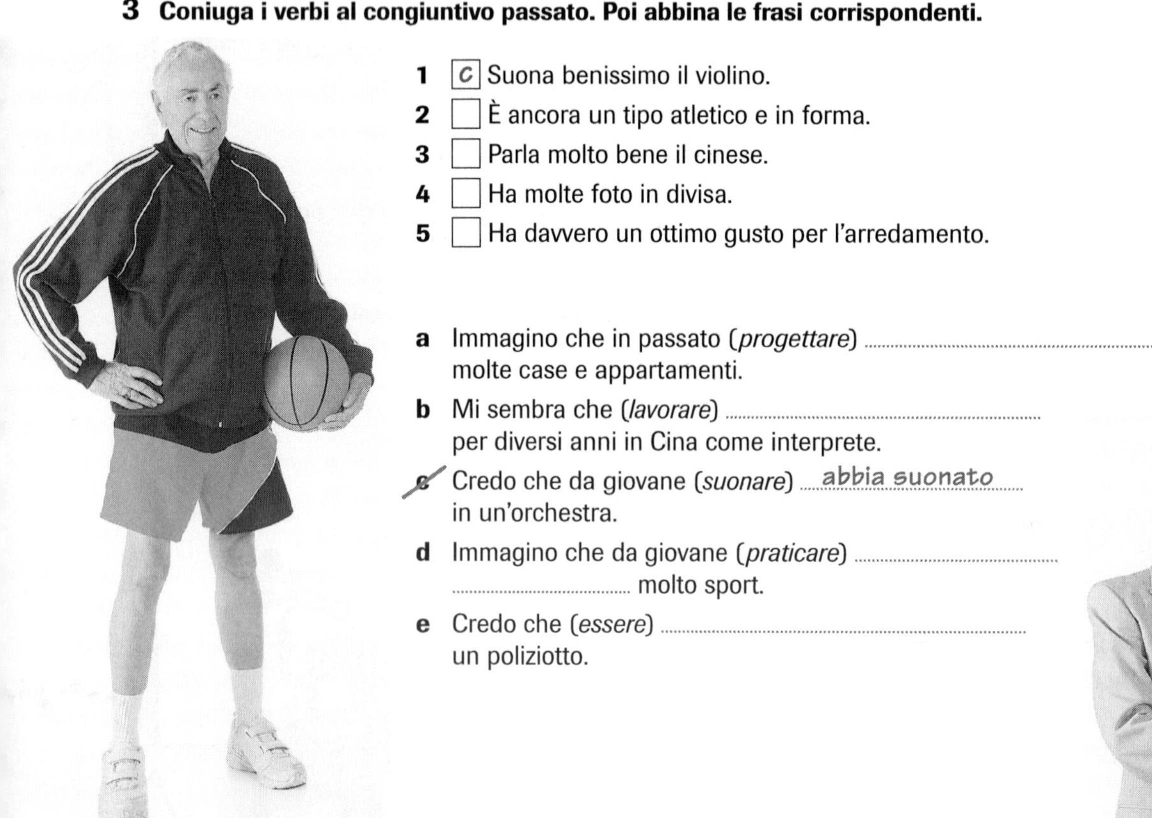

1 [c] Suona benissimo il violino.
2 [ ] È ancora un tipo atletico e in forma.
3 [ ] Parla molto bene il cinese.
4 [ ] Ha molte foto in divisa.
5 [ ] Ha davvero un ottimo gusto per l'arredamento.

a Immagino che in passato (*progettare*) .... molte case e appartamenti.
b Mi sembra che (*lavorare*) .... per diversi anni in Cina come interprete.
~~c~~ Credo che da giovane (*suonare*) abbia suonato in un'orchestra.
d Immagino che da giovane (*praticare*) .... molto sport.
e Credo che (*essere*) .... un poliziotto.

4 Completa il dialogo con i verbi al congiuntivo passato.

Claudio: Ciao Roberto, allora quando organizziamo questo raduno di classe? Sono passati ormai 15 anni dall'ultimo incontro.
Roberto: Ciao Claudio! Sì, è vero. Io ho già sentito Irene, Chiara, Luigi, Fabio, Matteo e Tina. Sono tutti d'accordo per il fine settimana del 16 giugno.
Claudio: E cosa mi dici di Tiziano, Vanessa, Ilaria, Giulio e Mario? Io non sono riuscito a contattarli.
Roberto: Beh, nemmeno io... sono anni che non li sento. Tiziano, penso che (1) (*trasferirsi*) ...si sia trasferito... in Francia; credo che (2) (*trovare*) .... lavoro subito dopo la specializzazione.
Claudio: Specializzazione in che cosa?
Roberto: In Chirurgia.
Claudio: Ah, allora immagino che (3) (*diventare*) .... un bravo chirurgo.
Roberto: Penso proprio di sì. Invece Mario, mi sembra che (4) (*sposarsi*) .... con una ragazza thailandese e che insieme (5) (*trovare*) .... lavoro a Bangkok.
Claudio: Ma davvero! E Ilaria?
Roberto: Ah, aspettavo questa domanda... non l'hai ancora dimenticata, vero?
Claudio: Eh no, il primo amore non si scorda mai...
Roberto: Mi dispiace per te, ma penso che lei e quel tipo della 3ª C, Riccardo, (6) (*sposarsi*) .... E immagino che (7) (*loro/avere*) .... dei bambini. Era quello che voleva, no? Una bella famiglia e una vita tranquilla. Infatti non credo che lei (8) (*frequentare*) .... l'università.
Claudio: Capisco. Hai notizie anche di Vanessa?
Roberto: Beh, non la sento da 10 anni; è possibile che (9) (*provare*) .... a contattarmi, ma io sono stato all'estero per diverso tempo e così ci siamo persi di vista. Comunque credo che (10) (*studiare*) .... Ingegneria e che dopo il master (11) (*trovare*) .... lavoro nel settore della telefonia.
Claudio: E Giulio, invece?
Roberto: Mah... sembra che (12) (*rimanere*) .... per diversi anni a Bologna e credo che (13) (*essere*) .... ricercatore all'università per alcuni anni e poi (14) (*diventare*) .... docente di Chimica all'Università di Padova.
Claudio: Bene, vedo che sei informato. Aspettiamo il 16 e speriamo di rivedere tutti!

20 **5 Ascolta più volte il dialogo: le ipotesi espresse da Roberto nell'attività precedente sono corrette? Completa la tabella.**

nome	professione	città
Mario	avvocato	....
Tiziano	....	....
Ilaria	....	....
Vanessa	....	....
Giulio	....	....

C SPERO CHE IL PROSSIMO ANNO VADA ANCORA MEGLIO

1 Completa il testo con le parole elencate.

volontari ~~associazione~~ centri di assistenza sanitaria pazienti solidarietà

Chi siamo | Cosa facciamo | Cosa puoi fare tu | Informati | Lavora con noi | Media

EMERGENCY

Emergency è un' (1) associazione italiana indipendente e neutrale, nata nel 1994 per offrire cure medico-chirurgiche gratuite alle vittime della guerra, delle mine antiuomo e della povertà. Emergency promuove una cultura di pace, (2) .... e rispetto dei diritti umani. L'impegno umanitario di Emergency è possibile grazie al contributo di migliaia di (3) .... e di sostenitori. Dalla sua nascita a oggi, Emergency ha curato oltre 5 milioni di (4) ....

Chi siamo | Cosa facciamo | Cosa puoi fare tu | Informati | **Lavora con noi** | Media

EMERGENCY

Gli ospedali, i posti di primo soccorso e i (5) .... che abbiamo costruito in 16 Paesi sono gestiti da uno staff internazionale che lavora con passione e competenza.Abbiamo ancora bisogno di professionisti che vogliano diventare compagni di viaggio di Emergency. Sarà per tutti l'occasione per una straordinaria esperienza umana e professionale.
Gino Strada
(adattato da www.emergency.it)

2 Completa le frasi con le parole elencate.

bene (X2) meglio (X3) male (X2) peggio

1 L'industria italiana è in crisi, non va per niente bene . Speriamo che il prossimo anno vada ....

2 ● Come stai? So che non sei stato molto ....
● Sì, infatti, ma adesso sto ...., grazie.

3 ● Ciao, come va il tuo negozio in centro?
● Ah, purtroppo va .... dello scorso anno.

4 ● Ciao Pietro, come va?
● Non c'è .... E tu?
● Mah... ieri sono stato proprio .... : un terribile dolore allo stomaco, ma oggi va ....

PRONUNCIA E GRAFIA

1 A volte, quando si scrivono le email, si fa poca attenzione all'ortografia. Gli autori delle seguenti email hanno commesso 15 errori di ortografia legati all'uso delle maiuscole e delle minuscole. Trova gli errori e correggili.

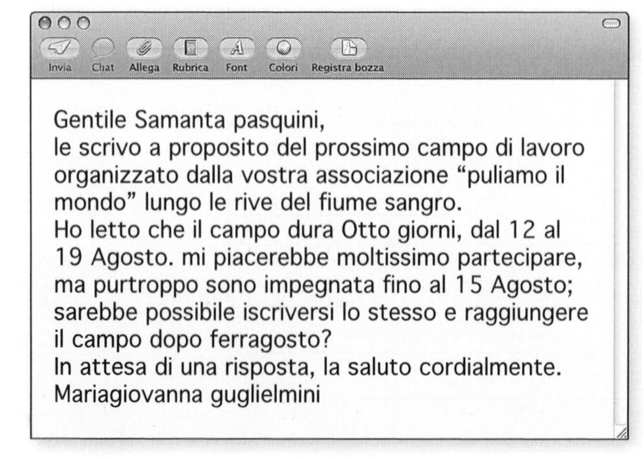

Gentile Samanta pasquini,
le scrivo a proposito del prossimo campo di lavoro organizzato dalla vostra associazione "puliamo il mondo" lungo le rive del fiume sangro.
Ho letto che il campo dura Otto giorni, dal 12 al 19 Agosto. mi piacerebbe moltissimo partecipare, ma purtroppo sono impegnata fino al 15 Agosto; sarebbe possibile iscriversi lo stesso e raggiungere il campo dopo ferragosto?
In attesa di una risposta, la saluto cordialmente.
Mariagiovanna guglielmini

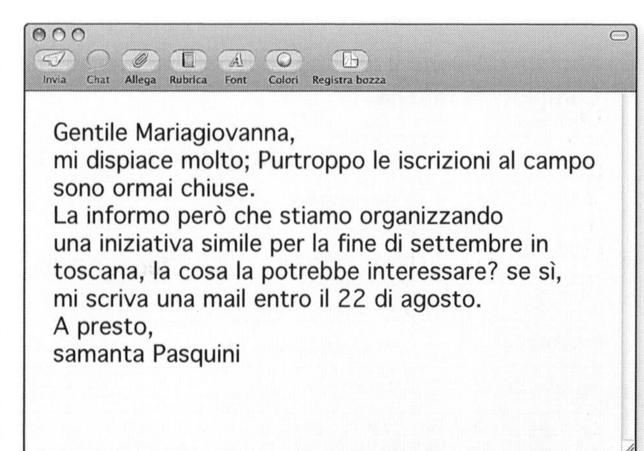

Gentile Mariagiovanna,
mi dispiace molto; Purtroppo le iscrizioni al campo sono ormai chiuse.
La informo però che stiamo organizzando una iniziativa simile per la fine di settembre in toscana, la cosa la potrebbe interessare? se sì, mi scriva una mail entro il 22 di agosto.
A presto,
samanta Pasquini

IL MIO PORTFOLIO

- So esprimere opinioni, sentimenti e dubbi:
  Credo che la felicità sia dentro di noi, ...
  ....
  ....
  ....
- So raccontare le esperienze di altre persone:
  ....
  ....
  ....
- So esprimere e difendere il mio punto di vista:
  ....
  ....
- Conosco le parole che riguardano i valori e alcuni principi morali:
  la pace, ...
  ....
  ....
- Conosco le parole del volontariato:
  ....
  ....
- Conosco i verbi per esprimere opinioni, insicurezze, speranze, paure:
  ....
  ....

LEGGERE

1 Leggi l'articolo e indica se le affermazioni sono vere o false.

Il Festival delle Scienze a Roma: alla ricerca della felicità

Da domani fino a domenica, all'Auditorium Parco della Musica di Roma, si terrà l'ottava edizione del Festival, il cui tema sarà la felicità. Felicità come ricerca del piacere personale, ma anche come importante indicatore economico.
La ricerca (scientifica) della felicità è un viaggio misterioso e appassionante attraverso la psicologia, la religione, l'antropologia, la sociologia. Per qualcuno è questione di chimica. Per altri è la soddisfazione di un bisogno fisico.
Esiste una formula della felicità? L'ottava edizione del Festival delle Scienze, che si inaugura domani pomeriggio e che durerà fino a domenica 20 gennaio, ha l'obiettivo di analizzare un'idea radicata nella nostra esperienza fin dall'antichità della storia umana.
La felicità non è solo un concetto astratto: è anche un importante indicatore economico. Perché lo sviluppo non è solo legato al reddito, ma anche alla qualità della vita.
Ma da dove nasce, davvero, la felicità? A tracciare la sua storia sarà Darrin McMahon, autore di *Storia della felicità*, domani alle 16 in sala Petrassi.
Incontro dopo incontro, proveremo a cercarla, a capire dove si colloca questa felicità. Nel cervello, forse?
Saranno Shimon Edelman, professore di Psicologia alla Cornell University, e Daniel Nettle, professore di Scienze Comportamentali alla Newcastle University, a indagare la mente, sabato 19 gennaio. Per provare a capire se questo oggetto dell'indagine umana è il frutto di una reazione chimica o è qualcosa di più profondo dentro di noi.

(adattato da http://scienza.panorama.it)

		V	F
1	Al Festival delle Scienze di Roma si terranno degli incontri sulla felicità e sull'economia italiana.	☐	☑
2	Per capire che cos'è la felicità bisogna farlo attraverso la psicologia, la religione, l'antropologia ecc.	☐	☐
3	Il concetto di felicità è legato alla qualità della vita.	☐	☐
4	Secondo tutti gli studiosi la sede della felicità è nel cervello umano.	☐	☐
5	Durante il Festival delle Scienze gli studiosi proveranno a capire l'origine della felicità.	☐	☐

ASCOLTARE

MP3 21 **1 Ascolta l'intervista e indica se le affermazioni sono vere o false.**

		V	F
1	Il Servizio Civile è cambiato negli ultimi anni.	✔	☐
2	Il nuovo Servizio Civile è obbligatorio per donne e uomini dai 18 ai 28 anni.	☐	☐
3	I ragazzi e le ragazze possono scegliere di svolgere il Servizio Civile presso enti in Italia o all'estero.	☐	☐
4	La scelta del Paese estero dipende dalla disponibilità dell'ente e dal tipo di progetto.	☐	☐
5	È possibile svolgere il Servizio Civile nel settore dell'ambiente, negli ospedali, nei ristoranti e negli alberghi.	☐	☐
6	Chi svolge il Servizio Civile non riceve nessun compenso economico.	☐	☐
7	Per ulteriori informazioni la signora Bagli dice che è possibile consultare un sito Internet.	☐	☐

SERVIZIO CIVILE NAZIONALE

Cogli al volo
il Servizio Civile
Ti dà più di quel che dai

Festa al Rockisland

Puoi presentare domanda di partecipazione ai progetti.
Se hai tra i 18 e i 28 anni scegli il progetto adatto a te:

SCRIVERE

1 *Momenti di trascurabile felicità* è il titolo di un libro di Francesco Piccolo. Secondo l'autore, i momenti di trascurabile felicità sono dei piccoli fatti della vita quotidiana che possono accadere ovunque e che ti fanno notare qualcosa che fino a un attimo prima non avevi considerato. Leggi alcuni esempi tratti dal libro, poi prova a scrivere i tuoi momenti di trascurabile felicità.

Un piccolo incidente e il ragazzo in motorino si alza subito perché non si è fatto niente.

L'odore di pane del primo mattino; le macchinette del caffè nel momento in cui vengono spente. Le passeggiate.

I bambini quando chiudono il quaderno perché hanno finito i compiti. E poi certi pomeriggi di pioggia e la gente che aspetta che spiova sotto i portoni e si conosce e si parla.

FRANCESCO PICCOLO
MOMENTI DI TRASCURABILE FELICITÀ
EINAUDI

....

....

....

....

....

....

....

PARLARE

1 Osserva la pagina di Facebook e fai delle ipotesi per cercare di completare il profilo del ragazzo. Usa il congiuntivo presente o passato. In classe, confronta le tue ipotesi con quelle dei tuoi compagni.

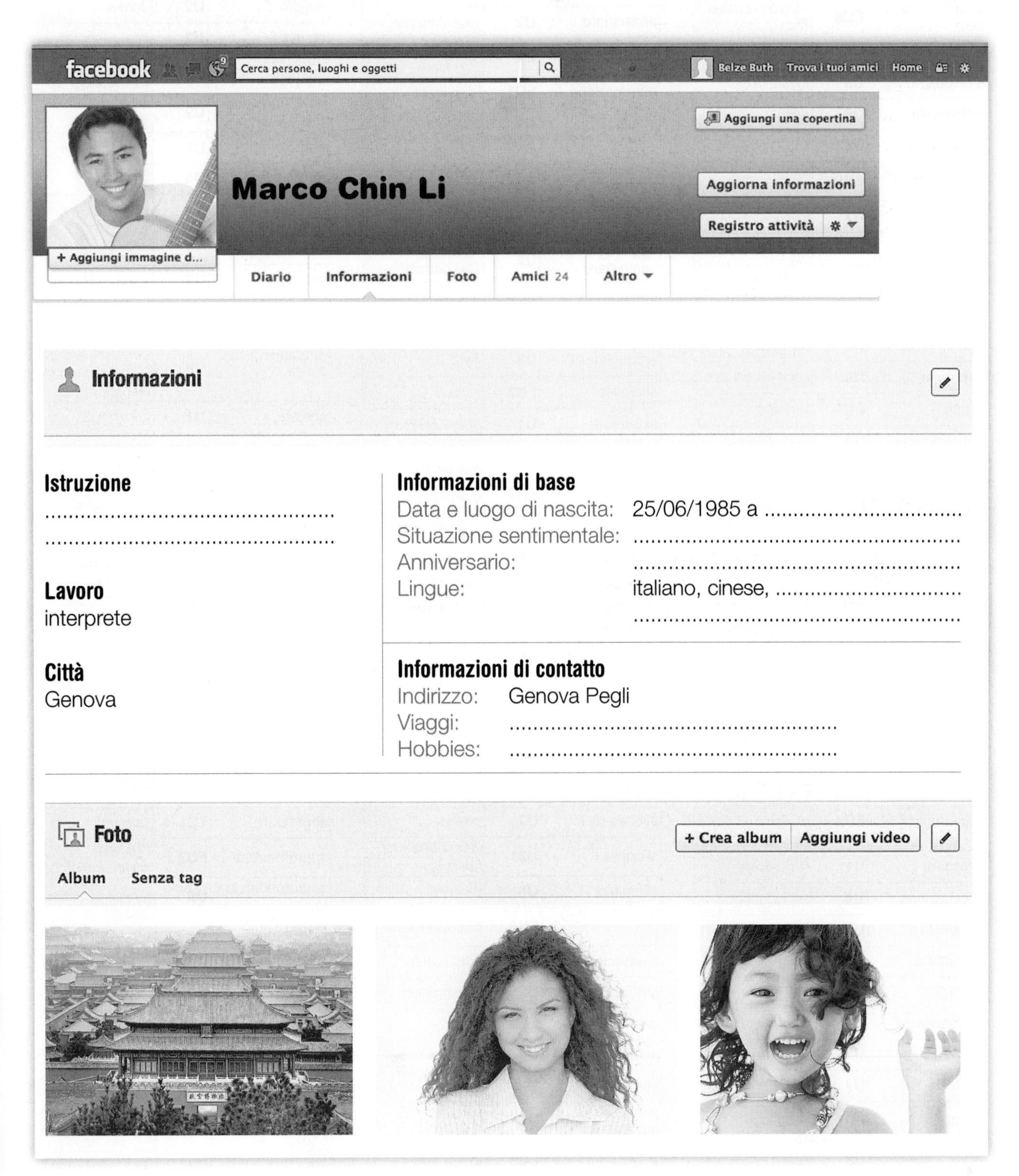

Glossario

Italiano	Unità	Inglese
A		
a braccia aperte	U7	*with open arms*
a capofitto	EU1	*headlong*
a carico di	EU2	*chargeable to / responsibility of*
a causa di	TU1-4	*because of / due to*
a chilometro zero	EU6	*zero food miles (attr.)*
a cielo aperto	U6	*open air (attr.)*
a disposizione	U3	*available*
a domicilio	U6	*pickup service*
a partire da	U3	*as of*
a proposito di	EU8	*about / as regards*
a puntate	U7	*in instalments*
a punti	EU7	*(ranking) points*
a rischio di	U6	*endangered*
a seconda di	U3	*depending on*
a tempo pieno	U3	*full-time*
a termine	U3	*short-term*
a zero	EU4	*very short*
abbandonare	U1	*(to) abandon*
abbattere	TU5-8	*(to) cut down*
abbonamento, l'	U5	*subscription*
abbondante	U1	*wide*
abbondanza, l'	U4	*wealth*
abete, l'	U6	*fir*
abile	U3	*proficient/able*
abilità, l'	U1	*skill*
abilitato < abilitare	EU3	*qualified < (to) qualify*
abitudinario (-a)	U1	*creature of habit*
accaduto < accadere	U7	*took place < (to) take place*
accentuato (-a)	EU3	*accentuated / plunging (neckline)*
accettare	U1	*(to) accept*
accettazione, l'	U4	*acceptance*
accidenti!	U2	*damn!*
accogliere	U4	*(to) welcome*
accordo, l'	U8	*agreement*
accrescitivo, l'	U5	*augmentative*
acquerelli, gli	U1	*watercolours*
acquisizione, l'	U7	*takeover*
adattarsi	EU1	*(to) adjust oneself (to)*
addetto sanitario, l'	U3	*health agent*
addobbare	U4	*(to) decorate / (to) ornate*
addosso	U7	*(to bump) into (someone)*
aderire	U8	*(to) take part (in)*
adolescente, l'	U8	*teenager*
adorare	U3	*(to) adore / (to) love (deeply)*
adozione, l'	U2	*adoption*
affascinare	U2	*(to) fascinate*
affermare	U4	*(to) affirm / (to) state*
affermazione, l'	EU1	*statement*
affetto, l'	U4	*affection*
affrontare	EU3	*(to) face*
agente, l'	U3	*agent*
aggiornarsi	U8	*(to) get up-to-date*
aggiornato < aggiornare	U2	*updated < (to) update*
aggiuntivo (-a)	EU8	*additional/extra*
agire	U6	*(to) take action*
agriturismo, l'	U3	*farm stay*
al chiuso	EU3	*indoors*
al termine	U1	*at the end (of)*
al vaglio	U7	*under examination*
alba, l'	EU7	*dawn*
albo, l'	EU3	*register*
all'antica	U4	*old fogey*
all'aria aperta	U3	*outdoor*
all'epoca	U2	*at the time*
all'improvviso	U4	*suddenly*
alla mano	U1	*easygoing*
alla volta	U2	*at a time*
allegare	U3	*(to) enclose / (to) attach*
allenarsi	U1	*(to) train*
allenatore, l'	U7	*coach*
alloggio, l'	U3	*accomodation/ housing*
alluminio, l'	U6	*aluminium*
alta definizione, l'	EU5	*high definition*
ambasciatore, l'	U1	*ambassador*
ambiente, l'	U2	*environment*
ambito, l'	EU3	*field*
ambosessi	U3	*of either sex*
ambulatorio, l'	U6	*surgery*
ammesso < ammettere	U5	*admitted < (to) admit*
amministrativo (-a)	EU3	*administration (attr.)*
amministratore delegato, l'	U3	*chief executive officer*
analfabeta, l'	EU5	*illiterate*
analisi, l'	U1	*analysis*
analizzare	EU1	*(to) analyse*
andarsene	U4	*(to) go away*
angelo, l'	U6	*angel*
angolo, l'	U2	*corner*
anima, l'	U2	*soul (people)*
animare	U2	*(to) liven (something) up*
animatore teatrale, l'	U2	*theatre entertainer*
anni Settanta, gli	U2	*the Seventies*
anniversario, l'	U4	*anniversary*
annoiare	U4	*(to) bore*
antenna satellitare, l'	U5	*satellite aerial*
anteriore	U7	*future perfect*
anticrimine	TU5-8	*against crime*
antirandagismo, l'	U6	*prevention of domestic animals being abandoned by their owners*
antistress	U1	*anti-stress*
antropologia, l'	EU8	*anthropology*
anulare, l'	U4	*ring finger*
apparso < apparire	U3	*appeared < (to) appear*
appartenente	U4	*(to) (be) part of*
appassionarsi a	U1	*(to) become fond of*
appassito (-a)	EU4	*withered*
appenninico (-a)	U6	*Appennine (attr.)*
applicazione, l'	U4	*application*
apposito (-a)	EU5	*specific*
apprendimento, l'	U4	*learning*
apprezzamento, l'	U2	*appreciation*
apprezzare	TU1-4	*(to) appreciate*
approfittare di	EU2	*(to) take advantage of*
approfondimen-to, l'	U5	*topical talk show*
approfondire	U3	*(to) deepen*
appropriato (-a)	EU3	*appropriate*
approvare	U4	*(to) approve (of)*
approvvigiona-mento, l'	U3	*supply*
appunto	EU1	*indeed*
aquilotto, l'	EU6	*eaglet*
area funzionale, l'	EU3	*professional field*
area, l'	U2	*area*

armonia, l'	U4	harmony
arrampicata, l'	EU1	rock climbing
arresti domiciliari, gli	U7	house arrest
arricchirsi	U4	(to) (be) rich in
artificiale	EU1	artificial/indoor
artigiano, l'	U3	craftsman
asilo nido, l'	U2	nursery
asino, l'	U1	donkey
aspetto, l'	U1	physical aspect
aspirante	EU5	would-be
aspirazione, l'	U3	aspiration
assegnare	U3	(to) assign
assenza, l'	U1	absence
assicurativo (-a)	U3	insurance (attr.)
assimilare	U1	(to) assimilate
assistente, l'	EU1	secretary/ assistant
assistenza sanitaria, l'	U8	healthcare
associativo (-a)	U1	association (attr.)
associazione, l'	U8	association/ organisation
assomigliare a	U7	(to) be similar to
assorbente, l'	U6	sanitary towel
assunzione, l'	U3	hiring
astratto (-a)	EU6	abstract
attaccante, l'	U7	striker
atterraggio, l'	EU7	landing
attesa, l'	U3	wait
atteso (-a)	U5	long-awaited
attorno a	U4	close to
attrarsi	EU1	(to) attract each other
attrazione, l'	U2	attraction
attrezzato < attrezzare	EU2	equipped < (to) equip
attribuito < attribuire	U5	given < (to) give
aumentare	U2	(to) increase
automobilistico (-a)	U2	car (attr.)
automunito (-a)	U3	(to) have one's own car
autonomia, l'	U2	autonomy
autorizzazione, l'	U3	authorization
avanguardia, l'	U2	avant-garde / forefront
avanzo, l'	U6	leftover (food)
avariato (-a)	U6	spoiled
avercela	U4	(to) have it in for (someone)
avorio, l'	EU4	ivory

avvenimento, l'	U2	event
avvenire, l'	U4	future
avventuroso (-a)	EU1	adventure (attr.)
avvenuto < avvenire	U7	occured < (to) occur
avversario, l'	EU1	opponent
avvezzo (-a)	U5	used to (something)
avviare	U7	(to) start
avvolto < avvolgere	U2	(warmly) welcomed < (to) welcome

B

bagnino, il	U3	lifeguard
baita, la	EU6	mountain hut (typical of the Alps)
banale	U5	banal
bando regionale, il	EU3	regional announcement (of competitive examinations)
barattolo, il	EU6	tin
basilica, la	U2	basilica
battuta, la	EU1	joke
beach volley, il	EU6	beach volley
beh...	U1	well...
bene comune, il	U8	common good
beneficenza, la	TU5-8	charity
benessere, il	U4	well-being
bengali, il	EU1	Bengali
beni culturali, i	TU1-4	cultural heritage
biberon, il	EU7	baby bottle
bilingue	U2	bilingual
bilocale, il	U2	two-room flat
biodegradabile	U6	biodegradable
biodiversità, la	U6	biodiversity
biografia, la	U1	biography
biologico (-a)	U3	organic (food)
bisogno, il	U3	need
Bizantini, i	EU2	the Byzantines
boh!	U2	no idea! / don't ask me!
bollino rosso, il	EU2	traffic jam
bomboniera, la	U4	(wedding) favour
boom economico, il	EU1	economic boom
botta, la	U5	blow
botte, la	U5	cask
bottino, il	U7	loot
bouquet, il	U4	bouquet
boxe, la	U5	boxing (match)

bracci, i	EU1	arms
braccio di ferro, il	U1	arm wrestling
brevetto, il	U3	licence
brindare	U4	(to) toast (something)
buccia, la	EU6	peel
bue, il	TU5-8	ox
burocrazia, la	U1	bureaucracy
buttarsi	U1	(to) throw oneself (into the fray)

C

caccia ai ladri, la	U7	police hunt for thieves
caduta, la	U1	removal
calcioscommesse, il	TU5-8	illegal football betting
caldaia, la	EU2	boiler (UK); furnace (US)
calvo (-a)	EU1	bald
camionista, il	EU3	lorry driver (UK); truck driver (US)
camminata, la	U1	walk
camoscio, il	U6	chamois
campagna acquisti, la	U7	takeovers
campionato, il	U7	championship
campionessa, la	U2	champion
campo, il	U2	field
canale privato, il	U5	private television channel
canale televisivo, il	U5	television channel
canarino, il	EU2	canary
candidarsi	U3	(to) apply
candidato, il	U7	candidate
candidatura, la	EU8	application
cannolo, il	EU2	cannoli
canoro (-a)	U5	singing
cantiere, il	U7	building site / construction site
caotico (-a)	U2	chaotic
capacità, la	U1	skill
capienza, la	U2	capacity
capoluogo, il	U2	regional capital (county town in the UK)
carrello, il	EU6	trolley
carro allegorico, il	U5	float
cascata, la	U1	waterfall
casolare, il	U2	old house out in the country
catturato < catturare	U5	captured < (to) capture
cavolo!	U2	damn!

celebrare	U4	*(to) celebrate*
Celti, i	U2	*Celts*
centro di assistenza, il	U8	*health care centre*
centro di raccolta, il	U6	*(waste) collection centre*
centro urbano, il	U2	*urban centre*
cera, la	U5	*wax*
certificato, il	U3	*certificate*
cervello, il	U1	*brain*
cervo, il	U6	*deer*
champagne, lo	U4	*champagne*
che sfortuna!	U2	*what a bad luck!*
chiacchierata, la	EU1	*chat*
chiavetta, la	U4	*pen drive*
chimico (-a)	U6	*chemical*
chioschetto, il	U2	*small kiosk*
chirurgico (-a)	EU8	*surgical*
chirurgo, il	U3	*surgeon*
ciclista, il/la	EU7	*cyclist*
ciclo, il	U7	*series*
cigli, i	EU1	*edges*
ciglia, le	EU1	*eyelashes*
cima, la	EU6	*peak*
cinghiale, il	U6	*wild boar*
cioè	U7	*that is / that is to say*
cipresso, il	EU6	*cypress*
circolo, il	U2	*club*
cittadina, la	U2	*small town*
cittadino modello, il	U6	*perfect citizen*
CLA	U1	*University Language Centre*
classe operaia, la	U3	*working class*
classico, il	U2	*classical studies*
classifica, la	U2	*ranking*
clima, il	U2	*climate*
clutch	EU3	*clutch*
coccolato < coccolare	U2	*cuddled < (to) cuddle*
coda, la	U7	*traffic jam*
codice rosso, il	EU7	*code red (hospital emergency code)*
codice utente, il	U6	*user code*
coinvolgente	U2	*enthralling*
coinvolgimento, il	U5	*involvement*
colla, la	U6	*glue*
collegamento, il	U1	*connection/link*

collezionare	U1	*(to) collect*
collocarsi	EU8	*(to) place oneself*
colloquio, il	U3	*job interview*
colonia estiva, la	U2	*summer camp*
colpevole, il	EU7	*culprit/offender*
coltivare	U1	*(to) grow*
colto < cogliere	U5	*picked < (to) pick*
combattere	U8	*(to) fight*
combinare	U4	*(to) combine (with)*
combinazione, la	U3	*combination*
comico, il	U5	*comedian*
comitato direttivo, il	U7	*managing board*
commentatore, il	U7	*commentator*
commercialista, il/la	U3	*accountant*
commettere	U1	*(to) commit*
commissionato < commissionare	U5	*commissioned / (to) commission*
commovente	EU7	*touching*
compagnia telefonica, la	U3	*telephone service provider*
compassione, la	U4	*pity/sympathy*
competenza linguistica, la	EU1	*language skills*
competenza, la	U3	*skills*
competizione	U5	*competition/race*
complice, il	U7	*accomplice*
componimento, il	U1	*poem*
comportare	EU8	*(to) entail*
comprensibile	EU4	*comprehensible*
comprensione, la	U4	*comprehension/ understanding*
comprensivo	U1	*understanding*
comune	U4	*common*
Comune, il	U2	*city council / town hall*
concentrazione, la	U1	*concentration*
concetto, il	EU8	*concept*
conciliabile	U3	*compatible (with)*
concorrente, il	EU5	*competitor*
concorso, il	U3	*contest*
condotto < condurre	U5	*hosted < (to) host*
conduttore televisivo, il	U7	*TV host*
conferimento, il	U6	*the act of inserting recyclable materials into appropriate receptacles*

confetto, il	U4	*sugared almond*
confinante	EU1	*neighbouring*
confusione, la	EU8	*confusion*
conoscente, il/la	U8	*acquaintance*
conquistare	U4	*(to) conquer*
consapevolezza, la	U1	*awareness*
consecutivo (-a)	U7	*consecutive*
consegna, la	U7	*assignment*
conseguenza, la	U7	*consequence*
conseguito < conseguire	U3	*obtained < (to) obtain*
consigliare	U3	*(to) suggest*
consulente, il/la	U3	*consultant*
consultare	EU2	*(to) consult*
consumare	U6	*(to) consume*
consumo energetico, il	EU6	*energy consumption*
contendersi	U7	*(to) contend/ compete (for)*
contenitore, il	U6	*container*
continentale	U2	*continental*
continuità, la	U8	*continuity*
conto corrente, il	EU3	*current account (UK); checking account (US)*
contrabbasso, il	EU7	*double bass*
contrattempo, il	EU4	*hitch*
contratto, il	U3	*contract*
contributo, il	U8	*contribution*
controllo contabilità, il	EU3	*accounting control*
contuso, il	EU6	*injured (sost.)*
convenzione, la	EU2	*convention*
convincere	U7	*(to) convince / (to) persuade*
convivere	U2	*(to) live with*
coperchio, il	EU6	*lid*
copie, le	EU4	*issues*
coppetta, la	EU4	*(ice-cream) cup*
coraggioso (-a)	EU1	*brave*
cordiale	U3	*friendly*
corna, le	EU6	*horns*
corsa, la	U1	*running*
corso di perfezionamento, il	EU3	*improvement training course*
corte, la	U4	*court*
coscienza, la	U4	*awareness*
costante	U1	*resolute*
costume, il	EU5	*custom*
creare	U1	*(to) create*

creazione, la	**U4**	*creation*
credente, il	**EU7**	*believer*
crescita, la	**U3**	*growth*
crisi di nervi, la	**U1**	*nervous breakdown*
cristiano (-a)	**TU1-4**	*Christian*
criterio, il	**EU1**	*criterion*
critica, la	**U5**	*critics/criticism*
crudele	**EU4**	*cruel*
cucciolo, il	**EU6**	*young (steinbock)*
curativo (-a)	**U5**	*curative*
custode, il	**U6**	*guardian*
custodire	**U6**	*(to) safeguard*

D

da una vita	**U8**	*for ages*
dai...	**U4**	*come on...*
danneggiare	**U6**	*(to) damage*
dare fastidio a	**U1**	*(to) bother (someone)*
dare sfogo a	**U3**	*(to) give vent to*
dare un senso	**U8**	*(to) give a meaning*
dare un'occhiata	**U3**	*(to) have a look*
dati personali, i	**U3**	*personal data*
dato che	**U4**	*since/as*
datore di lavoro, il	**U3**	*employer*
dea della fortuna, la	**U1**	*lady luck*
debitamente	**U6**	*duly*
decretare	**U4**	*(to) mark*
dedica, la	**U4**	*dedication (of love)*
dedicarsi	**U8**	*(to) devote/ dedicate (oneself) (to)*
degrado, il	**U6**	*contamination*
delegato, il	**U7**	*delegate*
delta, il	**U6**	*(river) delta*
deludere	**U1**	*(to) disappoint*
depresso (-a)	**U4**	*depressed*
deputato, il	**U7**	*deputy*
derby, il	**U5**	*derby*
desiderare	**U8**	*(to) desire / (to) long for*
desiderio, il	**U3**	*desire*
detenzione, la	**U7**	*detention/ imprisonment*
detersivo, il	**U6**	*detergent*
dettagliato (-a)	**U3**	*detailed*
di corsa	**U1**	*in a hurry*
di mezza età	**EU1**	*middle-aged*

di preciso	**U8**	*precisely*
di seguito	**U2**	*below*
difesa, la	**U2**	*defence*
difettivo (-a)	**U1**	*defective*
diffondersi	**U5**	*(to) spread*
diffusione, la	**EU1**	*spread*
diffusore, il	**U8**	*advocate*
digitale terrestre, il	**U5**	*digital terrestrial receiver*
dimagrire	**U1**	*(to) lose weight*
dimensione, la	**U2**	*size*
dimezzarsi	**U5**	*(to) halve*
diminutivo, il	**U5**	*diminutive*
dimostrare	**EU1**	*(to) prove / (to) show*
dinamicità, la	**U3**	*dynamism*
dinamico (-a)	**U3**	*dynamic*
dintorni, i	**U3**	*surroundings*
dipendenza, la	**U4**	*dependence*
diploma, il	**U3**	*diploma*
dirigere	**U3**	*(to) manage*
diritti civili, i	**U8**	*civil rights*
disabitato (-a)	**U7**	*uninhabited*
discarica, la	**EU6**	*(rubbish) dump*
discesa, la	**U2**	*descent*
disciplina, la	**EU3**	*(sport) discipline*
discorde	**U4**	*conflicting*
discreto (-a)	**U3**	*decent*
disordine, il	**U4**	*chaos/mess*
dispari	**U4**	*odd*
disperato (-a)	**EU8**	*desperate*
disperazione, la	**U1**	*desperation/ despair*
disperso < disperdere	**TU5-8**	*scattered < (to) scatter*
disponibilità, la	**U8**	*availability*
disposto (-a) a	**U3**	*ready/willing (to)*
dispregiativo, il	**U5**	*pejorative*
distaccato (-a)	**EU1**	*detached*
distinguere	**EU5**	*(to) distinguish*
distinto (-a)	**U3**	*kind*
distinzione, la	**EU3**	*distinction/ elegance*
distribuzione geografica, la	**U8**	*geographic range*
ditta, la	**U3**	*firm/company*
diversificato < diversificare	**U5**	*diversified < (to) diversify*
divinità, la	**TU1-4**	*goddess*
divorzio, il	**EU8**	*divorce*

documentario, il	**U5**	*documentary*
domandone, il	**EU5**	*big question*
domestico (-a)	**EU1**	*home (attr.)*
donare	**TU5-8**	*(to) donate*
dote, la	**EU8**	*talent/skill*
doti comunicative, le	**U3**	*communication skills*
dottorato, il	**U3**	*doctorate/PhD*
dubbio, il	**U7**	*doubt*
dubitare	**U8**	*(to) doubt*
duca, il	**EU2**	*duke*
duraturo (-a)	**U4**	*long-lasting / enduring*

E

ebbene	**U1**	*well / now then*
eccetto	**U7**	*except for*
eccitato (-a)	**U3**	*excited*
edizione, l'	**U5**	*edition*
effetti, gli	**U4**	*effects*
effetto serra, l'	**U6**	*greenhouse effect*
effettuato < effettuare	**TU1-4**	*carried out < (to) carry out*
efficace	**EU1**	*effective*
egocentrico (-a)	**U1**	*egocentric*
eh?	**U2**	*what?*
elaborare	**U3**	*(to) work out*
elenco, l'	**U1**	*list*
elettore, l'	**U7**	*voter*
elettricità, l'	**U6**	*electricity*
elettrico (-a)	**TU1-4**	*electric*
elevato (-a)	**U3**	*higher/highest*
eliminare	**U5**	*(to) get rid of*
elisione, l'	**U1**	*elision*
emergenza, l'	**EU6**	*emergency*
emerso < emergere	**TU5-8**	*emerged < (to) emerge*
emettere	**U7**	*(to) release / (to) produce*
emittente, l'	**U5**	*(radio) station*
emozione, l'	**U4**	*emotion*
energia alternativa, l'	**U6**	*alternative energy*
enigmistica, l'	**U7**	*puzzles / puzzle-solving*
ente, l'	**EU3**	*authority*
entrambi	**U3**	*both*
entro	**EU4**	*by/within*
entusiasmante	**U2**	*exciting*
equilibrato (-a)	**U1**	*well-balanced*
equilibrio personale, l'	**U8**	*one's own balance*

erogatore, l'	**U6**	*(bulk food) dispenser*
esame di maturità, l'	**U2**	*high school final exams*
esaminato < esaminare	**U2**	*examined < (to) examine*
esaurimento, l'	**U6**	*depletion*
esausto (-a)	**U6**	*dead*
esclusivo (-a)	**U1**	*exclusive*
escursionistico (-a)	**U6**	*excursion (attr.)*
esemplare, l'	**EU6**	*specimen/ example*
esigenza, l'	**EU2**	*need/demand*
esiliato < esiliare	**U1**	*exiled < (to) exile*
esistere	**U7**	*(to) exist / (to) live*
esortare	**U4**	*(to) encourage*
espandersi	**U7**	*(to) expand*
espansione, l'	**U4**	*expansion/ growth*
espansivo (-a)	**TU1-4**	*outgoing*
esperimento, l'	**U1**	*experiment/test*
esperto di marketing, l'	**U3**	*marketing expert*
esplodere	**U1**	*(to) explode*
esprimere	**U3**	*(to) express*
essere convinti di	**U7**	*(to) be convinced/ certain/sure (of/about)*
estendersi	**U6**	*(to) extend*
estinto < estinguere	**EU6**	*extincted < (to) become extinct*
estinzione, l'	**EU3**	*extinction*
estremamente	**EU8**	*extremely/very*
estroverso (-a)	**U1**	*extroverted*
esuberante	**EU1**	*exuberant*
eterogeneo (-a)	**U6**	*varied*
Etruschi, gli	**U2**	*Etruscans*
euforia, l'	**U4**	*euphoria*
evento, l'	**U3**	*event*
eventuale	**U3**	*possible*
evidenza, l'	**EU4**	*evidence*
evitare	**EU2**	*(to) avoid*
evoluzione, l'	**U4**	*evolution*
extralavorativo (-a)	**U3**	*extra-work (attr.)*

F

fabbro, il	**U3**	*blacksmith*
faccia a faccia, il	**U5**	*face-to-face meeting*
facciata, la	**U2**	*façade*
facilità, la	**U3**	*ease*
falegname, il	**U3**	*carpenter*
falsario, il	**TU5-8**	*forger*
fantasioso (-a)	**U1**	*creative*
fantastico (-a)	**U5**	*wonderful*
far parte di	**U8**	*(to) be part of*
faraglione, il	**EU2**	*stack*
farcela	**EU4**	*(to) make it*
fare un salto	**U8**	*(to) come around / (to) pop (to)*
fare uso di	**U1**	*(to) make use of*
fare zapping	**U5**	*(to) flick through the TV channels*
farsi sentire	**U4**	*(to) call (someone)*
fascia d'età, la	**U8**	*age group*
fascia oraria, la	**U5**	*time range*
fatturazione, la	**EU3**	*invoicing*
fauna, la	**U6**	*fauna*
faunistico (-a)	**TU5-8**	*animal (attr.)*
favorire	**U1**	*(to) enhance*
fede, la	**U4**	*wedding ring*
fenomeno, il	**EU4**	*phenomenon/ custom*
ferito, il	**EU6**	*wounded*
ferroso (-a)	**EU6**	*iron (attr.)*
fertilità, la	**U4**	*fertility*
fiaba, la	**U2**	*fairy tale*
fidanzamento, il	**U4**	*engagement*
fidarsi di	**EU1**	*(to) trust (someone)*
fiducia, la	**EU4**	*trust*
fiera, la	**U2**	*fair/exhibition*
fieristico (-a)	**U2**	*fair/exhibition (attr.)*
figura professionale, la	**U3**	*job/profession*
figurati!	**U4**	*no problem! / don't worry!*
filiale, la	**U3**	*branch (office)*
filosofico (-a)	**U1**	*philosophical*
finale, la	**EU5**	*final*
finché	**U7**	*until*
fingere	**U7**	*(to) pretend*
finora	**U3**	*so far / until now*
finzione, la	**EU5**	*fiction*
fiore all'occhiello, il	**TU5-8**	*flagship*
fischiare	**EU4**	*(to) whistle*
fisicamente	**EU1**	*physically*
fissare	**U3**	*(to) fix*
flacone, il	**EU6**	*(detergent) bottle*
flessibilità, la	**U3**	*flexibility*
flora, la	**EU6**	*flora*
fluviale	**TU1-4**	*river (attr.)*
fondale, il	**EU2**	*seabed*
fondamentale	**EU2**	*essential*
fondazione, la	**U6**	*organisation*
fondi, i	**EU6**	*remains*
fonte, la	**U6**	*resource*
formazione, la	**U3**	*education/ formation*
fornire	**U7**	*(to) provide*
fornito (-a)	**U2**	*(well) equipped*
fornitore, il	**U3**	*supplier*
fortuna, la	**U3**	*(good) luck*
forza, la	**U4**	*strength*
fotoromanzo, il	**U4**	*photonovel / picture story*
frate, il	**EU1**	*friar*
fraternità, la	**EU8**	*fraternity*
frazione, la	**U2**	*hamlet*
freccia, la	**U1**	*arrow*
fuga di gas, la	**EU7**	*gas leak*
fulgido (-a)	**U6**	*bright*
full-time	**EU1**	*full-time*
fumogeno, il	**EU7**	*smoke bomb*
furto, il	**U7**	*theft/looting*
fusa, le	**EU1**	*purr*
fuso, il	**EU1**	*time zone*

G

gara, la	**EU7**	*competition/ contest*
gelosia, la	**U8**	*jealousy*
gemello, il	**EU3**	*twin*
genere, il	**EU1**	*genre*
generoso (-a)	**U8**	*generous*
geometria, la	**U2**	*geometry*
gestione, la	**U3**	*management*
gestire	**EU8**	*(to) manage*
gesto, il	**U7**	*gesture/act*
ghepardo, il	**EU1**	*cheetah*
giardinaggio, il	**EU1**	*gardening*
giocherellone	**U1**	*playful*
gioventù, la	**U1**	*youth*
giraffa, la	**TU5-8**	*giraffe*
giunto < giungere	**TU5-8**	*come to < (to) come to*
giurare	**U4**	*(to) swear*
giuria, la	**U5**	*jury*

gommone, il	**EU6**	*rubber dinghy*
gotico (-a)	**U2**	*gothic*
gpl, il	**U6**	*LPG (liquefied petroleum gas)*
gradino, il	**U2**	*step*
granita, la	**EU2**	*water-ice*
gratificazione, la	**EU3**	*gratification*
gratitudine, la	**U4**	*gratitude/ greatfulness*
grattacielo, il	**EU3**	*skyscraper*
grazie a	**EU3**	*thanks to*
grazioso (-a)	**EU5**	*pretty*
guardiano, il	**EU6**	*guardian*
guscio, il	**U6**	*shell*
H		
habitat, l'	**U6**	*habitat*
hindi, l'	**EU1**	*Hindi*
hostess, la	**U2**	*hostess*
I		
identico (-a)	**U4**	*identical/same*
identificare	**U7**	*(to) identify*
idoneità fisica, l'	**EU8**	*physical fitness*
idoneo (-a)	**EU3**	*adequate*
igienista dentale, l'	**EU3**	*dental hygienist*
illustratore, l'	**U6**	*drawer*
illustre	**U5**	*eminent*
imballaggio, l'	**U6**	*packaging*
imbarazzato (-a)	**U4**	*embarrassed*
imbranato (-a)	**U4**	*clumsy*
immagazzinare	**U1**	*(to) store up*
immaginare	**EU8**	*(to) imagine / (to) guess*
immaginativo (-a)	**U1**	*imaginative*
immaginazione, l'	**U4**	*imagination*
immediatamente	**U2**	*immediately/ promptly*
immenso (-a)	**U4**	*great*
immigrato, l'	**U2**	*immigrant*
impaginare	**U7**	*(to) make up into pages*
impatto, l'	**EU7**	*impact*
impaziente	**EU4**	*impatient*
impazzire	**U1**	*(to) go crazy*
impegnarsi a	**U3**	*(to) commit / engage (to)*
impegno, l'	**U1**	*effort/dedication*
impercettibile	**EU3**	*subtle*
impianto, l'	**U6**	*(solar) plant*

impiego, l'	**U3**	*job*
imponente	**U2**	*majestic/ imposing*
importatore, l'	**EU1**	*importer*
imprenditoriale	**EU3**	*enterpreneurial / business (attr.)*
impresa, l'	**U3**	*enterprise*
imprevisto, l'	**U1**	*hitch*
in base a	**U3**	*according to*
in coda	**U7**	*(stuck) in a tailback*
in corso	**U7**	*underway*
in effetti	**U4**	*in fact*
in forma	**U1**	*well / fit / in good shape*
in linea	**U8**	*on the phone*
in onda	**EU5**	*on air*
in prevalenza	**U6**	*mostly / for the most part*
in tempo reale	**EU5**	*live*
inaugurare	**U5**	*(to) open*
incassare	**EU4**	*(to) collect*
incazzato (-a)	**EU2**	*pissed off*
incentivo, l'	**EU3**	*incentive*
inchiesta, l'	**U5**	*inquiry*
incidente, l'	**U2**	*(car) crash / accident*
incisivamente	**U6**	*incisively*
incomprensibile	**U2**	*incomprehen-sible*
inconfondibile	**U6**	*unique*
inconscio, l'	**U4**	*unconscious*
incoraggiare	**U3**	*(to) encourage*
indagare	**EU8**	*(to) inspect*
indagine, l'	**U7**	*investigation*
indeciso (-a)	**EU1**	*undecided/ irresolute*
indicatore, l'	**EU8**	*index*
indifferenza, l'	**EU6**	*indifference*
indimenticabile	**EU4**	*unforgettable/ memorable*
indirizzo, l'	**U3**	*address*
individuare	**U7**	*(to) identify*
indossare	**EU3**	*(to) wear*
indumento, l'	**U6**	*garment / piece of clothing*
industrializzato (-a)	**U3**	*industrialised*
inedito (-a)	**U5**	*unreleased*
inevitabilmente	**EU4**	*inevitably*
infinito, l'	**U4**	*infinitive*
informatica, l'	**U3**	*IT (information technology)*
ingombrante	**U6**	*bulky*

ingorgo, l'	**U2**	*traffic jam*
inguardabile	**U5**	*appalling*
iniziativa, l'	**U4**	*initiative*
innovativo (-a)	**U2**	*innovative*
inquinamento, l'	**U2**	*pollution*
inquinare	**U6**	*(to) pollute*
insaccati, gli	**U6**	*sausages/salami*
insenatura, l'	**EU6**	*inlet/cove*
inserimento, l'	**U3**	*entry*
inserirsi	**U2**	*(to) integrate (in)*
inserto, l'	**U7**	*supplement*
inserzione, l'	**U3**	*ad/advertisement*
insicurezza, l'	**U3**	*insecurity*
insopportabile	**U3**	*unbearable*
instabile	**EU7**	*unstable*
intanto	**U3**	*meanwhile*
intellettuale, l'	**U2**	*intellectual*
intenso (-a)	**U3**	*intense/strong*
intenzione, l'	**U2**	*intention*
interessarsi di	**U8**	*(to) be interested in*
interesse personale, l'	**U3**	*personal interest*
interpersonale	**U3**	*interpersonal*
interprete, l'	**U3**	*interpreter*
interrogare	**U7**	*(to) question*
interrogativo, l'	**U7**	*doubt/question*
interrompere	**U8**	*(to) interrupt*
interruzione, l'	**U3**	*interruption*
intervento, l'	**U5**	*participation*
intimo (-a)	**U2**	*intimate*
intitolarsi	**EU5**	*(to) be entitled*
intraprendere	**U3**	*(to) take up*
intrattenimento, l'	**U2**	*entertainment*
intuito, l'	**U4**	*intuition/insight*
invadente	**U3**	*intrusive*
invariabile	**EU1**	*invariable*
invasione, l'	**EU5**	*invasion*
inventare	**EU5**	*(to) invent*
inventario, l'	**U3**	*inventory*
investigatore, l'	**U7**	*investigator/ detective*
investito < investire	**U7**	*invested < (to) invest*
inviato, l'	**U7**	*correspondent*
involontaria-mente	**EU7**	*accidentally*
ipotesi, l'	**EU8**	*conjecture/ hypothesis*

ispezione, l'	EU7	*inspection*
ispirare	U6	*(to) inspire*
istruttivo (-a)	U5	*educational/ instructive*
istruzione, l'	U3	*education*

L

l'altro ieri	U2	*the day before yesterday*
laccio, il	EU6	*lace*
lamentarsi	EU8	*(to) complain (about something)*
lampione, il	U4	*lamppost*
lanciare	EU4	*(to) launch*
larghezza, la	U2	*width*
lati positivi, i	U1	*positive aspects*
laurea magistrale, la	U3	*Master's degree*
lava, la	U2	*lava*
lavastoviglie, la	EU6	*dishwasher*
leader, il	EU3	*leader*
lepre, la	U6	*hare*
liberarsi di	EU1	*(to) get rid of*
liberazione, la	U8	*liberation*
lieto evento, il	U4	*happy occurrence*
limite, il	U1	*limit/edge*
lince, la	EU1	*lynx*
linguista, il/la	EU5	*linguist*
lino, il	EU3	*linen*
liquido, il	EU6	*liquid*
liscio, il	U2	*ballroom dance*
livello agonistico, il	U3	*competitive level*
logica, la	U1	*logic*
lucchetto, il	EU4	*padlock*
luminarie, le	EU4	*illuminations*
luna di miele, la	U4	*honeymoon*
lunghezza, la	U2	*length*
luogo comune, il	U1	*commonplace*
lupo, il	U1	*wolf*

M

Madeira, il (vino)	EU4	*Madeira (wine)*
madrelingua, la	EU1	*mother tongue*
mafioso (-a)	U1	*mafia-style*
magari	U3	*maybe*
magazzino, il	U3	*warehouse (UK); storehouse (US)*
maggiormente	U3	*more/most*
maiuscolo (-a)	U1	*capital*
mammifero, il	EU6	*mammal*
mancanza, la	EU6	*lack*
mania, la	EU4	*mania*
maniera, la	EU3	*how / the way*
manifestazione, la	U4	*event*
mansione, la	U3	*task/job*
mappa mentale, la	EU1	*concept map*
maratona, la	U1	*marathon*
maratoneta, il	U1	*marathon runner*
mastella, la	U6	*plastic box*
master, il	U3	*Master's course / graduate school*
materiale, il	U3	*material*
meccanismo, il	U4	*mechanism*
mediatico (-a)	U5	*media (attr.)*
meglio	U8	*better*
membro, il	U5	*member*
memoria, la	U1	*memory*
merce, la	U6	*goods*
meritocrazia, la	EU3	*meritocracy*
meta, la	U1	*destination*
metallico (-a)	U6	*metal (attr.)*
metalmeccanico (-a)	U3	*engineering (attr.)*
metano, il	U6	*methane*
metropoli, la	U2	*big city*
mettere in evidenza	U3	*(to) highlight*
mettere in pratica	U2	*(to) implement / (to) put (something) into practice*
migliaia	U1	*thousands*
migliorare	U2	*(to) improve*
minacciato < minacciare	U6	*threatened < (to) threaten*
mischia, la	U1	*fray*
missione compiuta, la	U1	*mission accomplished*
modello, il	U3	*model*
modifica, la	TU1-4	*change*
moltitudine, la	U6	*multitude*
monopolio, il	EU5	*monopoly*
monouso	U6	*disposable*
montato (-a)	U1	*full of oneself*
morbido (-a)	EU3	*soft*
mordere	U4	*(to) bite*
morente < morire	U5	*dying < (to) die*
motore di ricerca, il	TU1-4	*search engine*
movimento, il	EU6	*movement*
mozzicone, il	U6	*(cigarette) butt*
multifunzionale	U3	*multifunction*
multisala, la	U2	*multiplex*
mura, le	EU1	*walls*
musa, la	EU1	*muse*
muso, il	U5	*(animal) face*
muto (-a)	U1	*dumb*
mutuo, il	EU3	*loan*

N

naturalistico (-a)	U6	*nature (attr.)*
né... né...	U7	*neither... nor...*
necessità, la	U2	*need*
nei dintorni di	U3	*near*
nel frattempo	U8	*in the meantime*
nido, il	EU6	*nest*
nitido (-a)	EU6	*clear*
no profit	U6	*non-profit*
nobile	U5	*noble*
nodo di comunicazioni stradali, il	U2	*street junction*
noia, la	U1	*boredom*
nominato < nominare	U2	*appointed < (to) appoint*
non appena	U7	*as soon as*
non ci voleva!	U2	*damn! / we didn't really need this!*
nonostante	U2	*despite*
novità, la	U1	*news*
numericamente	U3	*numerically*
nutriente	EU5	*nutritious*
nuziale	EU4	*wedding (attr.)*

O

o... o...	U7	*or...*
oasi, l'	U6	*oasis*
obiettivo, l'	U3	*goal/aim*
obiettore di coscienza, l'	EU8	*conscientious objector*
occuparsi di	U8	*(to) dedicate/ devote oneself (to)*
occupazione femminile, l'	U2	*women's employment*
odore, l'	EU8	*fragrance*
offerta, l'	U1	*offer*
offuscato < offuscare	U7	*blurry < (to) blur*
oggigiorno	U2	*nowadays*
oleato (-a)	U6	*greaseproof (paper)*
olio vegetale, l'	U6	*vegetable oil*
oltre	U3	*more than*

omaggio, l'	**U4**	*gift*
omogeneizzato, l'	**EU7**	*homogenised food (preparations)*
omonimo (-a)	**U2**	*with the same name*
one man show, il	**U5**	*one-man show*
onorario (-a)	**U6**	*honorary*
ontano, l'	**U6**	*alder*
opportunità, l'	**U2**	*opportunity*
opportuno (-a)	**U6**	*suitable*
ordine pubblico, l'	**EU4**	*law and order*
organizzazione umanitaria, l'	**U8**	*humanitarian organisation*
orientarsi	**EU6**	*(to) find one's bearings*
origine, l'	**EU2**	*origin*
orrore, l'	**EU5**	*horror*
orso, l'	**EU6**	*bear*
osare	**EU3**	*(to) dare*
ospitalità, l'	**EU3**	*hospitality*
ospitare	**U1**	*(to) host*
ossa, le	**EU1**	*bones*
ossessione, l'	**EU4**	*obsession*
ossi, gli	**EU1**	*(animal) bones*
ottimista	**EU5**	*optimistic*
ovunque	**U6**	*everywhere*
ovvero	**U6**	*that is / in other words*

P

pace, la	**U1**	*peace*
pacifista	**U8**	*pacifist*
paio, il	**U3**	*couple (of)*
pala, la	**U1**	*shovel*
palestrato (-a)	**U1**	*muscle-bound*
panico, il	**EU1**	*panic*
pannello solare, il	**EU6**	*solar panel*
pannolino, il	**U6**	*nappy (UK); diaper (US)*
pappa, la	**EU7**	*baby food*
parabola, la	**TU5-8**	*satellite dish*
paradiso, il	**U2**	*heaven*
pare < parere	**U8**	*it seems < (to) seem / (to) think*
parentesi, la	**U5**	*part of a TV programme*
parere, il	**U4**	*opinion/ viewpoint*
parete, la	**EU1**	*wall*
pari al...	**U8**	*(to) amount to*
parlante nativo, il	**U1**	*native speaker*
parola chiave, la	**EU3**	*key word*
parole crociate, le	**U7**	*crossword puzzle*
partecipazione, la	**U4**	*(wedding) invitation*
partitona, la	**U5**	*great match*
part-time, il	**U3**	*part-time*
parzialmente	**EU2**	*partially / in part*
passerella, la	**EU7**	*catwalk / fashion show*
passione, la	**U1**	*passion*
pasticceria, la	**U3**	*patisserie*
patente, la	**U3**	*driving licence (UK); driver's license (US)*
patrimonio dell'umanità, il	**EU2**	*world heritage (sites)*
pauroso (-a)	**EU1**	*fainthearted*
pazienza, la	**EU1**	*patience*
PE/HD	**U6**	*HDPE (high-density polyethylene)*
pedalare	**TU1-4**	*(to) bike / (to) go biking*
peggio	**U8**	*worse/worst*
pendente	**U2**	*leaning*
pensierino, il	**U4**	*(to) think over (someone)*
per caso	**U4**	*by chance*
per quanto riguarda...	**U3**	*as regards*
percepibile	**EU2**	*perceptible*
percorrere	**U2**	*(to) walk through*
percorso, il	**U1**	*path/career*
perdersi di vista	**EU8**	*(to) lose sight of each other*
perfettamente	**U2**	*perfectly*
perfezionamen-to, il	**U1**	*improvement*
periferia, la	**U2**	*suburb*
periodico, il	**U7**	*periodical*
periodo, il	**U3**	*period*
però!	**U8**	*wow!*
persino	**EU4**	*even*
personal trainer, il	**EU1**	*personal trainer*
personale, il	**U3**	*personnel/ employees*
pertanto	**U3**	*therefore*
pesca, la	**EU2**	*fishing*
pescare	**EU5**	*(to) fish out / (to) find*
pessimista	**EU1**	*pessimistic*
peste, la	**EU4**	*plague*
PET	**U6**	*PET (polyethylene terephthalate)*
piacevole	**U3**	*pleasant*
piazzarsi	**U2**	*(to) rank*
piegato < piegare	**U6**	*bent < (to) bend*
pigrizia, la	**U1**	*laziness*
pilotare	**U1**	*(to) fly (an airplane)*
pinacoteca, la	**U3**	*picture gallery*
pioniere, il	**U7**	*pioneer*
pitone, il	**TU5-8**	*python*
piuttosto	**U7**	*instead*
plastica, la	**EU6**	*plastic*
pluriennale	**U3**	*lasting several years*
polistirolo, il	**U6**	*polystyrene*
popcorn, i	**EU5**	*popcorn*
porgere	**U3**	*(to) give*
portico, il	**U2**	*porch*
portiere, il (di calcio)	**U7**	*goalkeeper*
posizionato < posizionare	**U6**	*placed < (to) place*
possesso, il	**U3**	*possession*
potenziale, il	**U6**	*potential*
pozzo, il	**U1**	*well*
PP	**U6**	*PP (polypropylene)*
praticamente	**U1**	*practically/almost*
praticare	**U1**	*(to) practice*
precedente	**EU3**	*prior*
preceduto < precedere	**U1**	*preceded < (to) precede*
precipitare	**EU7**	*(to) crash*
precisione, la	**EU3**	*precision*
predisporre	**EU7**	*(to) plan / (to) arrange*
preferenziale	**U3**	*preferential*
pregiudicato, il	**EU7**	*previous offender*
prendere in giro	**EU8**	*(to) make a fool of (someone)*
prendersi cura di	**U4**	*(to) take care of*
preparativo, il	**U4**	*preparation*
prescelto (-a)	**EU3**	*chosen*
presentatore, il	**EU5**	*presenter/host*
presidente, il	**U3**	*president/ chairperson*
prestigioso (-a)	**U2**	*prestigious/ eminent*
prestito, il	**EU3**	*loan*
preventivamente	**EU3**	*preemptively/ beforehand*
prevenzione, la	**TU5-8**	*prevention*
prezioso (-a)	**U3**	*precious*
primaverile	**U7**	*spring (attr.)*

primula, la	U6	*primrose*
priore, il	U1	*prior*
privacy, la	U3	*privacy*
problematica, la	U8	*issue*
proclamazione, la	U7	*announcement*
prodotto sfuso, il	U6	*bulk product*
produzione, la	U3	*production*
professionista, il	U7	*professional*
professore associato, il	U3	*associate professor*
profilo, il	U3	*profile*
profondo (-a)	U4	*deep*
profumo, il	U2	*smell/fragrance*
progettare	U5	*(to) plan*
programma, il	U5	*programme*
promuovere	EU8	*(to) promote*
proprietà, la	U2	*property*
proprietario, il	U3	*owner*
proroga, la	U3	*extension*
prostituta, la	EU4	*prostitute*
proveniente < provenire	U1	*coming from < (to) come from*
provincia, la	U2	*province*
provvigione, la	U3	*commission*
PS	U6	*PS (polystyrene)*
psicanalista, lo/la	U4	*psychoanalyst*
psichiatra, lo	U4	*psychiatrist*
pubblicato < pubblicare	U1	*published < (to) publish*
pullman, il	U2	*bus/coach*
puma, il	EU1	*puma*
punizione, la	EU5	*punishment*
puntare	EU7	*(to) point*
puntata, la	U5	*episode*
punteggio, il	U3	*score*
punti ecologici, i	EU6	*waste storage areas*
puntini sospensivi, i	U3	*suspension points*
punto di riferimento, il	U5	*representative (artist)*
punto di vista, il	U7	*point of view*
pur di...	U8	*just to*
pure	U2	*as well*
purezza, la	U4	*purity*

Q

quadrifoglio, il	EU6	*four-leaf clover*
qualifica, la	U3	*qualification*
qualunque	U1	*any*
quartiere, il	U2	*borough*
questionario, il	EU5	*questionnaire*
questioni umanitarie, le	EU1	*humanitarian issues*
quinte, le	U5	*backstage*
Quirinale, il	U7	*the President of the Italian Republic / Italian Presidential Palace*
quorum, il	U7	*quorum*
quota, la	EU6	*altitude*
quotidianamente	EU6	*daily / every day*
quotidianità, la	U4	*everyday life*
quotidiano, il	U7	*daily newspaper*

R

rabbia, la	U2	*anger*
raccolta di fondi, la	U8	*fundraising*
raccolta differenziata, la	U6	*separated waste collection*
raccomandarsi	TU1-4	*(to) urge*
raddoppiare	U5	*(to) double*
radiodramma, il	U4	*radio drama*
raffermo (-a)	U6	*stale*
ragazza acqua e sapone, la	EU1	*soap and water girl*
ragioneria, la	EU3	*chartered accountant (qualification)*
ragliare	U1	*(to) bray*
rallentare	TU5-8	*(to) slow down*
ramificazione, la	U1	*branch*
rancore, il	U8	*grudge*
rapidamente	U3	*quickly*
rappresentante, il	U1	*representative*
rassegna stampa, la	U7	*press review*
rassicurare	U7	*(to) reassure*
razionalità, la	EU1	*rationality*
razionare	EU6	*(to) ration*
reagire	U4	*(to) react (to)*
reality show, il	EU5	*reality show*
rebus, il	U7	*puzzle*
recinto, il	TU5-8	*fence*
reciso < recidere	U6	*cut off < (to) cut off*
recupero crediti, il	EU3	*debt collection*
reddito, il	EU8	*income*
regolarmente	EU1	*regularly*
rendere (famosi)	U2	*(to) make (someone) famous*
rendersi conto	U6	*(to) realise*
replica, la	U5	*rerun*
requisito, il	EU3	*requirement*
residuo, il	EU6	*remains*
resistere	U1	*(to) resist*
responsabile	U3	*responsible (for)*
responsabilità, la	U3	*responsibility*
retorica, la	U1	*rhetoric*
ribattezzare	U5	*(to) rename*
ricerca avanzata, la	EU3	*advanced search*
riciclo, il	U6	*recycling*
riconoscimento, il	U3	*honour*
ricostruire	U7	*(to) reconstruct*
ridurre	U6	*(to) reduce*
riferimento, il	EU3	*reference*
riferire	U2	*(to) tell / (to) report*
rifiuto, il	U6	*refusal*
riflessivo (-a)	U1	*thoughtful/ reflexive*
riflettere	U1	*(to) think (something) over*
rifugiarsi	U1	*(to) take refuge*
rifugio, il	U6	*refuge*
rilassamento, il	U4	*relaxing*
rimandare	EU2	*(to) refer*
rimborsare	EU2	*(to) pay back*
rimborso, il	EU8	*refund (of expenses)*
rimorchio, il	EU3	*trailer*
rinnovabile	EU6	*renewable*
rinnovatore, il	U2	*innovator*
rionale	U2	*local*
riparo, il	U2	*shelter*
riportare	U3	*(to) report*
riprodotto < riprodurre	U1	*reproduced < (to) reproduce*
ripulire	U7	*(to) polish up*
risalire	U4	*(to) date back (to)*
risata, la	U5	*laughter*
riscaldare	U6	*(to) heat up*
rischiare	U1	*(to) risk*
rischio, il	U8	*risk*
risciacquo, il	U6	*rinse*
riscontro, il	U3	*reply*
riscoprire	U1	*(to) rediscover*
riscuotere	U4	*(to) achieve*

riservare	U4	*(to) have (something) in store*
risiedere	U2	*(to) be based (in)*
risonanza, la	U4	*appeal*
risorsa energetica, la	U6	*energy resource*
rispecchiare	EU1	*(to) reflect*
rispettare	U1	*(to) respect*
rispetto a	U2	*with respect to*
rispetto reciproco, il	U4	*mutual respect*
risultato, il	U1	*result*
ritenere	TU5-8	*(to) consider*
ritmo, il	U1	*rhythm*
ritrovamento, il	EU7	*recovery/finding*
riunificazione, la	U8	*unification*
riuscita professionale, la	U3	*professional success*
riutilizzabile	U6	*reusable*
rivelare	U3	*(to) reveal*
riviera, la	EU2	*coast/riviera*
rivolto < rivolgere	U5	*pointed < (to) point*
romanzo d'appendice, il	U7	*penny dreadful (fiction)*
rotta commerciale, la	EU2	*trade route*
rovesciare	U4	*(to) spill*
rubrica, la	U7	*column*
rumoroso (-a)	U1	*noisy*

S

sacerdote, il	U4	*priest*
sacrificio, il	EU2	*sacrifice/offering*
saldatore, il	U3	*welder*
salita, la	U2	*uphill*
salvaguardare	U8	*(to) safeguard*
salvaguardia, la	EU6	*safeguard*
salvare	EU3	*(to) save*
salvia, la	U4	*sage*
sano (-a)	U8	*healthy*
santo, il	U7	*saint*
satellite, il	U5	*satellite*
satira, la	U5	*satire*
sbocco, lo	EU2	*access*
scaduto < scadere	U6	*spoiled < (to) spoil*
scaglia, la	U4	*flake*
scala, la	U3	*levels*
scalinata, la	U2	*staircase*
scarto, lo	U6	*waste/scrap*

scasso, lo	EU7	*break-in*
scegliere	U3	*(to) choose*
scelta, la	U2	*choice*
scenario, lo	U7	*scenery*
scheletro, lo	EU1	*skeleton*
scherzare	U2	*(to) joke*
schiacciare	U6	*(to) squash*
Scienze dell'alimentazione, le	U1	*nutrition and food science*
scollatura, la	EU3	*neckline*
scomparire	EU7	*(to) disappear*
sconfiggere	U1	*(to) defeat*
scontrino, lo	EU6	*receipt*
scoraggiarsi	U1	*(to) be discouraged*
scordare	EU8	*(to) forget*
scordarsi di	EU8	*(to) forget (to)*
scorrere	EU6	*(to) flow*
scorta, la	U6	*stock*
scottarsi	U4	*(to) get burned*
scrollarsi di dosso	U1	*(to) shake off*
sdraiarsi	U5	*(to) lie down / (to) stretch*
sdrammatizzare	EU1	*(to) play down*
secondario (-a)	U1	*secondary*
sede, la	U2	*seat/place*
seggiolone, il	EU7	*high chair*
segnalato < segnalare	EU7	*notified < (to) notify*
segnalazione, la	U2	*warning*
segni d'interpunzione, i	U3	*punctuation marks*
seguente	U1	*following/next*
seguito < seguire	U5	*followed < (to) follow*
selezionare	U7	*(to) select*
senatore, il	U7	*senator*
sentimentale	EU8	*sentimental*
sentimento, il	U4	*feeling*
sentirsela di	U4	*(to) feel like (doing something)*
separazione, la	U8	*separation*
sequenza, la	U1	*sequence*
sereno (-a)	U1	*peaceful*
serie televisiva, la	U5	*(television) series*
serpente, il	U4	*snake*
servizio civile, il	EU8	*civil service*
set, il	EU1	*(film) set*
settore, il	U2	*sector/aspect*

sex symbol, il	EU1	*sex symbol*
sfalci, gli	U6	*grass cut*
sfida, la	U1	*challenge*
sfidare	U7	*(to) challenge*
sfilata, la	U5	*(fashion) show*
sfondo, lo	EU6	*setting/ background*
sfortuna, la	U2	*bad luck / misfortune*
sfruttare	U2	*(to) make the most (of)*
sfumatura, la	EU6	*(color) shade*
sguardo, lo	U3	*look/glance*
sia... sia...	U7	*both... and...*
siccità, la	U6	*drought*
sicuramente	U2	*certainly*
sicurezza, la	EU1	*self-confidence*
simbiosi, la	EU7	*symbiosis/ harmony*
simboleggiare	TU1-4	*(to) symbolise / (to) stand for*
simbolo, il	U1	*symbol*
simile	U1	*similar*
sincerità, la	U4	*sincerity*
situato < situare	U6	*situated < (to) situate*
skipper, lo	EU3	*skipper*
slogan, lo	U4	*slogan*
smaltimento, lo	U6	*disposal*
smaltire	U6	*(to) dispose of*
smarrimento, lo	EU2	*loss*
smettere di	U1	*(to) stop (doing) (something)*
sobrio (-a)	EU3	*sober*
socievole	EU1	*friendly/sociable*
sociologia, la	EU8	*sociology*
solidarietà, la	U8	*solidarity*
solitario (-a)	U1	*lonely*
sommelier, il	U3	*sommelier*
sondaggio, il	EU1	*survey*
sopralluogo, il	EU7	*inspection*
sopravvivere	U1	*(to) survive*
sorprendente	U1	*surprising*
sorriso, il	U4	*smile*
sorveglianza, la	U7	*monitoring*
sospetto (-a)	U7	*suspect*
sostegno, il	U8	*support*
sostenitore, il	EU8	*supporter*
sotterraneo (-a)	EU6	*underground (attr.)*
sottile	EU1	*thin*

sottolineatura, la	U1	*underlining*
sovrabbondante	EU1	*overflowing*
spaventare	U4	*(to) frighten*
spazio aperto, lo	U2	*open space*
spazzatura, la	U5	*rubbish (UK); garbage (US)*
speaker, lo	EU5	*speaker*
specializzazione, la	EU8	*specialisation*
specie, la	U3	*species*
specifico (-a)	U5	*specific/ determined*
spensieratezza, la	U4	*light-heartedness*
sperimentare	U1	*(to) experiment (with)*
spezzarsi	U4	*(to) break*
spiovere	EU8	*(to) stop raining*
splendido (-a)	U2	*splendid/ wonderful*
spontaneità, la	U4	*spontaneity*
sprecone, lo	EU6	*waster*
squadra, la	U4	*team*
squallido (-a)	EU2	*squalid*
stabile	TU5-8	*stable*
stabilimento balneare, lo	EU2	*bathing establishment*
stabilirsi	U2	*(to) set up home*
stagista, lo/la	EU3	*apprentice*
stalla, la	U2	*barn*
stambecco, lo	EU6	*steinbock*
stampa, la	U7	*press*
stampare	U4	*(to) print*
standard, lo	U3	*average*
stappare	U6	*(to) uncork (a bottle)*
starsene	U4	*(to) stay*
statistica, la	U3	*statistics*
stato d'animo, lo	U3	*mood*
statuto speciale, lo	U2	*special statute*
stella, la	U7	*star*
stile di vita, lo	U1	*lifestyle*
stilista, lo/la	U1	*(fashion) designer*
stipendio, lo	U3	*salary*
stoffa, la	U6	*fabric*
straccio, lo	U6	*rag*
stress, lo	U2	*stress/strain*
stringere	U3	*(to) tie / (to) tighten*
strumento ad arco, lo	EU7	*string instrument*
struttura, la	U2	*structure*

studi, gli	U2	*studies*
stufare	U4	*(to) bore*
successivo (-a)	U3	*following*
suddiviso < suddividere	TU5-8	*divided < (to) divide (into)*
sudoku, il	U7	*sudoku (puzzle)*
suicidio, il	EU7	*suicide*
suolo, il	EU7	*ground*
suora, la	EU1	*nun*
superare	U1	*(to) overcome*
supervisione, la	U3	*supervision*
supporto, il	U6	*support*
surgelato (-a)	U3	*frozen*
svantaggio, lo	U2	*disadvantage/ drawback*
svettare	U5	*(to) stand out*
sviluppo, lo	U4	*development*
svogliato (-a)	U1	*lazy*
svolgere	U3	*(to) perform / (to) carry out*
svuotato < svuotare	U6	*emptied < (to) empty*

T

tablet, il	U5	*tablet*
tagliaerba, il	U7	*lawnmower*
tagliata di manzo, la	U4	*sliced beef steak*
talent show, il	U5	*(TV) talent show*
talento, il	U3	*talent*
talk show, il	EU5	*talk show*
tanichetta, la	U6	*small canister*
tappa, la	EU7	*stage*
tappetino, il	U4	*mouse pad*
tartaruga, la	TU5-8	*turtle*
tassa, la	U6	*tax*
tasso d'interesse, il	U7	*interest rate*
tasso di disoccupazione, il	U3	*unemployment rate*
tatuaggio, il	EU1	*tattoo*
team, il	U3	*team*
telecomando, il	U5	*remote control*
telenovela, la	U5	*soap opera*
telequiz, il	U5	*quiz show*
telespettatore, il	U5	*viewer*
tematico (-a)	U5	*theme (attr.)*
temere	U7	*(to) be afraid of*
tempo pieno, il	U3	*full time*
temporaneamente	U7	*for the moment*

tenere in considerazione	U3	*(to) take (something) into account*
tenerezza, la	U4	*tenderness*
tenore di vita, il	U2	*standard of living*
teologico (-a)	U1	*theological*
termine, il	U3	*end*
terrestre	U5	*terrestrial*
terrorizzato (-a)	U7	*terrified*
tessuto, il	U6	*fabric*
testata, la	U7	*newspaper*
testimone, il	EU7	*witness*
tetrapak, il	U6	*tetrapak*
tifo, il	U5	*supporting*
tipo	U7	*such as / kind (of)*
tipologia, la	TU5-8	*species*
tiratura, la	U7	*circulation*
tirocinio, il	U2	*internship*
tisana, la	U6	*infusion*
titolo professionale, il	U1	*(professional) title*
togliersi la vita	U4	*(to) commit suicide / (to) kill oneself*
tomba, la	U4	*tomb*
tonnellata, la	TU5-8	*ton*
torturare	EU4	*(to) torture*
tosare	EU4	*(to) shear*
tour, il	EU7	*tour*
tracciare	EU8	*(to) trace*
tradizionalista	U1	*traditionalist*
tragedia, la	EU7	*tragedy*
traguardo, il	U1	*finish line / goal*
tranquillità, la	U1	*quiet*
trascorrere	U1	*(to) spend*
trascurabile	EU8	*negligible*
trasloco, il	EU6	*moving/ relocation*
trasmettere	U5	*(to) broadcast*
trasmissione, la	U3	*broadcast/ programme*
trasparente	U6	*transparent*
trattamento, il	U3	*use/processing*
tratto, il	U6	*stretch*
trekking, il	EU6	*trekking*
tribunale, il	U7	*court*
trofeo, il	U4	*trophy*
troncamento, il	U1	*apocope*
tuffo, il	U2	*dive*

turno, il	**U3**	*turn*
tutela, la	**U6**	*safeguard*

U

uccidere	**U4**	*(to) kill*
ufficiale	**EU1**	*official*
ulteriore	**EU3**	*further/additional*
ultimato < ultimare	**U7**	*completed < (to) complete*
umbro (-a)	**U6**	*Umbrian*
un sacco di	**U2**	*a lot of*
UNESCO, l'	**EU2**	*UNESCO (United Nations Educational, Scientific and Cultural Organisation)*
unione, l'	**U4**	*union*
universale	**U8**	*universal*
universo, l'	**EU1**	*universe*
unto (-a)	**U6**	*greasy*
urbano (-a)	**U2**	*urban*
urlare	**U1**	*(to) scream / (to) shout*
usa e getta	**U6**	*disposable*
usanza, l'	**U2**	*custom/habit*
uso, l'	**EU5**	*use*
utilizzando < utilizzare	**U1**	*using < (to) use*

V

vacante	**U3**	*vacant/open*
valletta, la	**U5**	*(TV) assistant*
valorizzazione, la	**EU2**	*promotion*
vantaggio, il	**U2**	*advantage*
variare	**U4**	*(to) vary*
varietà, il	**U5**	*variety show*
vaschetta, la	**U6**	*bowl*
vasetto, il	**EU6**	*jar/pot*
veicolo, il	**U2**	*vehicle*
velivolo, il	**EU7**	*aircraft*
vena, la	**U4**	*vein*
verginità, la	**U4**	*virginity*
vernice, la	**U6**	*varnish*
verso, il	**U1**	*cry/call*
vetrina, la	**U5**	*shop window*
vezzeggiativo, il	**U5**	*term of endearment*
via di fuga, la	**EU1**	*escape route / way out*
vicolo, il	**U2**	*alley*
videoregistratore, il	**EU5**	*video recorder*
villaggio turistico, il	**EU3**	*holiday village*
vincitore, il	**U7**	*winner*
viola, la	**EU7**	*viola*
violino, il	**EU7**	*violin*
violoncello, il	**EU7**	*cello/violoncello*
visibile	**U7**	*visible*
visione, la	**EU5**	*vision*
visto che	**U7**	*since/as*
vita media, la	**U2**	*average life*
vite, la	**U6**	*grapevine*
vittoria, la	**U7**	*victory*
vivace	**U1**	*lively*
vivibile	**U2**	*livable*
vocazione, la	**U8**	*vocation*
volenteroso (-a)	**U1**	*willing*
volontà, la	**U2**	*will*
volontariato, il	**U6**	*volunteering*
volto < volgere	**U5**	*turned < (to) turn*
volto, il	**U4**	*face*
vulcanico (-a)	**EU5**	*volcanic*
vulcano, il	**U6**	*volcano*

Z

zapping, lo	**U5**	*channel-surfing*
zona, la	**U6**	*area*

Referenze fotografiche

Manuale per lo studente:

p. 8: (1) Brainsil/Istockphoto.com; (2) William Perugini/Shutterstock.com; (3) Shots Studio/Shutterstock.com; (4) erwinova/Shutterstock.com; (5) Alena Ozerova/Shutterstock.com; (6) ICPonline.it; (7) Mircea BEZERGHEANU/Shutterstock.com; (8) Combipel 2002; p. 10: ollyy/Shutterstock.com; p. 12: (1) conrado/Shutterstock.com; (2) Pressmaster/Shutterstock.com; (3) ©2011 Shutterstock.com; (4) 93016238/©2010 Photos.com; (5) nikkytok/Shutterstock.com; (6) kurhan/Shutterstock.com; (7) Suzan Oschmann/Shutterstock.com; (8) ©A.Fedorova/Shutterstock.com, 2012; (9) irin-k/Shutterstock.com; p. 14: koya979/Shutterstock.com; p. 15: S. john/Shutterstock.com; p. 21: (1) Germanskydiver/Shutterstock.com; (2) wavebreakmedia/Shutterstock.com; (3) BestPhotoStudio/Shutterstock.com; (4) CURAphotography/Shutterstock.com; (5) Konstantin Sutyagin/Shutterstock.com; (6) Lana K/Shutterstock.com; (7) Jakub Cejpek/Shutterstock.com; p. 22: (1) Dusan Zidar/Shutterstock.com; (2) Robert Red/Shutterstock.com; (3) svetikd/Istockphoto.com; p. 23: (1) Bibliothek des Gymnasiums Christaneum, Amburgo/Yale University Press, 1997; (2) unknown1861/Shutterstock.com; p. 24: (1) Fitzwilliam Museum, Cambridge/Mazzotta, Milano, 1984; (2) Gaspard Bodmer Collection, Cologny; (3) Zenit Arti Audiovisive; p. 25: (1) La Nuova Italia, 1991; (2) www.mrcheapflights.com; (3) Mondadori 1996; (4) ascaro41, 2007/flickr; (5) manca riccione ieri; (6) M.Pedone, 1981; p. 26: (1) iladm/Shutterstock.com; (2) Patrick Clenet; (3) © www.wikimedia.org; (4,6) pio3/Shutterstock.com; (5) vvoe/Shutterstock.com; (7) Sailorr/Shutterstock.com; p. 26: Giovannetti Giovanni/Olycom; p. 28: pio3/Shutterstock.com; p. 29: (1) baranq/Shutterstock.com; (2) © 2010 Photos.com; (3) CandyBox Images/Shutterstock.com; p. 30: (1) Guido Alberto Rossi/Tips Images; (2) Claudio Giovanni Colombo/123rf.com; (3) FedericoPhotos/Shutterstock.com; p. 31: (1) e2dan/Shutterstock.com; (2) RachelDewis/Istockphoto.com; (3) www.delnic.ec; p. 33: vvoe/Shutterstock.com; p. 37: (1) Tupungato/Shutterstock.com; (2) Gandolfo Cannatella/Shutterstock.com; (3) claudio zaccherini/Shutterstock.com; (4) Maria Veras/Shutterstock.com; p. 38: (1) pcruciatti/Shutterstock.com; (2) Michaela Klevisova/Shutterstock.com; (3) Patricia Hofmeester/Shutterstock.com; (5) Marcel Mooij/Shutterstock.com; (6) AntonioGravante/Shutterstock.com; (7) Eder/Shutterstock.com; p. 39: (1) Kzenon/Shutterstock.com; (2) Ana del Castillo/Shutterstock.com; (3) marmo81/Shutterstock.com; (4) withGod/Shutterstock.com; p. 40: Tips/Foto Pietro Scozzari; p. 41: (1) Camilo Torres/Shutterstock.com; (2) Doctor Jools/Shutterstock.com; (3) Rechitan Sorin/Shutterstock.com; (4) Massimiliano Pieraccini/Shutterstock.com; p. 42: (1) valeaielli/Istockphoto.com; (2) exl01/Istockphoto.com; (3) 2011 Shutterstock.com; (4) Zenit Arti Audiovisive; p. 43: (1) www.adecco.com; (2) "Bella" maggio 2000; (3) PK-Photos/Istockphoto.com; p. 44: Goodluz/Shutterstock.com; p. 45: (1) solominviktor/Shutterstock.com; (2) Fotoluminate LLC/Shutterstock.com; (3) mirana/Shutterstock.com; (4) Minerva Studio/Shutterstock.com; p. 47: urfin/Shutterstock.com; p. 48: (1) Claudio Giovanni Colombo/Shutterstock.com; (2) Syda Productions/Shutterstock.com; p. 49: (1) Goodluz/Shutterstock.com; (2) kurhan/Shutterstock.com; p. 53: phloxii/Shutterstock.com; p. 54: (1) piotr_pabijan/Shutterstock.com; (2) Evgeny Karandaev/Shutterstock.com; (3) tankist276/Shutterstock.com; (4) RTimages/Shutterstock.com; (5) Angela Waye/Shutterstock.com; (6) Edw/Shutterstock.com; p. 56: (1) VR Photos/Shutterstock.com; (2) blese, 2006/flickr; p. 57: (1) Quanthem/Shutterstock.com; (2) www.cavalieridellavoro.it; (3) Hulton Getty/Konemann, 2001; (4) Zenit Arti Audiovisive; p. 58: (1) CandyBox Images/Shutterstock.com; (2) wavebreakmedia/Shutterstock.com; (3) Sergey Shenderovsky/Shutterstock.com; (4) Andrey_Popov/Shutterstock.com; (5) Robert Kneschke/Shutterstock.com; (6) altafulla/Shutterstpck.com; (7) wavebreakmedia/Shutterstock.com; p. 60: Masson/Shutterstock.com; p. 61: (1) Photofollies/Shutterstock.com; (2) spline_x/Shutterstock.com; (3) Asasirov/Shutterstock.com; (4) Megin/Shutterstock.com; (5) Ermolaeva Viktoria/Shutterstock.com; (6) Modella/Shutterstock.com; (7) StudioSmart/Shutterstock.com; (8) Gordana Sermek/Shutterstock.com; p. 62: (1) © Photos.com, 2011; (2) Jaimie Duplass/Shutterstock.com; (3) auremar/Shutterstock.com; p. 63: (1) Pavel L Photo and Video/Shutterstock.com; (2) Isantilli/Shutterstock.com; (3) Bianca & Daniel, 2007/flickr; (4) Lisa A/Shutterstock.com; (5) Syda Productions/Shutterstock.com; (6) vgstudio/Shutterstock.com; (7) R.Filip/Shutterstock.com; (8) Phil Date/Shutterstock.com; (9) Maksim Shirkov/Shutterstock.com; (10) Voronin76 / Shutterstock.com; (11) Rido/Shutterstock.com; (12) Deklofenak/Shutterstock.com; (13) Lasse Kristensen/Shutterstock.com; (14) Denis Pepin/Shutterstock.com; (15) Andresr/Shutterstock.com; (16) ©Soyka/Shutterstock.com; p. 64: (1) Icponline.com; (2) Isantilli/Shutterstock.com; (3) Alexander Fediachov/Shutterstock.com; p. 65: vectorlib.com/Shutterstock.com; p. 66: (1) L_amica/Shutterstock.com; (2) cobalt88/Shutterstock.com; p. 67: Masson/Shutterstock.com; p. 71: wavebreakmedia/Shutterstock.com; p. 72: (1) Photolyric/Istockphoto.com; (2) Odua Images/Shutterstock.com; (3) Digital Media Pro/Shutterstock.com; (4) MrGarry/Shutterstock.com; (5) ©Andrey_Kuzmin/Shutterstock.com; (6) Daria Minaeva/Shutterstock.com; (7) Kzenon/Shutterstock.com; (8) Andresr/Shutterstock.com; (9) travel-world.nl; (10) StockLite/Shutterstock.com; (11) ©Martan/Shutterstock.com, 2013; (12) Kesu/Shutterstock.com; (13) Africa Studio/Shutterstock.com; (14) Doczky/Shutterstock.com; (15) Shutterstock, 2012; p. 73: (1) wolv/Istock.com; (2) BlueOrange Studio/Shutterstock.com; (3) Stefano Viola/Shutterstock; (4) titov dmitriy/Shutterstock.com; p. 74: argalis/Istockphoto.com; p. 75: (1) Steven Bostock/Shutterstock.com; (2) Cornelsen, 1999; (3) Zenit Arti Audiovisive; p. 82: (1) wavebreakmedia/Shutterstock.com; (2) auremar/Shutterstock.com; (3) StudioThreeDots/Istockphoto.com; (4) AZP Worldwide/Shutterstock.com; (5) Luna Vandoorne/Shutterstock.com; (6) bloomua/Shutterstock.com; p. 83: (1) katatonia82/Shutterstock.com; (2) a.berti/marka; (3) www.televisionando.it; (4) MATTEO ROSSETTI/Olycom; (5) a berti/Marka; p. 84: Ljupco Smokovski/Shutterstock.com; p. 85: (1) © johny007pan/Shutterstock.com; (2) © beboy/Shutterstock.com; (3) © Maxx-Studio/Shutterstock.com, 2013; (4) Kostsov/Shutterstock.com; (5) cobalt88/Shutterstock.com; (6) 91606875/ © 2010 Photos.com; (7) www.htbackdrops.com; (8) O.Bellini/Shutterstock.com; (9) © zentilia/Shutterstock.com; (10) www.zerorelativo.it; p. 86: (1) http://algoestacambiando.wordpress.com; (2) Splash News/Corbis; (3) http://realityshow.blogosfere.it; (4) 1995, Walt Disney; (5) "D", n.301, 14 maggio, 2002, p. 115; (6) Gow27/Shutterstock.com; (7) Kruglov_Orda/Shutterstock.com; p. 87: (1) BaLL LunLa/Shutterstock.com; (2) Shkanov Alexey/Shutterstock.com; (3) ©Coprid/Shutterstock.com, 2013; (4) Lucky Business/Shutterstock.com; (5) Mitrofanov Alexander/Shutterstock.com; (6) Syda Productions/Shutterstock.com; p. 88: Marjanneke/Istockphoto.com; p. 89: (1) dslaven/Shutterstock.com; (2) Oleksiy Mark/Shutterstock.com; p. 91: (1) pagadesign/Istockpfoto.com; (2) antb/Shutterstock.com; p. 92: (1) Goodluz/Shutterstock.com; (2) koya979/Shutterstock.com; (3) bikeriderlondon/Shutterstock.com; p. 95: (1) Farabola, 1994; (2) ilgiornale.it; (3) www.festivalblogosfere.it; p. 96: (1) ©2010 Photos.com; (2) Minerva Studio/Shutterstock.com; (3) ©S.Furtaev/Shutterstock.com, 2012; p. 97: Utet, 1994; p. 98: (1) Steve Heap/Shutterstock.com; (2) wikimedia/Jose Antonio; (3) Tatiana Grozetskaya/Shutterstock.com; (4) Crisferra/Shutterstock.com; p. 99: (1) www.endemol.it; (2) Maria Laura Antonelli/Scala; p. 100: (1) Mores_C/Istockphoto.com; (2) V.Giannella/ "Bell'Italia", marzo 2003; (3) Guido Alberto Rossi/TipsImages; (4) Web Picture Blog/Shutterstock.com; (5) Martin Dixon, 20 marzo 2007/Flickr Creative Commons 2.0 No Commercial; (6) Studio Aguilar; p. 101: (1) AndreasWeber/Istockphoto.com; (2) Calek/Shutterstock.com; (3) Ljupco Smokovski/Shutterstock.com; (4) EsbenOxholm/Shutterstock.com; (5) Geo8, 2006/flickr; (6) Gewitterkind/Istockphoto.com; (7) Midani/Shutterstock.com; (8) austinadams/Shutterstock.com; p. 101: (1) Blacknote/Shutterstock.com; (2) Quang Ho/Shutterstock.com; (3) aerogondo2/Shutterstock.com; (4) © 2011 Shutterstock.com; (5) Malgorzata Kistryn/Shutterstock.com; (6) A. Beniamino; (7) bogdan ionescu/Shutterstock.com; (8) EHStock/Istock.com; (9) Manuela Weschke / 2012 Shutterstock; p. 103: (1) Dmitry Kalinovsky/Shutterstock.com; (2) design56/Shutterstock.com; p. 105: (1) Monkey Business Images/Shutterstock.com; (2) Iwona Grodzka/Shutterstock.com; p. 106: (1) alphaspirit/Shutterstock.com; (2) Sam Chadwick/Shutterstock.com; (3) wim claes/Shutterstock.com; (4) Nickolay Khoroshkov/Shutterstock.com; p. 107: (1) Tischenko Irina/Shutterstock.com; (2) Picsfive/Shutterstock.com; p. 108: stjepann/Shutterstock.com; p. 109: (1) Zigzag Mountain Art/Shutterstock.com; (2) Deyan Georgiev/Shutterstock.com; (3) Sukharevskyy Dmytro (nevodka)/Shutterstock.com; (4) alle/Istockphoto.com; (5) Gergana/Shutterstock.com; (6) Shutterstock.com; (7) Zhukov Oleg/Shutterstock.com; Eric Isselee/Shutterstock.com; p. 110: Samot/Shutterstock.com; p. 111: (1) Galyna Andrushko/Shutterstock.com; (2) http://www.mattinata.it/news/17322/raccolta-differenziata-rifiuti-mattinata; p. 112: (1) O.Bellini/Shutterstock.com; (2) szefei/Shutterstock.com; p. 113: (1) G.Soury / www.espacotalassa.com; (2) www.legambiente.it; (3) www.valdisole.net; p. 114: (1) Dodo87/commons.wikimedia.org; (2) Metaphora/commons.wikimedia.org; (3) Giancarlo Dessi/ commons.wikimedia.org; (4) POOL/Olycom; (5) graph/Shutterstock.com; (6) Sergey Mironov/Shutterstock.com; (7) Blinka/Shutterstock.com; p. 115: (1) Foto scala, Firenze; (2) graph/Shutterstock.com; (3) Zenit Arti Audiovisive; p. 116: (1) www.repubbica.it; (2) www.giocando.com; (3) www.donanmoderna.com; (4) www.cucina-naturale.it; (5) doveviaggi.corriere.it; (6) www.vocedimantova.it; (7) www.gazzetta.it; (8) www.ilsole24ore.com; (9) http://espresso.repubblica.it; (10) www.quattroruote.it; p. 117: Yeko Photo Studio/Shutterstock.com; p. 118: Steve Collender/Shutterstock.com; p. 119: (1) Mighty Sequoia Studio/Shutterstock.com; (2) Nico Martinez, 2009; (3) sololos/Istockphoto.com; (4) Picsfive/Shutterstock.com; (5) STILLFX/Shutterstock.com; p. 120: Picsfive/Shutterstock.com; p. 121: (1) Protasov AN/Shutterstock.com; (2) binabina/Istockphoto.com; (3) William Perugini/Shutterstock.com; (4) STILLFX/Shutterstock.com; p. 122: (1) Milos Luzanin/Shutterstock.com; (2) Bharath Ravichandran/Shutterstock.com; p. 123: joebrandt/Istockphoto.com; p. 124: (1) cjp/Istockphoto.com; (2) Iakov Filimonov/Shutterstock.com; (3) Fotosenmeer/Shutterstock.com; (4) CREATISTA/Istockphoto.com; (5) Martinan/Istockphoto.com; (6) Felix Mizioznikov/Shutterstock.com; (7) aetb/Istockphoto.com; p. 125: (1) GI1386 manca credito da archivio; (2) ariwasabi/Istockphoto.com; (3) Denis Vrublevski/Shutterstock.com; p. 126: (1) twistah/Shutterstock.com; (2) Susanna Barzaghi/Shutterstock.com; p. 129: Irina Fischer/Shutterstock.com; p. 130: (1) RTimages/Shutterstock.com; (2) Andresr/Shutterstock.com; p. 131: (1) Andrija Markovic/Shutterstock.com; (2) offstocker/Shutterstock.com; p. 132: G. Giovannetti/Olycom; p. 133: (1) Dedalo, 1985; (2) D.Meyer/AFP, 2010; p. 134: (1,2) Goodluz/Shutterstock.com; (3) Mauro Bighin/Shutterstock.com; (4) MrGarry/Shutterstock.com; (5) Aleksandr Markin/Shutterstock.com; (6) asiseeit/Istockphoto.com; p. 135: (1) Serge Black/Shutterstock.com; (2) Robert D Pinna/Shutterstock.com; p. 136: Maksim Shmeljov/Shutterstock.com; p. 137: (1) arek_malang/Shutterstock.com; (2) Charmaine A Harvey/Shutterstock.com; p. 139: (1) Juanmonino/Istockphoto.com; (2) greenland/Shutterstock.com; (3) mangostock/Shutterstock.com; (4) Sergey Mironov/Shutterstock.com; p. 140: (1) Ewa Studio/Shutterstock.com; (2) cowardlion/Shutterstock.com; (3) IgorXIII/Shutterstock.com; (4) Zoom Team/Shutterstock.com; (5) gualtiero boffi/Shutterstock.com; (6) Pressmaster/Shutterstock.com; (7) Roman Sigaev/Shutterstock.com; (8) © Ninell/Shutterstock.com; p. 141: (1,3) Minerva Studio/Shutterstock.com; (2) Ljupco Smokovski/Shutterstock.com; p. 142: (1) maxstockphoto/Shutterstock.com; (2) skynesher/Istockphoto.com; p. 143: Olaf Stemme/IPS International; p. 146: (1) PHOTOCREO Michal Bednarek/Shutterstock.com; (2) NinaMalyna/Shutterstock.com; (3) Elena Yakusheva/Shutterstock.com; p. 147: (1) wavebreakmedia/Shutterstock.com; (2) Pavel L Photo and Video/Shutterstock.com; (3) haveseen/Shutterstock.com; (4) IB/Istockphoto.com; (5) NinaMalyna/Shutterstock.com; p. 148: (1) © A.Raths/Shutterstock.com, 2013; (2) Artishok/Shutterstock.com; p. 149: (1) Giovanni dall'Orto/commons.wikimedia.org; (2) http://lacittadelledonne.com.

Eserciziario:

p. 2: (1) © alberto berti/Marka; (2) time-az.com/main/detail/17267; p. 3: Alexander Raths/Shutterstock.com; p. 5: (1) pkline/Istockphoto.com; (2) Michal Kowalski/Shutterstock.com; (3) StockLite/Shutterstock.com; (4) Opolja/Shutterstock.com; p. 6: (1) michaeljung/Shutterstock.com; (2) © A.Fedorova/Shutterstock.com, 2012; (3) Valerie Potapova/Shutterstock.com; (4) Seleznev Oleg/Shutterstock.com; (5) hadynyah/Istockphoto.com; (6) Styve Reineck/Shutterstock.com; p. 12: (1) andras_csontos/Shutterstock.com; (2) onairda/Shutterstock.com; (3) Ana Menendez/Shutterstock.com; (4) RZ Design/Shutterstock.com; (5) HLPhoto/shutterstock.com; p. 13: Marcos81/Shutterstock.com; p. 14: monticello/Shutterstock.com; p. 15: albertomoglioni.com; p. 17: (1) jocic/Shutterstock.com; (2) Johan Larson/Shutterstock.com; (3) Opolja/Shutterstock.com; p. 18: claudio zaccherini/Shutterstock.com; p. 19: (1) © 2010 Photos.com; (2) Albo; (3) Lisa-Blue/Istock.com; (4) William Perugini/Shutterstock.com; (5) 2011 Shutterstock; (6) pio3/Shutterstock.com; (7) Tupungato/Shutterstock.com; (8) Henry Tsui/Shutterstock.com; p. 20: Vitaly Korovin/Shutterstock.com; p. 24: (1) Alberto Zornetta/Shutterstock.com; (2) Gunter Nezhoda/Shutterstock.com; (3) StockLite/Shutterstock.com; (4) thuatha/Shutterstock.com; p. 27: Kzenon/Shutterstock.com; p. 28: Janis Smits/Shutterstock.com; p. 29: (1) vesna cvorovic/ Shutterstock.com; (2) Guzel Studio/Shutterstock.com; (3) Karramba Production/Shutterstock.com; p. 30: Monkey Business Images; p. 31: (1) Diego Cervo/Shutterstock.com; (2) Doreen Salcher/Shutterstock.com; (3) Michal Kowalski/Shutterstock.com; (4) Piotr Marcinski/Shutterstock.com; p. 32: Madlen/Shutterstock.com; p. 33: (1) Ratthaphong Ekariyasap/Shutterstock.com; (2) Patrick Poendl/Shutterstock.com; p. 34: (1) http://ursulalake.redspa.co.uk; (2) http://filmblog.girlpower.it; (3) http://videopazzeschi.blogosfere.it; (4) http://ilvoltodelcinema.blogspot.it; (5) http://www.zingarate.com; p. 35: (1) Galleria Nazionale d'Arte Antica, Roma; (2) Galleria Borghese, Roma; (3) Deklofenak/Shutterstock.com; (4) © MarsBars/Istockphoto.com; p. 36: (1) Pablo Calvog/Shutterstock.com; (2) vgstudio/Shutterstock.com; (3) © Icponline.com; (4) © 2010 Photos.com; (5) Alleksander/Shutterstock.com; (6) auremar/Shutterstock.com; (7) © Photos.com, 2011; (8) Tyler Olson/Shutterstock.com; p. 37: (1) Yayayoyo/Shutterstock.com; (2) Tatyana Vyc/Shutterstock.com; p. 38: Sergey Nivens/Shutterstock.com; p. 39: (1) Ariwasabi/Shutterstock.com; (2) www.lafamiglia.co.uk; p. 40: discpicture/Shutterstock.com; p. 41: bowdenimages/Istockphoto.com; p. 42: (1) Oleksiy Mark/Shutterstock.com; (2) © johny007pan/Shutterstock.com; (3) © zentilia/Shutterstock.com; (4) Rashevskyi Viacheslav/Shutterstock.com; (5) © Evgeny Karandaev/Shutterstock.com; p. 43: (1) M. Guglielminotti; (2) Piotr Sikora/Shutterstock.com; (3) elmonteaquatics.com; (4) www.hkballet.com; (5) motogp-site.com; (6) Warner Bros; (7) www.comcast.com/Anne Wood/BBC; (8) Dave Pusey/Shutterstock.com; (9) www.quirinale.it; (10) http://www.iljournal.it; (11) E.Paoni/ Contrasto/"Venerdì di Repubblica", dicembre 2000; p. 44: (1) POOL/Olycom; (2) Elena Elisseeva/Shutterstock.com; p. 45: Ralf Siemieniec/Shutterstock.com; p. 46: (1) limpido/Shutterstock.com; (2) Iwona Grodzka/Shutterstock.com; (3) photosync/Shutterstock.com; (4) Winai Tepsuttinun/Shutterstock.com; (5) Jiri Hera/Shutterstock.com; p. 47: (1) chevanon/Shutterstock.com; (2) Vintage Vectors EPS10/Shutterstock.com; (3) Lightspring/Shutterstock.com; p. 48: Mopic/Shutterstock.com; p. 49: (1) © JupiterImages; (2) © L.Fumi/Shutterstock.com, 2013; (3) Eric Isselee/Shutterstock.com; (4) Ljupco Smokovski/Shutterstock.com; (5) Iwona Grodzka/Shutterstock.com; (6) Olga Popova/Shutterstock.com; p. 50: (1) atm2003/Shutterstock.com; (2) © Jupiterimages, 2009; (3) Ija, 22 maggio 2010/Flickr Creative Commons 2.0 No Commercial; (4) Davide.D/Shutterstock.com; p. 51: (1) mastino70, 4 agosto 2007/Flickr Creative Commons 2.0 No Commercial; (2) wjarek/Shutterstock.com; (3) © 2011 Shutterstock.com; p. 54: (1) www.milanomia.com; (2) © Oredia / Tipsimages; p. 55: © G.Tondelli/Shutterstock.com, 2012; p. 56: (1) Aaron Amat/Shutterstock.com; (2) Yuri Sheftsoff/Shutterstock.com; (3) baranq/Shutterstock.com; (4) ollyy/Shutterstock.com; (5) Jochen Schoenfeld/Shutterstock.com; (6) marcogarrincha/Shutterstock.com; p. 57: pedalevivaemequilibrio.wordpress.com; p. 58: (1) Fabrizio Gattuso /shutterstock.com; (2) http://www.lagazzettadilucca.it; (3) La Vieja Sirena; (4) www.estense.com; p. 60: StockLite/Shutterstock.com; p. 61: Sergio33/Shutterstock.com; p. 62: (1) ms lume, 2007; (2) shutterstock/dslaven; (3) Mario Savoia; (4) MPanchenko/Shutterstock.com; (5) Icponline; (6) glenda/Shutterstock.com; (7) sbarabu/Shutterstock.com; p. 66: (1) www.associazioninrete.it; (2) http://oliviabalzar.wordpress.com/2012/08/21/momenti-di-trascurabile-felicita/; p. 67: (1) RobinE/Shutterstock.com; (2) ChameleonsEye/Shutterstock.com; (3) © 2011 Shutterstock.com; (4) Tatiana Morozova/Shutterstock.com.